भारतीय शासन एंव राजनीति

भारतीय शासन एंव राजनीति

मंजीत

प्रशांत पब्लिशिंग हाउस

प्रथम प्रकाशन–2020

प्रकाशक

प्रशांत पब्लिशिंग हाउस

सी–34, 28 फुटा रोड़ गली न. 3
वेस्ट करावल नगर
दिल्ली–110094
मो : 9810396373, 8826258746
email : prashantpublishinghouse@gmail.com
www.pphbooks.co.in

ISBN : 978-93-88526-31-9

मुद्रक

रोशन आफसेट प्रिंटर्स दिल्ली

भूमिका

भारत का संविधान, भारत का सर्वोच्च विधान है जो संविधान सभा द्वारा 26 नवम्बर 1949 को पारित हुआ तथा 26 जनवरी 1950 से प्रभावी हुआ। यह दिन (26 नवम्बर) भारत के संविधान दिवस के रूप में घोषित किया गया है जबकि 26 जनवरी का दिन भारत में गणतन्त्र दिवस के रूप में मनाया जाता है। भारत का संविधान विश्व के किसी भी गणतांत्रिक देश का सबसे लंबा लिखित संविधान है।

भारतीय संविधान में वर्तमान समय में 448 अनुच्छेद, तथा 12 अनुसूचियां हैं। और ये 25 भागों में विभाजित है। परन्तु इसके निर्माण के समय मूल संविधान में 395 अनुच्छेद थे जो 22 भागों में विभाजित थे इसमें केवल 8 अनुसूचियां थीं।

संविधान में सरकार के संसदीय स्वरूप की व्यवस्था की गई है जिसकी संरचना कुछ अपवादों के अतिरिक्त संघीय है। केन्द्रीय कार्यपालिका का सांविधानिक प्रमुख राष्ट्रपति है। भारत के संविधान की धारा 79 के अनुसार, केन्द्रीय संसद की परिषद् में राष्ट्रपति तथा दो सदन हैं जिन्हें राज्यों की परिषद राज्यसभा तथा लोगों का सदन लोकसभा के नाम से जाना जाता है। संविधान की धारा 74 (1) में यह व्यवस्था की गई है कि राष्ट्रपति की सहायता करने तथा उसे सलाह देने के लिए एक मंत्रिपरिषद होगा जिसका प्रमुख प्रधानमंत्री होगा, राष्ट्रपति इस मंत्रिपरिषद की सलाह के अनुसार अपने कार्यों का निष्पादन करेगा। इस प्रकार वास्तविक कार्यकारी शक्ति मंत्रिपरिषद, में निहित है जिसका प्रमुख प्रधानमंत्री होता हैं। इस पुस्तक की भाषा सरल है।

अनुक्रम

अध्याय–1

भारत का संविधान

भारत का संविधान, भारत का सर्वोच्च विधान है जो संविधान सभा द्वारा 26 नवम्बर 1949 को पारित हुआ तथा 26 जनवरी 1950 से प्रभावी हुआ। यह दिन (26 नवम्बर) भारत के संविधान दिवस के रूप में घोषित किया गया है जबकि 26 जनवरी का दिन भारत में गणतन्त्र दिवस के रूप में मनाया जाता है। भारत का संविधान विश्व के किसी भी गणतांत्रिक देश का सबसे लंबा लिखित संविधान है।

संक्षिप्त परिचय

भारतीय संविधान में वर्तमान समय में 448 अनुच्छेद, तथा 12 अनुसूचियां हैं। और ये 25 भागों में विभाजित है। परन्तु इसके निर्माण के समय मूल संविधान में 395 अनुच्छेद थे जो 22 भागों में विभाजित थे इसमें केवल 8 अनुसूचियां थीं।

संविधान में सरकार के संसदीय स्वरूप की व्यवस्था की गई है जिसकी संरचना कुछ अपवादों के अतिरिक्त संघीय है। केन्द्रीय कार्यपालिका का सांविधानिक प्रमुख राष्ट्रपति है। भारत के संविधान की धारा 79 के अनुसार, केन्द्रीय संसद की परिषद् में राष्ट्रपति तथा दो सदन हैं जिन्हें राज्यों की परिषद राज्यसभा तथा लोगों का सदन लोकसभा के नाम से

जाना जाता है। संविधान की धारा 74 (1) में यह व्यवस्था की गई है कि राष्ट्रपति की सहायता करने तथा उसे सलाह देने के लिए एक मंत्रिपरिषद होगा जिसका प्रमुख प्रधानमंत्री होगा, राष्ट्रपति इस मंत्रिपरिषद की सलाह के अनुसार अपने कार्यों का निष्पादन करेगा। इस प्रकार वास्तविक कार्यकारी शक्ति मंत्रिपरिषद, में निहित है जिसका प्रमुख प्रधानमंत्री होता हैं।

मंत्रिपरिषद सामूहिक रूप से लोगों के सदन (लोक सभा) के प्रति उत्तरदायी है। प्रत्येक राज्य में एक विधानसभा है। जम्मू और कश्मीर, उत्तर प्रदेश, बिहार, महाराष्ट्र, कर्नाटक, आंध्रप्रदेश और तेलंगाना में एक ऊपरी सदन है जिसे विधानपरिषद कहा जाता है।

राज्यपाल राज्य का प्रमुख होता है। प्रत्येक राज्य का एक राज्यपाल होगा तथा राज्य की कार्यकारी शक्ति उसमें निहित होगी। मंत्रिपरिषद, जिसका प्रमुख मुख्यमंत्री है, राज्यपाल को उसके कार्यकारी कार्यों के निष्पादन में सलाह देती है। राज्य की मंत्रिपरिषद् सामूहिक रूप से राज्य की विधान सभा के प्रति उत्तरदायी है।

संविधान की सातवीं अनुसूची में संसद तथा राज्य विधायिकाओं के बीच विधायी शक्तियों का वितरण किया गया है। अवशिष्ट शक्तियाँ संसद में निहित है। केन्द्रीय प्रशासित भू–भागों को संघराज्य क्षेत्र कहा जाता है।

संविधान का इतिहास

किसी भी देश का संविधान उसकी राजनीतिक व्यवस्था का वह बुनियादी सांचा–ढांचा निर्धारित करता है, जिसके अंतर्गत उसकी जनता शासित होती है। यह राज्य की विधायिका, कार्यपालिका और न्यायपालिका जैसे प्रमुख अंगों की स्थापना करता है, उसकी शक्तियों की व्याख्या करता है, उनके दायित्यों का सीमांकन करता है और उनके पारस्परिक तथा जनता के साथ संबंधों का विनियमन करता है। इस प्रकार किसी देश के संविधान को उसकी ऐसी आधार विधि (कानून) कहा जा सकता है, जो उसकी राज्यव्यवस्था के मूल सिद्धातों को निर्धारित करती है। वस्तुतः

प्रत्येक संविधान उसके संस्थापकों एवं निर्माताओं के आदर्शों, सपनों तथा मूल्यों का दर्पण होता है। वह जनता की विशिष्ट सामाजिक, राजनीतिक और आर्थिक प्रकृति, आस्था एवं आकांक्षाओं पर आधारित होता है।

भारत में नये गणराज्य के संविधान का शुभारंभ 26 जनवरी, 1950 को हुआ और भारत अपने लंबे इतिहास में प्रथम बार एक आधुनिक संस्थागत ढांचे के साथ पूर्ण संसदीय लोकतंत्र बना। 26 नवम्बर, 1949 को भारतीय संविधान सभा द्वारा निर्मित 'भारत का संविधान' के पूर्व ब्रिटिश संसद द्वारा कई ऐसे अधिनियम/चार्टर पारित किये गये थे, जिन्हें भारतीय संविधान का आधार कहा जा सकता है।

रेग्युलेटिंग एक्ट, 1773

बंगाल का शासन गवर्नर जनरल तथा चार सदस्यीय परिषद में निहित किया गया। इस परिषद में निर्णय बहुमत द्वारा लिए जाने की भी व्यवस्था की गयी। इस अधिनियम द्वारा प्रशासक मंडल में वारेन हेस्टिंग्स को गवर्नर जनरल के रूप में तथा क्लैवरिंग, मॉनसन, बरवैल तथा फिलिप फ्रांसिस को परिषद के सदस्य के रूप में नियुक्त किया गया। इन सभी का कार्यकाल पांच वर्ष का था तथा निदेशक बोर्ड की सिफारिश पर केवल ब्रिटिश सम्राट द्वारा ही इन्है। हटाया जा सकता था।

(१) मद्रास तथा बम्बई प्रेसीडेंसियों को बंगाल प्रेसीडेन्सी के अधीन कर दिया गया तथा बंगाल के गवर्नर जनरल को तीनों प्रेसीडेन्सियों का गवर्नर जनरल बना दिया गया। इस प्रकार वारेन हेस्टिंग्स को बंगाल का प्रथम गवर्नर जनरल कहा जाता है और वे लोग सत्ता का उपयोग संयुक्त रूप से करते थे।

(२) सपरिषद गवर्नर जनरल को भारतीय प्रशासन के लिए कानून बनाने का अधिकार प्रदान किया गया, किन्तु इन कानूनों को लागू करने से पूर्व निदेशक बोर्ड की अनुमति प्राप्त करना अनिवार्य था।

(३) इस अधिनियम द्वारा बंगाल (कलकत्ता) में एक उच्चतम न्यायालय की स्थापना की गयी। इसमें एक मुख्य न्यायाधीश तथा तीन अन्य न्यायाधीश थे। सर एलिजा इम्पे को उच्चतम न्यायालय (सुप्रीम कोर्ट) का प्रथम मुख्य न्यायाधीश नियुक्त किया गया। इस न्यायालय को दीवानी, फौजदारी, जल सेना तथा धार्मिक मामलों में व्यापक अधिकार दिया गया। न्यायालय को यह भी अधिकार था कि वह कम्पनी तथा सम्राट की सेवा में लगे व्यक्तियों के विरुद्ध मामले की सुनवायी कर सकता था। इस न्यायालय के निर्णय के विरुद्ध इंग्लैंड स्थित प्रिवी कौंसिल में अपील की जा सकती थी।

(४) संचालक मंडल का कार्यकाल चार वर्ष कर दिया गया तथा अब 500 पौंड के स्थान पर 1000 पौंड के अंशधारियों को संचालक चुनने का अधिकार दिया गया।

इस प्रकार 1773 के एक्ट के द्वारा भारत में कंपनी के कार्यों में ब्रिटिश संसद का हस्तक्षेप व नियंत्रण प्रारंभ हुआ तथा कम्पनी के शासन के लिए पहली बार एक लिखित संविधान प्रस्तुत किया गया।

1781 का संशोधित अधिनियम

इस अधिनियम के द्वारा कलकत्ता की सरकार को बंगाल, बिहार और उड़ीसा के लिए भी विधि बनाने का अधिकार प्रदान किया गया।

(१) इस अधिनियम द्वारा सर्वोच्च न्यायालय पर यह रोक लगा दी गयी कि वह कम्पनी के कर्मचारियों के विरुद्ध कार्यवाही नहीं कर सकता, जो उन्होंने एक सरकारी अधिकारी की हैसियत से किया हो।

(२) कानून बनाने तथा उसका क्रियान्वयन करते समय भारतीयों के सामाजिक तथा धार्मिक रीति–रिवाजों का सम्मान करने का भी निर्देश दिया गया।

(३) इस अधिनियम को एक्ट ऑफ सेटलमेंट के नाम से भी जाना जाता है।

पिट्स इंडिया अधिनियम 1784

इस अधिनियम को कम्पनी पर अधिकाधिक नियंत्रण स्थापित करने तथा भारत में कम्पनी की गिरती साख को बचाने के उद्देश्य से पारित किया गया।

(१) भारत में गवर्नर जनरल की परिषद की संख्या 4 से कम करके 3 कर दी गयी। इस परिषद को युद्ध, संधि, राजस्व, सैन्य शक्ति, देशी रियासतों आदि के अधीक्षण की शक्ति प्रदान की गयी।

(२) कम्पनी के भारतीय अधिकृत प्रदेशों को पहली बार 'ब्रिटिश अधिकृत प्रदेश' कहा गया।

(३) गवर्नर जनरल को देशी राजाओं से युद्ध तथा संधि से पूर्व कम्पनी के संचालकों से स्वीकृति लेना आवश्यक कर दिया गया।

(४) इंग्लैंड में 6 आयुक्तों (कमिश्नरों) के एक 'नियंत्रक बोर्ड' की स्थापना की गयी, जिसे भारत में अंग्रेजी अधिकृत क्षेत्र पर पूरा अधिकार दिया गया। इसे 'बोर्ड ऑफ कन्ट्रोल' के नाम से जाना गया। इसके सदस्यों की नियुक्ति सम्राट द्वारा की जाती थी। इसके 6 सदस्यों में एक ब्रिटेन का अर्धमंत्री, दूसरा विदेश सचिव तथा चार अन्य सम्राट द्वारा प्रिवी कौंसिल के सदस्यों द्वारा चुने जाते थे।

(५) इस 'बोर्ड ऑफ कंट्रोल' (नियंत्रक मंडल) को कम्पनी के भारत सरकार के नाम आदेशों एवं निर्देशों को स्वीकृत अथवा अस्वीकृत करने का अधिकार प्रदान किया गया।

(६) प्रांतीय परिषद के सदस्यों की संख्या भी 4 से घटाकर 3 कर दी गयी। प्रांतीय शासन को केन्द्रीय आदेशों का

अनुपालन आवश्यक कर दिया गया अर्थात् बम्बई तथा मद्रास के गवर्नर पूर्णरूपेण गवर्नर जनरल के अधीन कर दिये गये।

(७) कम्पनी के कर्मचारियों को उपहार लेने पर पूर्णतः प्रतिबंध लगा दिया गया।

(८) भारत में नियुक्त अंग्रेज अधिकारियों के मामलों में सुनवायी के लिए इंग्लैंड में एक कोर्ट की स्थापना की गयी।

1786 का अधिनियम

इस अधिनियम के द्वारा गवर्नर जनरल को विशेष परिस्थितियों में अपनी परिषद के निर्णयों को रद्द करने तथा अपने निर्णय लागू करने का अधिकार दिया गया। गवर्नर जनरल को मुख्य सेनापति की शक्तियां भी मिल गयी।

1793 का राजपत्र

कम्पनी के कार्यों एवं संगठन में सुधार के लिए यह चार्टर पारित किया गया।

इस चार्टर की प्रमुख विशेषता यह थी कि इसमें पूर्व के अधिनियमों के सभी महत्वपूर्ण प्रावधानों को शामिल किया गया था। इस अधिनियम की प्रमुख विशेषताएं निम्न थीं–

(१) कम्पनी के व्यापारिक अधिकारों को अगले 20 वर्षों के लिए बढ़ा दिया गया।

(२) विगत शासकों के व्यक्तिगत नियमों के स्थान पर ब्रिटिश भारत में लिखित विधि–विधानों द्वारा प्रशासन की आधारशिला रखी गयी। इन लिखित विधियों एवं नियमों की व्याख्या न्यायालय द्वारा किया जाना निर्धारित की गयी।

(३) गवर्नर जनरल एवं गवर्नरों की परिषदों की सदस्यता की

योग्यता के लिए सदस्य को कम–से–कम 12 वर्षों तक भारत में रहने का अनुभव को आवश्यक कर दिया गया।

(४) नियंत्रक मंडल के सदस्यों का वेतन अब भारतीय कोष से दिया जाना तय हुआ।

1813 का राजपत्र

कम्पनी के एकाधिकार को समाप्त करने, ईसाई मिशनरियों द्वारा भारत में धार्मिक सुविधाओं की मांग, लॉर्ड वेलेजली की भारत में आक्रामक नीति तथा कम्पनी की सोचनीय आर्थिक स्थिति के कारण 1813 का चार्टर अधिनियम ब्रिटिश संसद द्वारा पारित किया गया। इसके प्रमुख प्रावधान निम्न थे–

(१) कम्पनी का भारतीय व्यापार का एकाधिकार समाप्त कर दिया गया, यद्यपि उसका चीन से व्यापार तथा चाय के व्यापार पर एकाधिकार बना रहा।

(२) ईसाई मिशनरियों को भारत में धर्म प्रचार की अनुमति दी गयी।

(३) भारतीयों की शिक्षा के लिए सरकार को प्रतिवर्ष 1 लाख रुपये खर्च करने का निर्देश दिया गया।

(४) कम्पनी को अगले 20 वर्षों के लिए भारतीय प्रदेशों तथा राजस्व पर नियंत्रण का अधिकार दे दिया गया।

(५) नियंत्रण बोर्ड की शक्ति को परिभाषित किया गया तथा उसका विस्तार भी कर दिया गया।

1833 का राजपत्र

1813 के अधिनियम के बाद भारत में कम्पनी के साम्राज्य में काफी वृद्धि हुई तथा महाराष्ट्र, मध्य भारत, पंजाब, सिन्ध, ग्वालियर, इंदौर आदि पर अंग्रेजों का प्रभुत्व स्थापित हो गया।

इसी प्रभुत्व को स्थायित्व प्रदान करने के लिए 1833 का चार्टर अधिनियम पारित किया गया। इसके निम्न मुख्य प्रावधान थे–

(१) कम्पनी के चाय एवं चीन के साथ व्यापार के एकाधिकार को समाप्त कर उसे पूर्णतः प्रशासनिक और राजनीतिक संस्था बना दिया गया।

(२) बंगाल के गवर्नर जनरल को सम्पूर्ण भारत का गवर्नर जरनल घोषित किया गया। सम्पूर्ण भारत का प्रथम गवर्नर जनरल लॉर्ड बैंटिक बना।

(३) भारत के प्रदेशों पर कम्पनी के सैनिक तथा असैनिक शासन के निरीक्षण और नियंत्रण का अधिकार भारत के गवर्नर जनरल को दिया गया। भारत के गवर्नर जनरल की परिषद द्वारा पारित कानूनों को अधिनियम की संज्ञा दी गयी।

(४) विधि के संहिताकरण के लिए आयोग के गठन का प्रावधान किया गया।

(५) भारत में दास–प्रथा को गैर–कानूनी घोषित किया गया। फलस्वरूप 1843 में भारत में दास–प्रथा की समाप्ति की घोषणा हुई।

(६) इस अधिनियम द्वारा यह स्पष्ट कर दिया गया कि कम्पनी के प्रदेशों में रहने वाले किसी भी भारतीय को केवल धर्म, वंश, रंग या जन्मस्थान इत्यादि के आधार पर कम्पनी के किसी पद से जिसके वह योग्य हो, वंचित नहीं किया जायेगा।

(७) सपरिषद गवर्नर जनरल को ही सम्पूर्ण भारत के लिए कानून बनाने का अधिकार प्रदान किया गया और मद्रास–बम्बई के परिषदों के कानून बनाने का अधिकार समाप्त कर दिये गये।

इस अधिनियम द्वारा भारत में केन्द्रीकरण का प्रारंभ किया गया, जिसका सबसे प्रबल प्रमाण विधियों को संहिताबद्ध करने के लिए एक आयोग का गठन था। इस आयोग का प्रथम अध्यक्ष लॉर्ड मैकाले को नियुक्त किया गया।

1853 का राजपत्र

1853 का राजपत्र भारतीय शासन (ब्रिटिश कालीन) के इतिहास में अंतिम चार्टर एक्ट था।

यह अधिनियम मुख्यतः भारतीयों की और से कम्पनी के शासन की समाप्ति की मांग तथा तत्कालीन गवर्नर जनरल लॉर्ड डलहौजी की रिपोर्ट पर आधारित था। इसकी प्रमुख विशेषताएं निम्न थीं:

(१) ब्रिटिश संसद को किसी भी समय कम्पनी के भारतीय शासन को समाप्त करने का अधिकार प्रदान किया गया।

(२) कार्यकारिणी परिषद के कानून सदस्य को परिषद का पूर्ण सदस्य का दर्जा प्रदान किया गया।

(३) बंगाल के लिए पृथक गवर्नर की नियुक्ति की व्यवस्था की गयी।

(४) गवर्नर जनरल को अपनी परिषद के उपाध्यक्ष की नियुक्ति का अधिकार दिया गया।

(५) विधायी कार्यों को प्रशासनिक कार्यों से पृथक करने की व्यवस्था की गयी।

(६) निदेशक मंडल में सदस्यों की संख्या 24 से घटाकर 18 कर दी गयी।

(७) कम्पनी के कर्मचारियों की नियुक्ति के लिए प्रतियोगी परीक्षा की व्यवस्था की गयी।

(८) भारतीय विधि आयोग की रिपोर्ट पर विचार करने के लिए इंग्लैंड में विधि आयोग के गठन का प्रावधान किया गया।

क्राउन के शासन काल में संवैधानिक विकास

1858 का अधिनियम

1853 की चार्टर में कम्पनी को शासन के लिए चूंकि किसी निश्चित अवधि के लिए प्राधिकृत नहीं किया गया था, इसलिए किसी भी समय

सत्ता का हस्तांतरण ब्रिटिश क्राउन को संसद के द्वारा हस्तांतरित किया जा सकता था। 1857 के गदर ने शासन की असंतोषजनक नीतियां उजागर कर दी थी, जिससे संसद को कम्पनी को पदच्युत करने का बहाना मिल गया। साम्राज्य की सुरक्षा के लिए ब्रिटिश संसद ने कई अधिनियम पारित किये जो भारतीय प्रशासन का आधार बने। 1858 के अधिनियम के प्रमुख प्रावधान निम्न थे–

(१) भारत में कम्पनी के शासन को समाप्त कर शासन का उत्तरदायित्व ब्रिटिश संसद को सौंप दिया गया।

(२) अब भारत का शासन ब्रिटिश साम्राज्ञी की ओर से राज्य सचिव को चलाना था, जिसकी सहायता के लिए 15 सदस्यीय भारत परिषद का गठन किया गया। अब भारत के शासन से संबंधित सभी कानूनों एवं कार्यवाहियों पर भारत सचिव की स्वीकृति अनिवार्य कर दी गयी।

(३) भारत के गवर्नर जनरल का नाम 'वायसराय' (क्राउन का प्रतिनिधि) कर दिया गया तथा उसे भारत सचिव की आज्ञा के अनुसार कार्य करने के लिए बाध्य किया गया।

(४) भारत मंत्री को वायसराय से गुप्त पत्र व्यवहार तथा ब्रिटिश संसद में प्रतिवर्ष भारतीय बजट पेश करने का अधिकार दिया गया।

(५) कम्पनी की सेवा को ब्रिटिश शासन के अधीन कर दिया गया।

(६) इस प्रकार भारत का प्रथम वायसराय लॉर्ड कैनिंग बना।

1 नवम्बर, 1858 को ब्रिटेन की महारानी विक्टोरिया ने भारत के संबंध में एक महत्वपूर्ण नीतिगत घोषणा की। इस घोषणा की महत्वपूर्ण बातें निम्न थीं–

(१) भारतीय प्रजा को साम्राज्य के अन्य भागों में रहने वाली ब्रिटिश प्रजा के समान माना जायेगा।

(२) भारतीय लोगों के साथ लोक सेवाओं में अपनी शिक्षा, योग्यता तथा विश्वसनीयता के आधार पर स्वतंत्र एवं निष्पक्ष भर्ती में भेदभाव नहीं किया जायेगा।

(३) भारत के लोगों के भौतिक एवं नैतिक उन्नति के प्रयास किये जायेंगे।

भारतीय परिषद अधिनियम 1861

1861 का भारतीय परिषद अधिनियम भारत के संवैधानिक इतिहास में एक महत्वपूर्ण और युगांतकारी घटना है। यह दो मुख्य कारणों से महत्वपूर्ण है। एक तो यह कि इसने गवर्नर जनरल को अपनी विस्तारित परिषद में भारतीय जनता के प्रतिनिधियों को नामजद करके उन्है। विधायी कार्य से संबद्ध करने का अधिकार दिया।

दूसरा यह कि इसने गवर्नर जनरल की परिषद की विधायी शक्तियों का विकेन्द्रीकरण कर दिया अर्थात बम्बई और मद्रास की सरकारों को भी विधायी शक्ति प्रदान की गयी। इस अधिनियम की अन्य महत्वपूर्ण बातें निम्न थीं–

(१) गवर्नर जनरल की विधान परिषद की संख्या में वृद्धि की गयी। अब इस परिषद में कम–से–कम 6 तथा अधिकतम 12 सदस्य हो सकते थे। उनमें कम–से–कम आधे सदस्यों का गैर–सरकारी होना जरूरी था।

(२) गवर्नर जनरल को विधायी कार्यों हेतु नये प्रांत के निर्माण का तथा नव–निर्मित प्रांत में गवर्नर या लेफटिनेंट गवर्नर को नियुक्त करने का अधिकार दिया गया।

(३) गवर्नर जनरल को अध्यादेश जारी करने का अधिकार दिया गया। 1865 के अधिनियम के द्वारा गवर्नर जनरल को प्रेसीडेन्सियों तथा प्रांतों की सीमाओं को उद्घोषणा द्वारा नियत करने तथा उनमें परिवर्तन करने का अधिकार दिया गया। इसी तरह 1869 के अधिनियम के द्वारा गवर्नर

जनरल को विदेश में रहने वाले भारतीयों के संबंध में कानून बनाने का अधिकार दिया गया। 1873 के अधिनियम के द्वारा ईस्ट इंडिया कम्पनी को किसी भी समय भंग करने का प्रावधान किया गया। इसी के अनुसरण में 1 जनवरी, 1874 को ईस्ट इंडिया कम्पनी को भंग कर दिया गया।

शाही उपाधि अधिनियम, 1876

इस अधिनियम के अंतर्गत निम्न कार्य किये गये–

(१) 28 अप्रैल, 1876 को एक घोषणा द्वारा महारानी विक्टोरिया को 'भारत की साम्राज्ञी' घोषित किया गया।

(२) औपचारिक रूप से भारत सरकार का ब्रिटिश सरकार को अन्तरण मान्य किया गया।

भारतीय परिषद अधिनियम 1892

1861 के अंतर्गत गैर–सरकारी सदस्य या तो बड़े जमींदार होते थे या अवकाश प्राप्त अधिकारी या भारत के राज परिवारों के सदस्य। प्रतिनिधित्व की आम आकांक्षा की पुष्टि इससे नहीं हुई।

इसी बीच भारतीय राष्ट्रीय कांग्रेस द्वारा अधिक प्रतिनिधित्व की मांग की जाती रही। यूरोपीय व्यापारियों की और से भी भारत सरकार को इंग्लैंड में स्थित इंडिया आफिस से अधिक स्वतंत्रता की मांग की जाती रही।

सर जॉर्ज चिजनी की अध्यक्षता में एक कमेटी बनी जिसके सुझावों का समावेश 1892 के अधिनियम में किया गया। इस अधिनियम की प्रमुख बातें निम्न थी–

(१) इस अधिनियम के द्वारा केन्द्रीय तथा प्रांतीय विधान परिषद् में 'अतिरिक्त सदस्यों' की संख्या बढ़ा दी गयी और उनके निर्वाचन का भी विशेष उल्लेख किया गया। यद्यपि इसके द्वारा सीमित चुनाव की ही व्यवस्था हुई, लेकिन

भारत के मुख्य सामाजिक वर्गों का प्रतिनिधित्व सुनिश्चित किया गया।

(२) परिषद के अधिकारों में भी वृद्धि की गयी। वार्षिक आय या बजट का ब्योरा परिषद में प्रस्तुत करना आवश्यक हो गया। सदस्यों को कार्यपालिका के काम के बारे में प्रश्न पूछने का अधिकार दिया गया।

यद्यपि इस अधिनियम द्वारा विधायिका के सदस्य के सीमित निर्वाचन की शुरूआत हुई, फिर भी इस अधिनियम में अनेक खामियां थीं जिनके कारण भारतीय राष्ट्रवादियों ने इस अधिनियम की बार–बार आलोचना की। यह माना गया कि स्थानीय निकायों का चुनाव मंडल बनाना एक प्रकार से इनके द्वारा मनोनीत करना ही है। विधान मंडलों की शक्तियां भी काफी सीमित थी। सदस्य अनुपूरक प्रश्न नहीं पूछ सकते थे। किसी प्रश्न का उत्तर देने से इंकार किया जा सकता था। इसके अलावा वर्गों का प्रतिनिधित्व भी पक्षपातपूर्ण था।

भारतीय परिषद अधिनियम, 1909

1892 का अधिनियम राष्ट्रवादियों को संतुष्ट नहीं कर सका था, साथ ही राष्ट्रीय आंदोलन पर उग्रवादी नेताओं का प्रभाव बढ़ता जा रहा था। सेक्रेटरी ऑफ स्टेट लॉर्ड मार्ले तथा भारत में वायसराय लॉर्ड मिन्टो दोनों ही सहमत थे कि कुछ सुधारों की आवश्यकता है।

सर अरुण्डेल कमेटी की रिपोर्ट के आधार पर फरवरी 1909 ई. में नया अधिनियम पारित किया गया जिसे भारतीय परिषद् अधिनियम 1909 और 'मार्ले–मिन्टो सुधार' के नाम से जाना गया। इस अधिनियम के प्रमुख प्रावधान निम्न थे–

(१) इस अधिनियम के द्वारा केन्द्रीय एवं प्रांतीय विधान परिषदों में निर्वाचित सदस्यों की संख्या में वृद्धि की गयी। प्रांतीय विधान परिषदों में गैर–सरकारी बहुमत स्थापित किया गया।

(२) सभी निर्वाचित सदस्य अप्रत्यक्ष रूप से चुने जाते थे। स्थानीय निकायों से निर्वाचन परिषद का गठन होता था। ये प्रांतीय विधान परिषदों के सदस्यों का चुनाव करती थी। प्रांतीय विधान परिषद के सदस्य केन्द्रीय व्यवस्थापिका के सदस्यों का चुनाव करते थे।

(३) पहली बार पृथक निर्वाचन व्यवस्था का प्रारंभ किया गया। मुसलमानों को प्रतिनिधित्व में विशेष रियायत दी गयी। उन्है। केन्द्रीय एवं प्रांतीय विधान परिषदों में जनसंख्या के अनुपात से अधिक प्रतिनिधि भेजने का अधिकार दिया गया।

(४) गवर्नर जनरल की कार्यकारिणी में एक भारतीय सदस्य को नियुक्त करने की व्यवस्था की गयी। प्रथम भारतीय सदस्य के रूप में सत्येन्द्र सिन्हा की नियुक्ति हुई।

(५) विधायिका के कार्यक्षेत्र में विस्तार किया गया। सदस्यों को बजट प्रस्ताव करने और जनहित के विषयों पर प्रश्न पूछने का अधिकार दिया गया। जिन विषयों को विधायिका के क्षेत्र से बाहर रखा गया था, वे थे सशस्त्र सेना, विदेश संबंध और देशी रियासतें।

इस अधिनियम की सबसे बड़ी त्रुटि यह थी कि पृथक अथवा साम्प्रदायिक आधार पर निर्वाचन की पद्धति लागू की गयी।

इसके अलावा जो चुनाव पद्धति अपनायी गयी, वह इतनी अस्पष्ट थी कि जन प्रतिनिधित्व प्रणाली एक प्रकार की बहुत–सी छननियों में से छानने की प्रक्रिया बन गयी। संसदीय प्रणाली तो दे दी गयी, परंतु उत्तरदायित्व नहीं दिया गया।

भारतीय परिषद अधिनियम, 1919

20 अगस्त, 1917 को तत्कालीन सेक्रेटरी ऑफ स्टेट फॉर इंडिया, मॉटेग्यु ने हाउस ऑफ कॉमंस में एक ऐतिहासिक वक्तव्य दिया, जिसमें ब्रिटेन के इरादे का बयान किया गया।

शासन की सभी शाखाओं में भारतीयों को शामिल करना और स्वायत्तशासी संस्थाओं का क्रमिक विकास, जिससे ब्रिटिश भारत के अभिन्न अंग के रूप में उत्तरदायी सरकार की उत्तरोत्तर उपलब्धि हो सके।

इसी घोषणा को कार्यान्वित करने के लिए 'मोंटफोर्ड रिपोर्ट–1918' प्रकाशित की गयी, जो 1919 के अधिनियम का आधार बना। इस एक्ट द्वारा तत्कालीन भारतीय संवैधानिक प्रणाली में महत्वपूर्ण परिवर्तन किये गये–

(१) केन्द्रीय विधान परिषद का स्थान राज्य परिषद (उच्च सदन) तथा विधान सभा (निम्न सदन) वाले द्विसदनीय विधान मंडल ने ले लिया। हालांकि, सदस्यों को नामजद करने की कुछ शक्ति बनाये रखी गयी, पिफर भी प्रत्येक सदन में निर्वाचित सदस्य का बहुमत होना सुनिश्चित किया गया।

(२) सदस्यों का चुनाव सीमांकित निर्वाचन क्षेत्रों द्वारा प्रत्यक्ष रूप से किया जाना था। मताधिकार का विस्तार किया गया। निर्वाचक मंडल के लिए अर्हताएं साम्प्रदायिक समूह, निवास और संपत्ति पर आधारित थी।

(३) आठ प्रमुख प्रांतों में जिन्है। गवर्नर का प्रांत कहा जाता था, द्वैध शासन की एक नयी पद्धति शुरू की गयी। प्रांतीय सूची के विषयों को दो भागों में बांटा गया– सुरक्षित विषय और हस्तांतरित विषय। सुरक्षित सूची के विषय गवर्नर के अधिकार क्षेत्र में थे और वह इन विभागों को अपने कार्यकारिणी की सहायता से देखता था। हस्तांतरित विषय भारतीय मंत्रियों के अधिकार में थे, जिनकी नियुक्ति भारतीय सदस्यों में से होती थी।

(४) अधिनियम के प्रारंभ के दस वर्ष बाद द्वैध शासन प्रणाली तथा संवैधानिक सुधारों के व्यावहारिक रूप की जांच के

लिए और उत्तरदायी सरकार की प्रगति से संबंधित मामलों पर सिफारिश करने के लिए ब्रिटिश संसद द्वारा एक आयोग ने गठन की व्यवस्था की गयी। इसी प्रावधान के अनुसार 1927 में साईमन आयोग का गठन किया गया।

1919 के अधिनियम में अनेक खामियां थीं। इसने जिम्मेदार सरकार की मांग को पूरा नहीं किया। इसके अलावा प्रांतीय विधान मंडल गवर्नर जनरल की स्वीकृति के बगैर अनेक विषयों में विधेयक पर बहस नहीं कर सकते थे। सिद्धान्त रूप में केन्द्रीय विधान मंडल सम्पूर्ण क्षेत्र में कानून बनाने के लिए सर्वोच्च तथा सक्षम बना रहा। केन्द्र तथा प्रांतों के बीच शक्तियों के बंटवारे के बावजूद ब्रिटिश भारत का संविधान एकात्मक राज्य का संविधान ही बना रहा। प्रांतों में द्वैध शासन पूरी तरह विफल रहा। गवर्नर का पूर्ण वर्चस्व कायम रहा।

वित्तीय शक्ति के अभाव में मंत्री अपनी नीतियों को प्रभावी रूप से कार्यान्वित नहीं कर सकते थे। इसके अलावा मंत्री विधान मंडल के प्रति सामूहिक रूप से जिम्मेदार नहीं थे। वस्तुतः मंत्रियों को दो मालिकों को खुश रखना पड़ता था– एक तो विधान परिषद को और दूसरा गवर्नर जनरल को।

साइमन कमीशन 1927

1919 के अधिनियम की धारा 84 के अनुसार सर जॉन साइमन की अध्यक्षता में एक आयोग का गठन किया गया। इस आयोग में एक भी भारतीय सदस्य नहीं था अतः भारतीयों द्वारा इसका विरोध किया गया। आयोग की रिपोर्ट जून 1930 में प्रकाशित हुई। साइमन कमीशन द्वारा डोमिनियन दर्जे की मांग को ठुकरा दिये जाने के बाद कांग्रेस ने 1929 के लाहौर अधिवेशन में 'पूर्ण स्वराज्य' का प्रस्ताव पारित किया गया।

नेहरू रिपोर्ट

कांग्रेस पार्टी ने सेक्रेटरी ऑफ स्टेट, लॉर्ड वर्कनहेड की इस चुनौती को स्वीकार किया कि एक ऐसे संविधान की रचना की जाये, जो भारत के हर दल को स्वीकार हो।

इसके लिए 28 फरवरी, 1928 ई. को दिल्ली में एक सर्वदलीय सम्मेलन बुलाया गया। संविधान का प्रारूप बनाने के लिए पंडित मोतीलाल नेहरू की अध्यक्षता में नौ सदस्यों की एक समिति बनायी गयी। इस समिति द्वारा प्रस्तुत प्रारूप को ही नेहरू रिपोर्ट के नाम से जाना जाता है।

नेहरू रिपोर्ट लखनऊ के सर्वदलीय सम्मेलन में स्वीकार की गयी, लेकिन दिसम्बर 1928 ई.में कलकत्ता के सर्वदलीय सम्मेलन में इस पर गंभीर आपत्ति उठायी गयी। नेहरू रिपार्ट के 'साम्प्रदायिक समझौता' में सभी समुदायों के संयुक्त निर्वाचक समूह का प्रस्ताव था। इस प्रस्ताव पर सबसे बड़ी आपत्ति मुहम्मद अली जिन्ना ने की।

गोलमेज सम्मेलन, 1930–1932

साइमन आयोग की रिपोर्ट के प्रकाशित होने के पहले ही लॉर्ड इर्विन ने घोषणा की थी कि रिपोर्ट को गोलमेज सम्मेलन में विचार के लिए रखा जायेगा। पहला सम्मेलन 12 नवम्बर, 1930 को हुआ। यह सम्मेलन किसी निश्चित सहमति पर नहीं पहुंच सका।

पहले सम्मेलन में कांग्रेस ने भाग नहीं लिया था। फरवरी 1931 के 'गांधी–इर्विन समझौते' के फलस्वरूप दूसरे गोलमेज सम्मेलन में कांग्रेस की तरफ से गांधीजी ने सम्मेलन में भाग लिया। श्रीमती सरोजिनी नायडू और पंडित मदन मोहन मालवीय ने ब्रिटिश सरकार के मनोनीत सदस्य के रूप में भाग लिया।

दूसरे समुदायों के प्रतिनिधियों को भी आमंत्रित किया गया। इस सम्मेलन के बाद ही 'साम्प्रदायिक अधिनिर्णय' और पूना समझौता का आविर्भाव हुआ, जिनके द्वारा धार्मिक समूहों और हिन्दुओं के विभिन्न वर्ण समूहों को विशेष प्रतिनिधित्व दिया गया।

कांग्रेस और अन्य राष्ट्रीय समूहों ने इन प्रावधानों का जमकर विरोध किया। तीसरा और अंतिम गोलमेज सम्मेलन नवम्बर 1932 ई. में हुआ। एक श्वेतपत्र जारी किया गया, जिस पर ब्रिटेन की संसद की संयुक्त प्रवर

समिति ने विचार किया। इसके सुझावों के आधार पर भारत सरकार अधिनियम 1935 बनाया गया।

भारत सरकार अधिनियम 1935

1935 के भारत सरकार अधिनियम में 321 अनुच्छेद तथा 10 अनुसूचियां थी। इस अधिनियम के प्रमुख प्रावधान निम्न थे–

(१) इस अधिनियम द्वारा अखिल भारतीय संघ का प्रावधान किया गया, जिसमें ब्रिटिश प्रांतों का शामिल होना अनिवार्य था, किन्तु देशी रियासतों का शामिल होना नरेशों की इच्छा पर निर्भर था।

(२) संघ तथा केन्द्र के बीच शक्तियों का विभाजन किया गया। विभिन्न विषयों की तीन सूचियां बनायी गयी– संघीय सूची, प्रांतीय सूची तथा समवर्ती सूची।

(३) 1919 के अधिनियम द्वारा जो द्वैध शासन प्रांतों में लागू किया गया था, उसे केन्द्र में लागू किया गया। केन्द्रीय सरकार के विषयों को दो भागों में विभाजित किया गया– संरक्षित विषय और हस्तांतरित विषय। संरक्षित विषय गवर्नर जनरल के अधिकार क्षेत्र में था, जबकि हस्तांतरित विषयों का शासन मंत्रिपरिषद को सौंपा गया।

(४) केन्द्र में द्विसदनात्मक विधायिका की स्थापना की गयी– राज्य परिषद (उच्च सदन) तथा केन्द्रीय विधान सभा (निम्न सदन)।

(५) प्रांतों में द्वैध शासन को समाप्त कर प्रांतीय स्वायत्तता के सिद्धान्त को स्वीकार किया गया।

(६) प्रांतीय विधायिका को प्रांतीय सूची तथा समवर्ती सूची पर कानून बनाने का अधिकार दिया गया।

(७) प्रांतीय विधान मंडल को अनेक शक्तियां दी गयी। मंत्रिपरिषद को विधानमंडल के प्रति जिम्मेदार बना दिया गया और वह

एक अविश्वास प्रस्ताव पारित कर उसे पदच्युत कर सकता था। विधान मंडल प्रश्नों तथा अनुपूरक प्रश्नों के माध्यम से प्रशासन पर कुछ नियंत्रण रख सकता था।

(८) इस अधिनियम के अधीन बर्मा को भारत से अलग कर दिया गया और उड़ीसा तथा सिन्ध नाम से दो नये प्रांत बना दिये गये।

(६) इस अधिनियम द्वारा एक संघीय बैंक और एक संघीय न्यायालय की स्थापना का भी प्रावधान किया गया।

भारतीय स्वतंत्रता अधिनिमय 1947

माउन्टबेटेन योजना के आधार पर ब्रिटिश संसद द्वारा पारित भारतीय स्वतंत्रता अधिनियम 1947 के प्रमुख प्रावधान निम्न थे–

(१) भारत तथा पाकिस्तान नामक दो डोमिनियनों की स्थापना के लिए 15 अगस्त, 1947 की तारीख निश्चित की गयी।

(२) इसमें भारत का क्षेत्रीय विभाजन भारत तथा पाकिस्तान के रूप में करने तथा बंगाल एवं पंजाब में दो–दो प्रांत बनाने का प्रस्ताव किया गया। पाकिस्तान को मिलने वाले क्षेत्रों को छोड़कर ब्रिटिश भारत में सम्मिलित सभी प्रांत भारत में सम्मिलित माने गये।

(३) पूर्वी बंगाल, पश्चिमी बंगाल और असम के सिलहट जिले को पाकिस्तान में सम्मिलित किया जाना था।

(४) भारत में महामहिम की सरकार का उत्तरदायित्व तथा भारतीय रियासतों पर महामहिम का अधिराजत्व 15 अगस्त, 1947 को समाप्त हो जायेगा।

(५) भारतीय रियासतें इन दोनों में से किसी में शामिल हो सकती थी।

(६) प्रत्येक डोमिनियन के लिए पृथक गवर्नर जरनल होगा

जिसे महामहिम द्वारा नियुक्त किया जायेगा। गवर्नर जनरल डोमिनियन की सरकार के प्रयोजनों के लिए महामहिम का प्रतिनिधित्व करेगा।

(७) प्रत्येक डोमिनियन के लिए पृथक विधानमंडल होगा, जिसे विधियां बनाने का पूरा प्राधिकार होगा तथा ब्रिटिश संसद उसमें कोई हस्तक्षेप नहीं कर सकेगी।

(८) डोमिनियम की सरकार के लिए अस्थायी उपबंध के द्वारा दोनों संविधान सभाओं की संसद का दर्जा तथा डोमिनियन विधानमंडल की पूर्ण शक्तियां प्रदान की गयी।

(९) इसमें गवर्नर जनरल को एक्ट के प्रभावी प्रवर्तन के लिए ऐसी व्यवस्था करने हेतु, जो उसे आवश्यक तथा समीचीन प्रतीत हो, अस्थायी आदेश जारी करने का प्राधिकार दिया गया।

(१०) इसमें सेक्रेटरी ऑफ द स्टेट की सेवाओं तथा भारतीय सशस्त्र बल, ब्रिटिश स्थल सेना, नौसेना और वायु सेना पर महामहिम की सरकार का अधिकार क्षेत्र अथवा प्राधिकार जारी रहने की शर्तें निर्दिष्ट की गयी थी।

इस प्रकार भारतीय स्वतंत्रता अधिनियम 1947 के अनुसार 14–15 अगस्त, 1947 को भारत तथा पाकिस्तान नामक दो स्वतंत्र राष्ट्रों का गठन कर दिया गया। इस प्रकार भारतीय संविधान की बहुत–सी संस्थाओं का विकास संवैधानिक विकास के लम्बे समय में हुआ, जिसकी चर्चा ऊपर की गयी है। इसका सबसे महत्वपूर्ण उदाहरण है संघीय व्यवस्था।

यह कांग्रेस और मुस्लिम लीग द्वारा 1916 ई. के लखनऊ समझौते में स्वीकार की गयी थी।

साइमन कमीशन ने भी संघीय व्यवस्था पर बल दिया और 1935 ई. के अधिनिमय ने संघीय व्यवस्था की स्थापना की, जिसमें प्रांतों के अधिकार ब्रिटेन के क्राउन द्वारा प्राप्त हुए थे। जब भारत स्वतंत्र हुआ तब तक राष्ट्रीय आन्दोलन के नेता संघीय व्यवस्था के लिए वचनबद्ध हो चुके थे।

संसदीय व्यवस्था, जो कार्यपालिका और विधायिका के संबंधों को परिभाषित करती है, भारत में अपरिचित नहीं थी। इस तरह भारतीय संविधान, संविधान निर्माताओं की बुद्धिमानी और सूक्ष्म दृष्टि और कालक्रम में विकसित संस्थाओं और कार्यविधियों का एक अपूर्व सम्मिश्रण है।

भारतीय संविधान की संरचना

वर्तमान समय में भारतीय संविधान के निम्नलिखित भाग हैं–

- एक उद्देशिका,
- 395 अनुच्छेद से युक्त 22 भाग
- 12 अनुसूचियाँ,
- 5 अनुलग्नक
- 101 संशोधन।

(अब तक 122 संविधान संशोधन विधेयक संसद में लाये गये हैं। जिनमें से 101 संविधान संशोधन विधेयक पारित हो चुके हैं। 8 अगस्त 2016 को संसद ने वस्तु और सेवा कर पारित कर 101वाँ संविधान संशोधन किया।)

अनुसूचियाँ

पहली अनुसूची – (अनुच्छेद 1 तथा 4) – राज्य तथा संघ राज्य क्षेत्र का वर्णन।

दूसरी अनुसूची – अनुच्छेद 59(3), 65(3), 75(6),97, 125,148(3), 158(3),164(5),186 तथा 221, – मुख्य पदाधिकारियों के वेतन–भत्ते,

भाग–क – राष्ट्रपति और राज्यपाल के वेतन–भत्ते,

भाग–ख – लोकसभा तथा विधानसभा के अध्यक्ष तथा उपाध्यक्ष, राज्यसभा तथा विधान परिषद् के सभापति तथा उपसभापति के वेतन–भत्ते,

भाग–ग – उच्चतम न्यायालय के न्यायाधीशों के वेतन–भत्ते,

भाग–घ –भारत के नियंत्रक–महालेखा परीक्षक के वेतन–भत्ते।

तीसरी अनुसूची – अनुच्छेद 75(4),99, 124(6),148(2), 164(3),188 और 219, – व्यवस्थापिका के सदस्य, मंत्री, राष्ट्रपति, उपराष्ट्रपति, न्यायाधीशों आदि के लिए शपथ लिए जानेवाले प्रतिज्ञान के प्रारूप दिए है।

चौथी अनुसूची – अनुच्छेद 4(1),80(2), – राज्यसभा में स्थानों का आबंटन राज्यों तथा संघ राज्य क्षेत्रों से।

पाँचवी अनुसूची – अनुच्छेद 244(1), – अनुसूचित क्षेत्रों और अनुसूचित जन–जातियों के प्रशासन और नियंत्रण से संबंधित उपबंध।

छठी अनुसूची– अनुच्छेद 244(2), 275(1), – असम, मेघालय, त्रिपुरा और मिजोरम राज्यों के जनजाति क्षेत्रों के प्रशासन के विषय में उपबंध।

सातवीं अनुसूची – अनुच्छेद 246, – विषयों के वितरण से संबंधित सूची–1 संघ सूची, सूची–2 राज्य सूची, सूची–3 समवर्ती सूची।

आठवीं अनुसूची – अनुच्छेद 344(1), 351, – भाषाएँ – 22 भाषाओं का उल्लेख।

नवीं अनुसूची – अनुच्छेद 31 ख, – कुछ भूमि सुधार संबंधी अधिनियमों का विधिमान्य करण।

दसवीं अनुसूची – अनुच्छेद 102(2), 191(2), – दल परिवर्तन संबंधी उपबंध तथा परिवर्तन के आधार पर।

ग्यारहवीं अनुसूची – अनुच्छेद 243 छ, – पंचायती राज–जिला पंचायत से सम्बन्धित यह अनुसूची संविधान में 73वें संवैधानिक संशोधन (1993) द्वारा जोड़ी गई।

बारहवीं अनुसूची – यह अनुसूची संविधान में 74वें संवैधानिक संशोधन द्वारा जोड़ी गई।

आधारभूत विशेषताएँ

संविधान प्रारूप समिति तथा सर्वोच्च न्यायालय ने भारतीय संविधान को संघात्मक संविधान माना है, परन्तु विद्वानों में मतभेद है। अमेरीकी विद्वान इस को छद्म–संघात्मक–संविधान कहते हैं।, हालांकि पूर्वी संविधानवेत्ता कहते हैं। कि अमेरिकी संविधान ही एकमात्र संघात्मक संविधान नहीं हो सकता। संविधान का संघात्मक होना उसमें निहित संघात्मक लक्षणों पर निर्भर करता है, किन्तु माननीय सर्वोच्च न्यायालय (पी कन्नादासन वाद) ने इसे पूर्ण संघात्मक माना है।

भारतीय संविधान के प्रस्तावना के अनुसार भारत एक सम्प्रुभतासम्पन्न, समाजवादी, धर्मनिरपेक्ष, लोकतांत्रिक, गणराज्य है।

सम्प्रुभता

सम्प्रुभता शब्द का अर्थ है सर्वोच्च या स्वतंत्र होना। भारत किसी भी विदेशी और आंतरिक शक्ति के नियंत्रण से पूर्णतः मुक्त सम्प्रुभतासम्पन्न राष्ट्र है। यह सीधे लोगों द्वारा चुने गए एक मुक्त सरकार द्वारा शासित है तथा यही सरकार कानून बनाकर लोगों पर शासन करती है।

समाजवादी

समाजवादी शब्द संविधान के 1976 में हुए 42वें संशोधन अधिनियम द्वारा प्रस्तावना में जोड़ा गया। यह अपने सभी नागरिकों के लिए सामाजिक और आर्थिक समानता सुनिश्चित करता है। जाति, रंग, नस्ल, लिंग, धर्म या भाषा के आधार पर कोई भेदभाव किए बिना सभी को बराबर का दर्जा और अवसर देता है। सरकार केवल कुछ लोगों के हाथों में धन जमा होने से रोकेगी तथा सभी नागरिकों को एक अच्छा जीवन स्तर प्रदान करने की कोशिश करेगी।

भारत ने एक मिश्रित आर्थिक मॉडल को अपनाया है। सरकार ने समाजवाद के लक्ष्य को प्राप्त करने के लिए कई कानूनों जैसे अस्पृश्यता उन्मूलन, जमींदारी अधिनियम, समान वेतन अधिनियम और बाल श्रम

निषेध अधिनियम आदि बनाया है।

धर्मनिरपेक्ष

धर्मनिरपेक्ष शब्द संविधान के 1976 में हुए 42वें संशोधन अधिनियम द्वारा प्रस्तावना में जोड़ा गया। यह सभी धर्मों की समानता और धार्मिक सहिष्णुता सुनिश्चित करता है।

भारत का कोई आधिकारिक धर्म नहीं है। यह ना तो किसी धर्म को बढावा देता है, ना ही किसी से भेदभाव करता है। यह सभी धर्मों का सम्मान करता है व एक समान व्यवहार करता है। हर व्यक्ति को अपने पसन्द के किसी भी धर्म का उपासना, पालन और प्रचार का अधिकार है। सभी नागरिकों, चाहे उनकी धार्मिक मान्यता कुछ भी हो कानून की नजर में बराबर होते हैं। सरकारी या सरकारी अनुदान प्राप्त स्कूलों में कोई धार्मिक अनुदेश लागू नहीं होता।

लोकतांत्रिक

भारत एक स्वतंत्र देश है, किसी भी जगह से वोट देने की आजादी, संसद में अनुसूचित सामाजिक समूहों और अनुसूचित जनजातियों को विशिष्ट सीटें आरक्षित की गई हैं।

स्थानीय निकाय चुनाव में महिला उम्मीदवारों के लिए एक निश्चित अनुपात में सीटें आरक्षित की जाती है। सभी चुनावों में महिलाओं के लिए एक तिहाई सीटें आरक्षित करने का एक विधेयक लम्बित हैं।

हालांकि इसकी क्रियांन्वयन कैसे होगा, यह निश्चित नहीं है। भारत का चुनाव आयोग स्वतंत्र और निष्पक्ष चुनावों के–

गणराज्य

राजशाही, जिसमें राज्य के प्रमुख वंशानुगत आधार पर एक जीवन भर या पदत्याग करने तक के लिए नियुक्त किया जाता है, के विपरीत एक गणतांत्रिक राष्ट्र के प्रमुख एक निश्चित अवधि के लिए प्रत्यक्ष या

परोक्ष रूप से जनता द्वारा निर्वाचित होते हैं।

भारत के राष्ट्रपति पांच वर्ष की अवधि के लिए एक चुनावी कॉलेज द्वारा चुने जाते हैं।

शक्ति विभाजन

यह भारतीय संविधान का सर्वाधिक महत्वपूर्ण लक्षण है, राज्य की शक्तियां केंद्रीय तथा राज्य सरकारों में विभाजित होती है। दोनों सत्ताएँ एक–दूसरे के अधीन नहीं होती है, वे संविधान से उत्पन्न तथा नियंत्रित होती है।

संविधान की सर्वोच्चता

संविधान के उपबंध संघ तथा राज्य सरकारों पर समान रूप से बाध्यकारी होते हैं। केन्द्र तथा राज्य शक्ति विभाजित करने वाले अनुच्छेद निम्न दिए गए हैं–

अनुच्छेद 54,55,73,162,241।

भाग –5 सर्वोच्च न्यायालय, उच्च न्यायालय राज्य तथा केन्द्र के मध्य वैधानिक संबंध।

अनुच्छेद 7 के अंतर्गत कोई भी सूची।

राज्यो का संसद में प्रतिनिधित्व।

संविधान में संशोधन की शक्ति अनु. 368इन सभी अनुच्छेदो में संसद अकेले संशोधन नहीं ला सकती है उसे राज्यों की सहमति भी चाहिए।

अन्य अनुच्छेद शक्ति विभाजन से सम्बन्धित नहीं है।

लिखित संविधान अनिवार्य रूप से लिखित रूप में होगा क्योंकि उसमें शक्ति विभाजन का स्पष्ट वर्णन आवश्यक है। अतः संघ में लिखित संविधान अवश्य होगा।

संविधान की कठोरता इसका अर्थ है संविधान संशोधन में राज्य केन्द्र दोनो भाग लेंगे।

न्यायालयों की अधिकारिता– इसका अर्थ है कि केन्द्र–राज्य कानून की व्याख्या हेतु एक निष्पक्ष तथा स्वतंत्र सत्ता पर निर्भर करेंगे।

विधि द्वारा स्थापित

न्यायालय ही संघ–राज्य शक्तियों के विभाजन का पर्यवेक्षण करेंगे।

न्यायालय संविधान के अंतिम व्याख्याकर्ता होंगे भारत में यह सत्ता सर्वोच्च न्यायालय के पास है।

ये पांच शर्ते किसी संविधान को संघात्मक बनाने हेतु अनिवार्य है। भारत में ये पांचों लक्षण संविधान में मौजूद हैं। अतः यह संघात्मक है। परंतु भारतीय संविधान में कुछ विभेदकारी विशेषताएँ भी हैं।–

भारतीय संविधान में कुछ विभेदकारी विशेषताएँ भी हैं–

1. यह संघ राज्यों के परस्पर समझौते से नहीं बना है
2. राज्य अपना पृथक संविधान नहीं रख सकते हैं, केवल एक ही संविधान केन्द्र तथा राज्य दोनों पर लागू होता है।
3. भारत में द्वैध नागरिकता नहीं है। केवल भारतीय नागरिकता है।
4. भारतीय संविधान में आपातकाल लागू करने के उपबन्ध हैं 352 अनुच्छेद, के लागू होने पर राज्य–केन्द्र शक्ति पृथक्करण समाप्त हो जायेगा तथा वह एकात्मक संविधान बन जायेगा। इस स्थिति में केन्द्र–राज्यों पर पूर्ण सम्प्रभु हो जाता है।
5. राज्यों का नाम, क्षेत्र तथा सीमा केन्द्र कभी भी परिवर्तित कर सकता है बिना राज्यों की सहमति से, अनुच्छेद 3, अतः राज्य भारतीय संघ के अनिवार्य घटक नहीं है। केन्द्र संघ को पुर्ननिर्मित कर सकती है।

6. संविधान की 7वीं अनुसूची में तीन सूचियाँ है। संघीय, राज्य, तथा समवर्ती। इनके विषयों का वितरण केन्द्र के पक्ष में है।

6.1 संघीय सूची मे सर्वाधिक महत्वपूर्ण विषय है।

6.2 इस सूची पर केवल संसद का अधिकार है

6.3 राज्य सूची के विषय कम महत्वपूर्ण हैं, 5 विशेष परिस्थितियों मे राज्य सूची पर संसद विधि निर्माण कर सकती है किंतु किसी एक भी परिस्थिति मे राज्य, केन्द्र हेतु विधि निर्माण नहीं कर सकते–

- 1 अनु 249 राज्य सभा यह प्रस्ताव पारित कर दे कि राष्ट्र हित हेतु यह आवश्यक है 2–3 बहुमत से, किंतु यह बन्धन मात्र 1 वर्ष हेतु लागू होता है।
- 2 अनु 250– राष्ट्र आपातकाल लागू होने पर संसद को राज्य सूची के विषयों पर विधि निर्माण का अधिकार स्वतः मिल जाता हैं।
- अनु 252–दो या अधिक राज्यों की विधायिका प्रस्ताव पास कर राज्य सभा को यह अधिकार दे सकती है केवल संबंधित राज्यों पर,
- अनु 253– अंतराष्ट्रीय समझौते के अनुपालन के लिए संसद राज्य सूची विषय पर विधि निर्माण कर सकती है
- अनु 356–जब किसी राज्य मे राष्ट्रपति शासन लागू होता है, उस स्थिति में संसद उस राज्य हेतु विधि निर्माण कर सकती है
- अनुच्छेद 155 – राज्यपालों की नियुक्ति पूर्णतः केन्द्र की इच्छा से होती है इस प्रकार केन्द्र राज्यों पर नियंत्रण रख सकता है

- अनु 360 – वित्तीय आपातकाल की दशा में राज्यों के वित्त पर भी केन्द्र का नियंत्रण हो जाता है। इस दशा में केन्द्र राज्यों को धन व्यय करने हेतु निर्देश दे सकता है

प्रशासनिक निर्देश अनु 256–257, –केन्द्र राज्यों को राज्यों की संचार व्यवस्था किस प्रकार लागू की जाये, के बारे में निर्देश दे सकता है, ये निर्देश किसी भी समय दिये जा सकते हैं, राज्य इनका पालन करने हेतु बाध्य है।

यदि राज्य इन निर्देशों का पालन न करे तो राज्य में संवैधानिक तंत्र असफल होने का अनुमान लगाया जा सकता है।

10 अनु 312 में अखिल भारतीय सेवाओं का प्रावधान है ये सेवक नियुक्ति, प्रशिक्षण, अनुशासनात्मक क्षेत्रों में पूर्णतः केन्द्र के अधीन है जबकि ये सेवा राज्यों में देते हैं राज्य सरकारों का इन पर कोई नियंत्रण नहीं है।

11 एकीकृत न्यायपालिका

12 राज्यों की कार्यपालिक शक्तियाँ संघीय कार्यपालिका शक्तियों पर प्रभावी नहीं हो सकती है।

संविधान की प्रस्तावना

संविधान के उद्देश्यों को प्रकट करने हेतु प्रायः उनसे पहले एक प्रस्तावना प्रस्तुत की जाती है। भारतीय संविधान की प्रस्तावना अमेरिकी संविधान से प्रभावित तथा विश्व में सर्वश्रेष्ठ मानी जाती है।

प्रस्तावना के माध्यम से भारतीय संविधान का सार, अपेक्षाएँ, उद्देश्य उसका लक्ष्य तथा दर्शन प्रकट होता है।

प्रस्तावना यह घोषणा करती है कि संविधान अपनी शक्ति सीधे जनता से प्राप्त करता है इसी कारण यह हम भारत के लोग– इस वाक्य से प्रारम्भ होती है।

केहर सिंह बनाम भारत संघ के वाद में कहा गया था कि संविधान सभा भारतीय जनता का सीधा प्रतिनिधित्व नहीं करती अतः संविधान विधि की विशेष अनुकृपा प्राप्त नहीं कर सकता, परंतु न्यायालय ने इसे खारिज करते हुए संविधान को सर्वोपरि माना है जिस पर कोई प्रश्न नहीं उठाया जा सकता है।

संविधान की प्रस्तावना

हम भारत के लोग, भारत को एक सम्पूर्ण प्रभुत्व सम्पन्न, समाजवादी, धर्मनिरपेक्ष, लोकतंत्रात्मक गणराज्य बनाने के लिए तथा उसके समस्त नागरिकों को सामाजिक, आर्थिक और राजनीतिक न्याय, विचार, अभिव्यक्ति, विश्वास, धर्म और उपासना की स्वतंत्रता, प्रतिष्ठा और अवसर की समता प्राप्त करने के लिए तथा उन सबमें व्यक्ति की गरिमा और राष्ट्र की एकता और अखण्डता सुनिश्चित करनेवाली बंधुता बढ़ाने के लिए दृढ संकल्प होकर अपनी इस संविधान सभा में आज तारीख 26 नवम्बर 1949 ई0 को एतदद्वारा इस संविधान को अंगीकृत, अधिनियमित और आत्मार्पित करते हैं।

संविधान की प्रस्तावना 13 दिसम्बर 1946 को जवाहर लाल नेहरू द्वारा पास की गयी प्रस्तावना को आमुख भी कहते हैं।

संविधान भाग 3 व 4 – नीति निर्देशक तत्व

भाग 3 तथा 4 मिलकर संविधान की आत्मा तथा चेतना कहलाते हैं क्योंकि किसी भी स्वतंत्र राष्ट्र के लिए मौलिक अधिकार तथा नीति–निर्देश देश के निर्माण में महत्वपूर्ण भूमिका निभाते हैं।

नीति निर्देशक तत्व जनतांत्रिक संवैधानिक विकास के नवीनतम तत्व है। सर्वप्रथम ये आयरलैंड के संविधान में लागू किये गये थे।

ये वे तत्व है जो संविधान के विकास के साथ ही विकसित हुए हैं। इन तत्वों का कार्य एक जनकल्याणकारी राज्य की स्थापना करना है। भारतीय संविधान के इस भाग में नीति निर्देशक तत्वों का रूपाकार

निश्चित किया गया है। मौलिक अधिकार तथा नीति निर्देशक तत्व में भेद बताया गया है और नीति निदेशक तत्वों के महत्व को समझाया गया है।

भाग 4 क – मूल कर्तव्य

मूल कर्तव्य, मूल सविधान में नहीं थे, 42 वें संविधान संशोधन में मूल कर्तव्य (10) जोड़े गये हैं।

ये रूस से प्रेरित होकर जोड़े गये तथा संविधान के भाग 4(क) के अनुच्छेद 51 – अ में रखे गये हैं। वर्तमान में ये 11 है। 11 वाँ मूल कर्तव्य 86 वें संविधान संशोधन में जोड़ा गया।

51 क. मूल कर्तव्य– भारत के प्रत्येक नागरिक का यह कर्तव्य होगा कि वह–

(क) संविधान का पालन करे और उस के आदर्शों, संस्थाओं, राष्ट्र ध्वज और राष्ट्रगान का आदर करे।

(ख) स्वतंत्रता के लिए हमारे राष्ट्रीय आंदोलन को प्रेरित करने वाले उच्च आदर्शों को हृदय में संजोए रखे और उन का पालन करे।

(ग) भारत की प्रभुता, एकता और अखंडता की रक्षा करे और उसे अक्षुण्ण रखे।

(घ) देश की रक्षा करे और आह्वान किए जाने पर राष्ट्र की सेवा करे।

(ङ) भारत के सभी लोगों में समरसता और समान भ्रातृत्व की भावना का निर्माण करे जो धर्म, भाषा और प्रदेश या वर्ग पर आधारित सभी भेदभाव से परे हो, ऐसी प्रथाओं का त्याग करे जो स्त्रियों के सम्मान के विरुद्ध है।

(च) हमारी सामाजिक संस्कृति की गौरवशाली परंपरा का महत्व समझे और उस का परिरक्षण करें।

(छ) प्राकृतिक पर्यावरण की, जिस के अंतर्गत वन, झील नदी

और वन्य जीव है।, रक्षा करे और उस का संवर्धन करे तथा प्राणि मात्र के प्रति दयाभाव रखे।

(ज) वैज्ञानिक दृष्टिकोण, मानववाद और ज्ञानार्जन तथा सुधार की भावना का विकास करे।

(झ) सार्वजनिक संपत्ति को सुरक्षित रखे और हिंसा से दूर रहै।

(ञ) व्यक्तिगत और सामूहिक गतिविधियों के सभी क्षेत्रों में उत्कर्ष की और बढ़ने का सतत प्रयास करे जिस से राष्ट्र निरंतर बढ़ते हुए प्रयत्न और उपलब्धि की नई ऊंचाइयों को छू ले।

(ट) यदि माता–पिता या संरक्षक हैं, छह वर्ष से चौदह वर्ष तक की आयु वाले अपने, यथास्थिति, बालक या प्रतिपाल्य के लिए शिक्षा का अवसर प्रदान करे।

संशोधन

भारतीय संविधान के संशोधन

भारतीय संविधान का संशोधन भारत के संविधान में परिवर्तन करने की प्रक्रिया है। एक संशोधन के प्रस्ताव की शुरुआत संसद में होती है जहाँ इसे एक बिल के रूप में पेश किया जाता है। भारतीय संविधान में अब तक 101 बार संशोधन किया जा चुका है।

अध्याय–2

भारतीय संसद

भारतीय संसद जिसे अंग्रजी में पार्लियामेंट कहते हैं भारत का सर्वोच्च विधायी निकाय है। यह द्विसदनीय व्यवस्था है। भारतीय संसद में राष्ट्रपति तथा दो सदन– लोकसभा (लोगों का सदन) एवं राज्यसभा (राज्यों की परिषद) होते हैं। राष्ट्रपति के पास संसद के दोनों में से किसी भी सदन को बुलाने या स्थगित करने अथवा लोकसभा को भंग करने की शक्ति है। भारतीय संसद का संचालन संसद भवन में होता है जो कि नई दिल्ली में स्थित है।

लोक सभा में राष्ट्र की जनता द्वारा चुने हुए प्रतिनिधि होते हैं। जिनकी अधिकतम संख्या 552 है। राज्य सभा एक स्थायी सदन है जिसमें सदस्य संख्या 250 हैं। राज्य सभा के सदस्यों का निर्वाचन मनोनयन 6 वर्ष के लिए होता है। जिसके 1–3 सदस्य प्रत्येक 2 वर्ष में सेवानिवृत्त होते हैं।

परिचय

भारत की राजनीतिक व्यवस्था को, या सरकार जिस प्रकार बनती और चलती है, उसे संसदीय लोकतंत्र कहा जाता है।

ग्राम–पंचायतें हमारे जन–जीवन का अभिन्न अंग रही हैं। पुराने

समय में गाँवों की पंचायत चुनाव से गठित की जाती थी। उसे न्याय और व्यवस्था, दोनों ही क्षेत्रों में खूब अधिकार मिले हुए थे। पंचायतों के सदस्यों का राजदरबार में बड़ा आदर होता था। यही पंचायतें भूमि का बंटवारा करती थी। कर वसूल करती थी। गाँव की ओर से सरकार कर का हिस्सा देती थी।

कहीं–कहीं कई ग्राम–पंचायतों के ऊपर एक बड़ी पंचायत भी होती थी। यह उन पर निगरानी और नियंत्रण रखती थी। कुछ पुराने शिलालेख यह भी बताते हैं, कि ग्राम–पंचायतों के सदस्य किस प्रकार चुने जाते थे। सदस्य बनने के लिए जरूरी गुणों और चुनावों में महिलाओं की भागीदारी के नियम भी इस पर लिखे थे।

अच्छा आचरण न करने पर अथवा राजकीय धन का ठीक–ठीक हिसाब न कर पाने पर कोई भी सदस्य पद से हटाया जा सकता था। पदों पर किसी भी सदस्य का कोई निकट–संबंधी नियुक्त नहीं किया जा सकता था।

मध्य युग में आकर संसद सभा और समिति जैसी संस्थाएं गायब हो गई। ऊपर के स्तर पर लोकतंत्रात्मक संस्थाओं का विकास रूक गया। सैकड़ों वर्षों तक हम आपसी लड़ाइयों में उलझे रहै। विदेशियों के आक्रमण पर आक्रमण होते रहें। सेनाएं हारती–जीतती रही। शासक बदलते रहै। हम विदेशी शासन की गुलामी में जकड़े रहै।

सिंध से असम तक और कश्मीर से कन्याकुमारी तक, पंचायत संस्थाएं बराबर चलती रही। ये प्रादेशिक जनपद परिषद् नगर परिषद, पौर सभा, ग्राम सभा, ग्राम संघ जैसे अलग–अलग नामों से पुकारी जाती रही। सच में ये पंचायतें ही गांवों की 'संसद' थी।

सन 1883 के चार्टर अधिनियम में पहली बार एक विधान परिषद के बीज दिखाई पड़े। 1853 के अंतिम चार्टर अधिनियम के द्वारा विधायी पार्षद शब्दों का प्रयोग किया गया। यह नयी कौंसिल शिकायतों की जांच करने वाली और उन्हें दूर करने का प्रयत्न करने वाली सभा जैसा रूप

धारण करने लगी। 1857 की आजादी के लिए पहली लड़ाई के बाद 1861 का भारतीय कौंसिल अधिनियम बना। इस अधिनियम को 'भारतीय विधानमंडल का प्रमुख घोषणापत्र' कहा गया, जिसके द्वारा 'भारत में विधायी अधिकारों के अंतरण की प्रणाली' का उदघाटन हुआ।

इस अधिनियम द्वारा केंद्रीय एवं प्रांतीय स्तरों पर विधान बनाने की व्यवस्था में महत्वपूर्ण परिवर्तन किए गए। अंग्रेजी राज के भारत में जमने के बाद पहली बार विधायी निकायों में गैर–सरकारी लोगों के रखने की बात को माना गया।

1860 और 1870 के दशकों से ही भारतीयों में राजनीतिक चेतना पनपने लगी थी। 1870 के अंत में 1880 के दशक के शुरू में भारतीय जनमानस राजनीतिक रूप से काफी जागरूक हो चुका था। 1885 में इस राजनीतिक चेतना ने करवट बदली।

भारतीय राजनीतिक और राजनीति में सक्रिय बुद्धिजीवी, राष्ट्रीय हितों के लिए राष्ट्रीय स्तर पर संघर्ष करने के लिए एक संगठन की जरूरत महसूस किए। इसी कड़ी में ए०ओ०ह्यूम ने भारतीय राष्ट्रीय कांग्रेस की स्थापना 1885 में की ताकि कौंसिल में सुधार कर सके। ब्रिटिश संसद ने 'विधान परिषदों में भारत की जनता को वास्तव में प्रतिनिधित्व देने' के लिए इंडियन कौंसिल्ज अधिनियम 1892 को स्वीकार किया।

1919 में सुधार अधिनियम और उसके अधीन कई नियम बनाए गए। जिनके कारण केंद्र में, भारतीय विधान परिषद के स्थान पर द्विसदनीय विधानमंडल बनाया गया, जिसमें एक थी राज्य परिषद और दूसरा थी विधान सभा।

प्रत्येक सदन में अधिकांश सदस्यों का चुनाव होता था। पहली विधान सभा वर्ष 1921 में गठित हुई थी। उसके कुल 145 सदस्य थे। 104 निर्वाचित, 26 सरकारी सदस्य और 15 मनोनीत गैर–सरकारी सदस्य।

1923 में, देशबंधु चितरंजन दास और पंडित मोतीलाल नेहरू ने स्वराज पार्टी बनाई। वे सोचते थे कि 'शत्रु के कैंप' में घुसकर व्यवस्था को तोड़ने के लिए परिषदों में स्थान बनाया जाए। इसके लिए चुनाव में भाग लिया गया। स्वराज पार्टी को 1923 के चुनावों में बहुत सफलता मिली। स्वराज पार्टी ने 145 स्थानों में से 45 स्थान जीते। पार्टी केंद्रीय विधानमंडल में थी।

केंद्रीय विधान सभा के नए चुनाव में कांग्रेस 1942 के 'भारत छोड़ो' प्रस्ताव को लेकर लड़ा। चुनावों में कांग्रेस को 102 में से 56 सीटें मिली। कांग्रेस विधायक दल के नेता शरत चन्द्र बोस थे। भारतीय स्वतंत्रता अधिनियम 1947 के अधीन कुछ परिवर्तन हुए। 1935 के अधिनियम के वे उपबंध काम के नहीं रह गए जिनके तहत गवर्नर–जनरल या गवर्नर अपने विवेकाधिकार के अनुसार अथवा अपने व्यक्तिगत विचार के अनुसार कार्य कर सकता था।

भारतीय स्वतंत्रता अधिनियम, 1947 में भारत की संविधान सभाको पूर्ण प्रभुसत्ता संपन्न निकाय घोषित किया गया। 14–15 अगस्त 1947 की मध्य रात्रि को उस सभा ने देश का शासन चलाने की पूर्ण शक्तियां ग्रहण कर ली।

अधिनियम की धारा 8 के द्वारा संविधान सभा को पूर्ण विधायी शक्ति प्राप्त हो गई। किंतु साथ ही यह अनुभव किया गया कि संविधान सभा के संविधान–निर्माण के कार्य तथा विधानमंडल के रूप में इसके साधारण कार्य में भेद बनाए रखना जरूरी होगा।

संविधान सभा (विधायी) की एक अलग निकाय के रूप में पहली बैठक 17 नवम्बर 1947 को हुई। इसके अध्यक्ष सभा के प्रधान डॉ० राजेन्द्र प्रसाद थे।

संविधान अध्यक्ष पद के लिए केवल श्री जी.वी. मावलंकर का एक ही नाम प्राप्त हुआ था। इसलिए उन्हें विधिवत चुना हुआ घोषित किया गया। 14 नवम्बर 1948 को संविधान का प्रारूप संविधान सभा में प्रारूप

समिति के सभापति बी०आर० अम्बेडकर ने पेश किया। प्रस्ताव के पक्ष में बहुमत था। 26 जनवरी 1950 को स्वतंत्र भारत के गणराज्य का संविधान लागू हो गया।

इसके कारण आधुनिक संस्थागत ढांचे और उसकी अन्य सब शाखा–प्रशाखाओं सहित पूर्ण संसदीय प्रणाली स्थापित हो गई। संविधान सभा भारत की अस्थायी संसद बन गई। वयस्क मताधिकार के आधार पर पहले आम चुनावों के बाद नए संविधान के उपबंधों के अनुसार संसद का गठन होने तक इसी प्रकार कार्य करती रही।

नए संविधान के तहत पहले आम चुनाव वर्ष 1951–52 में हुए। पहली चुनी हुई संसद जिसके दो सदन थे, राज्यसभा और लोकसभा मई, 1952 में बनी दूसरी लोक सभा मई 1957 में बनी तीसरी अप्रैल 1962 में चौथी मार्च 1967 में पांचवी मार्च 1971 में 6 मार्च 1977 में सातवीं जनवरी 1980 में 8 जनवरी 1985 में, नवीं दिसंबर 1989 में, दसवीं जून 1991 और ग्यारहवीं 1996 में बनी।

1952 में पहली बार गठित राज्यसभा एक निरंतर रहने वाला, स्थायी सदन है। जिसका कभी विघटन नहीं होता। हर दो वर्ष इसके एक–तिहाई सदस्य अवकाश ग्रहण करते हैं।

संसद का महत्व एवं भूमिका

भारतीय लोकतंत्र में संसद जनता की सर्वोच्च प्रतिनिधि संस्था है। इसी माध्यम से आम लोगों की संप्रभुता को अभिव्यक्ति मिलती है। संसद ही इस बात का प्रमाण है कि हमारी राजनीतिक व्यवस्था में जनता सबसे ऊपर है, जनमत सर्वोपरि है।

'संसदीय' शब्द का अर्थ ही ऐसी लोकतंत्रात्मक राजनीतिक व्यवस्था है जहाँ सर्वोच्च शक्ति लोगों के प्रतिनिधियों के उस निकाय में निहित है जिसे 'संसद' कहते हैं।

भारत के संविधान के अधीन संघीय विधानमंडल को 'संसद' कहा

जाता है। यह वह धुरी है, जो देश के शासन की नींव है। भारतीय संसद राष्ट्रपति और दो सदनों राज्यसभा और लोकसभा से मिलकर बनती है।

संसद तथा राष्ट्रपति

वैसे तो भारत का राष्ट्रपति संसद का अंग होता है, फिर भी वह दोनों में से किसी भी सदन में न तो बैठता है, न ही उसकी चर्चाओं में भाग लेता है। राष्ट्रपति समय समय पर संसद के दोनों सदनों को बैठक के लिए आमंत्रित करता है।

दोनों सदनों द्वारा पास किया गया कोई विधेयक तभी कानून बन सकता है जब राष्ट्रपति उस पर अपनी अनुमति प्रदान कर दे। इतना ही नहीं, जब संसद के दोनों सदनों का अधिवेशन न चल रहा हो और राष्ट्रपति को महसूस हो कि इन परिस्थितियों में तुरंत कार्यवाही जरूरी है तो वह अध्यादेश जारी कर सकता है। इस अध्यादेश की शक्ति एवं प्रभाव वही होता है जो संसद द्वारा पास की गई विधि का होता है।

लोकसभा के लिए प्रत्येक आम चुनाव के पश्चात अधिवेशन के शुरू में और हर साल के पहले अधिवेशन के प्रारंभ में राष्ट्रपति एक साथ संसद के दोनों सदनों के सामने अभिभाषण करता है।

वह सदनों की बैठक बुलाने के कारणों की संसद को सूचना देता है। इसके अलावा वह संसद के किसी एक सदन अथवा एक साथ दोनों के समक्ष अभिभाषण कर सकता है। इसके लिए वह सदस्यों की उपस्थिति की अपेक्षा कर सकता है।

उसे संसद में उस समय लंबित किसी विधेयक के संबंध में संदेश या कोई अन्य संदेश किसी भी सदन को भेजने का अधिकार है। जिस सदन को कोई संदेश इस प्रकार भेजा गया हो वह सदन उस संदेश में लिखे विषय पर सुविधानुसार शीघ्रता से विचार करता है। कुछ प्रकार के विधेयक राष्ट्रपति की सिफारिश प्राप्त करने के बाद ही पेश किए जा सकते है। अथवा उन पर आगे कोई कार्यवाही की जा सकती है।

राज्यसभा

जैसा कि इसके नाम से पता चलता है, राज्यसभा राज्यों की परिषद है। यह अप्रत्यक्ष रीति से लोगों का प्रतिनिधित्व करती है। राज्यसभा के सदस्य का चुनाव राज्य विधान सभाओं के चुने हुए विधायक करते हैं। प्रत्येक राज्य के प्रतिनिधियों की संख्या ज्यादातर उसकी जनसंख्या पर निर्भर करती है।

इस प्रकार, छत्तीसगढ़ के राज्यसभा में 5 सदस्य हैं, उत्तर प्रदेश के राज्यसभा में 31 सदस्य है। मणिपुर, मिजोरम, सिक्किम, त्रिपुरा आदि छोटे राज्यों के केवल एक–एक सदस्य हैं। राज्यसभा में 250 तक सदस्य हो सकते हैं। इनमें राष्ट्रपति द्वारा मनोनीत 12 सदस्य तथा 238 राज्यों और संघ–राज्य क्षेत्रों द्वारा चुने सदस्य होते हैं।

इस समय राज्यसभा के 245 सदस्य है। राज्यसभा के प्रत्येक सदस्य की कार्यावधि छः वर्ष है। उपराष्ट्रपति, संसद के दोनों सदनों के सदस्यों द्वारा निर्वाचित किया जाता है। वह राज्यसभा का पदेन सभापति होता है। उपसभापति पद के लिए राज्यसभा के सदस्यों द्वारा अपने में से किसी सदस्य को चुना जाता हैं।

लोक सभा

लोक सभा के सदस्यों का चुनाव जनता द्वारा सीधे वोट डालकर किया जाता है। 18 साल और उससे अधिक आयु का हर एक भारतीय नागरिक मतदान करने का हकदार होगा। लोक सभा के अधिकतम 530 सदस्य राज्यों से चुनाव क्षेत्रों की प्रत्यक्ष रीति से चुने जाएंगे। अधिकतम 20 सदस्य संघ राज्य क्षेत्रों का प्रतिनिधित्व करेंगे।

इसके अतिरिक्त, राष्ट्रपति आंग्ल–भारतीय समुदाय का प्रतिनिधित्व करने के लिए दो से अधिक सदस्य मनोनीत कर सकता है। इस प्रकार सदन की अधिकतम सदस्य संख्या 552 हो, ऐसी संविधान में परिकल्पना की गई है। लोक सभा में अनुसूचित जातियों तथा अनुसूचित जनजातियों

के लिए जनसंख्या–अनुपात के आधार पर स्थान आरक्षित है। आरंभ में यह आरक्षण दस वर्ष के लिए था।

नवीनतम संशोधन के अंतर्गत अब यह पचास वर्ष के लिए अर्थात सन 2000 तक के लिए है। भारत में सदन की कार्यावधि पाँच वर्षों की है।

पाँच वर्षों की अवधि समाप्त हो जाने पर सदन खुद भंग हो जाता हैं। कुछ परिस्थितियों में संसद को पूर्ण कार्यावधि समाप्त होने से पहले ही भंग किया जा सकता है। आपातकाल की स्थिति में संसद लोक सभा की कार्यावधि बढ़ा दी जा सकती है। यह एक बार में एक वर्ष से अधिक नहीं हो सकती।

संसद के दोनों सदनों को, कुछ मामलों को छोड़कर सभी क्षेत्रों में समान शक्तियां एवं दर्जा प्राप्त है। कोई भी गैर–वित्तीय विधेयक अधिनियम बनने से पहले दोनों में से प्रत्येक सदन द्वारा पास किया जाना आवश्यक हैं।

राष्ट्रपति पर महाभियोग चलाने, उपराष्ट्रपति को हटाने, संविधान में संशोधन करने और उच्चतम न्यायालय एवं उच्च न्यायालयों के न्यायाधीशों को हटाने जैसे महत्वपूर्ण मामलों में राज्यसभा को लोक सभा के समान शक्तियां प्राप्त है।

राष्ट्रपति के अध्यादेशों, आपात की उदघोषणा और किसी राज्य में संवैधानिक व्यवस्था के विफल हो जाने की उदघोषणा और किसी राज्य में संवैधानिक व्यवस्था के विफल हो जाने की उदघोषणा को संसद के दोनों सदनों के समक्ष रखना अनिवार्य है।

किसी धन विधेयक और संविधान संशोधन विधेयक को छोड़कर अन्य किसी भी विधेयक पर दोनों सदनों के बीच असहमति को दोनों सदनों द्वारा संयुक्त बैठक में दूर किया जाता है। इस बैठक में मामले बहुमत द्वारा तय किए जाते हैं। दोनों सदनों की ऐसी बैठक का पीठासीन अधिकारी लोकसभा का अध्यक्ष होता है।

संसद और सरकार

भारत में प्रधानमंत्री और मंत्री दोनों सदनों में से किसी भी एक का सदस्य हो सकते हैं। किसी ऐसे व्यक्ति को भी प्रधानमंत्री या मंत्री नियुक्त किया जा सकता है जो संसद के किसी भी सदन का सदस्य न हो, परंतु उसे छः मास के पश्चात पद छोड़ना पड़ता है, यदि इस बीच, वह दोनों में से किसी सदन के लिए निर्वाचित न हो जाए। मंत्रिपरिषद सामूहिक रूप से लोक सभा के प्रति उत्तरदायी है। अंतः उसके लिए यह जरूरी है कि लोक सभा का विश्वास खोते ही पद–त्याग कर दे।

संसदीय शासन का अर्थ होना चाहिए संसद द्वारा शासन। किंतु संसद स्वयं शासन नहीं करती और न ही कर सकती है। मंत्रिपरिषद के बारे में एक तरह से कहा जा सकता है कि यह संसद की महान कार्यपालिका समिति होती है।

जिसे मूल निकाय की और से शासन करने का उत्तरदायित्व सौंपा जाता है। संसद का कार्य विधान बनाना, मंत्रणा देना, आलोचना करना और लोगों की शिकायतों को व्यक्त करना है। कार्यपालिका का कार्य शासन करना है, यद्यपि वह संसद की और से ही शासन करती है।

संसद सदस्यों का चुनाव

भारत जैसे बड़े और भारी जनसंख्या वाले देश में चुनाव कराना एक बहुत बड़ा काम है। संसद के दोनों सदनों– लोकसभा और राज्यसभा– के लिए चुनाव बेरोकटोक और निष्पक्ष हों, इसके लिए एक स्वतंत्र चुनाव (निर्वाचन) आयोग बनाया गया है।

लोक सभा के लिए सामान्य चुनाव जब उसकी कार्यवधि समाप्त होने वाली हो या उसके भंग किए जाने पर कराए जाते हैं। भारत का प्रत्येक नागरिक जो 18 वर्ष का या उससे अधिक हो मतदान का अधिकारी है। लोकसभा का चुनाव लड़ने के लिए कम से कम आयु 25 वर्ष है और राज्यसभा के लिए 30 वर्ष।

राज्यसभा

राज्यसभा के सदस्य राज्यों के लोगों का प्रतिनिधित्व करते हैं। इनका चुनाव राज्य की विधान सभा के चुने हुए सदस्यों द्वारा होता है। राज्यसभा में स्थान भरने के लिए राष्ट्रपति, चुनाव आयोग द्वारा सुझाई गई तारीख को, अधिसूचना जारी करता है। जिस तिथि को सेवानिवृत्त होने वाले सदस्यों की पदावधि समाप्त होनी हो उससे तीन मास से अधिक समय से पूर्व ऐसी अधिसूचना जारी नहीं की जाती। चुनाव अधिकारी, चुनाव आयोग के अनुमोदन से मतदान का स्थान निर्धारित और अधिसूचित करता है।

लोक सभा

नयी लोक सभा के चुनाव के लिए राष्ट्रपति, राजपत्र में प्रकाशित अधिसूचना द्वारा, चुनाव आयोग द्वारा सुझाई गई तिथि को, सभी संसदीय निर्वाचन क्षेत्रों से सदस्य चुनने के लिए कहता है। अधिसूचना जारी किए जाने के पश्चात चुनाव आयोग नामांकन पत्र दायर करने, उनकी छानबीन करने, उन्हें वापस लेने और मतदान के लिए तिथियां निर्धारित करता है।

लोक सभा के लिए प्रत्यक्ष चुनाव होने के कारण भारत के राज्य क्षेत्र को उपयुक्त प्रादेशिक निर्वाचन क्षेत्रों में बांटा जाता है। प्रत्येक संसदीय निर्वाचन क्षेत्र से एक सदस्य को चुना जाता है।

स्थान के रिक्त होने पर

यदि एक सदन का कोई सदस्य दूसरे सदन के लिए भी चुन लिया जाता है तो पहले सदन में उसका स्थान उस तिथि से खाली हो जाता है जब वह अन्य सदन के लिए चुना गया हो। इसी प्रकार, यदि वह किसी राज्य विधानमंडल के सदस्य के रूप में भी चुन लिया जाता है तो, यदि वह राज्य विधानमंडल में अपने स्थान से, राज्य के राजपत्र में घोषणा के प्रकाशन से 14 दिनों के भीतर, त्यागपत्र नहीं दे देता तो, संसद का

सदस्य नहीं रहता। यदि कोई सदस्य, सदन की अनुमति के बिना 60 दिन की अवधि तक सदन की किसी बैठक में उपस्थित नहीं होता तो वह सदन उसके स्थान को रिक्त घोषित कर सकता है। इसके अलावा, किसी सदस्य को सदन में अपना स्थान रिक्त करना पड़ता है यदि–

(1) वह लाभ का कोई पद धारण करता है,

(2) उसे विकृत चित्त वाला व्यक्ति या दिवालिया घोषित कर दिया जाता है,

(3) वह स्वेच्छा से किसी विदेशी राज्य की नागरिकता प्राप्त कर लेता है,

(4) उसका निर्वाचन न्यायालय द्वारा शून्य घोषित कर दिया जाता है,

(5) वह सदन द्वारा निष्कासन का प्रस्ताव स्वीकृत किए जाने पर निष्कासित कर दिया जाता है या

(6) वह राष्ट्रपति या किसी राज्य का राज्यपाल चुन लिया जाता है।

यदि किसी सदस्य को संविधान की दसवीं अनुसूची के उपबंधों के अंतर्गत दल–बदल के आधार पर अयोग्य सिद्ध कर दिया गया हो, तो उस स्थिति में भी उसकी सदस्यता समाप्त हो सकती है।

चुनाव संबंधी विवाद

संसद के या किसी राज्य विधानमंडल के किसी सदन के लिए हुए किसी चुनाव को चुनौती उच्च–न्यायालय में दी जा सकती है। याचिका चुनाव के दौरान कोई भ्रष्ट प्रक्रिया अपनाने के कारण पेश की जा सकती है। यदि सिद्ध हो जाए तो उच्च न्यायालय को यह शक्ति प्राप्त है कि वह सफल उम्मीदवार का चुनाव शून्य घोषित कर दे। प्रभावित पक्ष को उच्च न्यायालय के आदेश के विरूद्ध उच्चतम न्यायालय में अपील करने का अधिकार है।

संसद के सत्र तथा बैठकें

लोक सभा प्रत्येक आम चुनाव के बाद चुनाव आयोग द्वारा अधिसूचना जारी किए जाने पर गठित होती है। लोक सभा की पहली बैठक शपथ विधि के साथ शुरू होती है। इसके नव निर्वाचित सदस्य 'भारत के संविधान के प्रति श्रद्धा और निष्ठा रखने के लिए, भारत की प्रभुता और अखंडता अक्षुण्ण रखने के लिए' और 'संसद सदस्य के कर्तव्यों का श्रद्धापूर्वक निर्वहन करने के लिए' शपथ लेते हैं।

राष्ट्रपति द्वारा संसद का अधिवेशन बुलाना

राष्ट्रपति समय–समय पर संसद के प्रत्येक सदन को बैठक के लिए आमंत्रित करता है। प्रत्येक अधिवेशन की अंतिम तिथि के बाद राष्ट्रपति को छः मास के भीतर आगामी अधिवेशन के लिए सदनों को बैठक के लिए आमंत्रित करना होता है। यद्यपि सदनों को बैठक के लिए आमंत्रित करने की शक्ति राष्ट्रपति में निहित है तथापि व्यवहार में इस आशय के प्रस्ताव की पहल सरकार द्वारा की जाती है।

संसद के सत्र

सामान्यतः प्रतिवर्ष संसद के तीन सत्र या अधिवेशन होते हैं। यथा बजट अधिवेशन (फरवरी–मई), मानसून अधिवेशन (जुलाई–अगस्त) और शीतकालीन अधिवेशन (नवंबर–दिसंबर)। किंतु, राज्यसभा के मामले में, बजट के अधिवेशन को दो अधिवेशनों में विभाजित कर दिया जाता है। इन दो अधिवेशनों के बीच तीन से चार सप्ताह का अवकाश होता है। इस प्रकार राज्यसभा के एक वर्ष में चार अधिवेशन होते हैं। राष्ट्रपति का अभिभाषण नव निर्वाचित सदस्यों की शपथ के बाद अध्यक्ष का चुनाव होता है। इसके बाद, राष्ट्रपति संसद भवन के केंद्रीय कक्ष में एक साथ संसद के दोनों सदनों के समक्ष अभिभाषण करता है।

राष्ट्रपति का अभिभाषण बहुत महत्वपूर्ण अवसर होता है। अभिभाषण में ऐसी नीतियों एवं कार्यक्रमों का विवरण होता है जिन्हें आगामी वर्ष में

कार्यरूप देने का विचार हो। साथ ही, पहले वर्ष की उसकी गतिविधियों और सफलताओं की समीक्षा भी दी जाती है। वह अभिभाषण चूंकि सरकार की नीति का विवरण होता है अंतः सरकार द्वारा तैयार किया जाता है। अभिभाषण पर चर्चा बहुत व्यापक रूप से होती है। धन्यवाद प्रस्ताव के संशोधनों के द्वारा उन मामलों पर भी चर्चा हो सकती है जिनका अभिभाषण में विशेष रूप से उल्लेख न हो।

अध्यक्ष/उपाध्यक्ष का चुनाव

लोक सभा सदन के दो सदस्यों को अध्यक्ष और उपाध्यक्ष के रूप में चुनती है। कुछ ऐसी परंपरा बनी है कि उपाध्यक्ष विपक्ष के सदस्यों में से चुना जाता है। प्रायः यह कोशिश रहती है कि अध्यक्ष और उपाध्यक्ष तथा राज्यसभा में सभापति और उपसभापति का यह काम है कि वे अपने सदन की कार्यवाही को व्यवस्थित ढंग से नियमों के अनुसार चलाए।

कार्यक्रम और प्रक्रिया

संसदीय कार्य दो मुख्य शीर्षों में बांटा जा सकता है। सरकारी कार्य और गैर–सरकारी कार्य। सरकारी कार्य को फिर दो श्रेणियों में बांटा जा सकता है,

(क) ऐसे कार्य जिनकी शुरूआत सरकार द्वारा की जाती है, और

(ख) ऐसे कार्य जिनकी शुरूआत गैर–सरकारी सदस्यों द्वारा की जाती है परंतु जिन्है। सरकारी कार्य के समय में लिया जाता है जैसे प्रश्न, स्थगन प्रस्ताव, अविलंबनीय लोक महत्व के मामलों की और ध्यान दिलाना, विशेषाधिकार के प्रश्न, अविलंबनीय लोक महत्व के मामलों पर चर्चा, मंत्रिपरिषद में अविश्वास का प्रस्ताव, प्रश्नों के उत्तरों से उत्पन्न होने वाले मामलों पर आधे घंटे की चर्चाएं इत्यादि।

गैर–सरकारी सदस्यों के कार्य, अर्थात विधेयकों और संकल्पों पर प्रत्येक शुक्रवार के दिन या किसी ऐसे दिन जो अध्यक्ष निर्धारित करे ढाई

घंटे तक चर्चा की जाती है।

सदन में किए जाने वाले विभिन्न कार्यों के लिए समय की सिफारिश सामान्यतः कार्य मंत्रणा समिति द्वारा की जाती है। प्रायः हर सप्ताह एक बैठक होती है।

संसद के दोनों सदनों की कार्यवाही की छपी हुई प्रतियां सामान्यतः बैठक के बाद एक मास के अंदर उपलब्ध करा दी जाती है। कार्यवाही को टेप रिकार्ड किया जाता है। वाद विवाद के अधिवेशनवार छपे हुए खंड हिंदी तथा अंग्रेजी भाषा में उपलब्ध होते है।

संसद के कार्य का संचालन करने की भाषाएं हिंदी तथा अंग्रेजी है। किंतु पीठासीन अधिकारी ऐसे सदस्य को, जो हिंदी या अंग्रेजी में अपनी पर्याप्त अभिव्यक्ति नहीं कर सकता हो, अपनी मातृ–भाषा में संसद को संबोधित करने की अनुमति दे सकते है। दोनों सदनों में 12 भाषाओं को हिंदी तथा अंग्रेजी में साथ साथ भाषांतर करने की सुविधाएं उपलब्ध है।

संसद में प्रश्न पूछना

सरकार अपनी प्रत्येक भूल चूक के लिए संसद के प्रति और संसद के द्वारा लोगों के प्रति उत्तरदायी होती है। सदन के सदस्य इस अधिकार का प्रयोग, अन्य बातों के साथ–साथ, संसदीय प्रश्नों के माध्यम से करते है। संसद सदस्यों को लोक महत्व के मामलों पर सरकार के मंत्रियों से जानकारी प्राप्त करने के लिए पूछने का अधिकार होता है। जानकारी प्राप्त करना प्रत्येक गैर–सरकारी सदस्य का संसदीय अधिकार है। संसद सदस्य के लिए लोगों के प्रतिनिधि के रूप में यह आवश्यक होता है कि उसे अपनी जिम्मेदारियों के पालन के लिए सरकार के क्रियाकलापों के बारे में जानकारी हो। प्रश्न पूछने का मूल उद्देश्य लोक महत्व के किसी मामले पर जानकारी प्राप्त करना और तथ्य जानना है।

दोनों सदनों में प्रत्येक बैठक के प्रारंभ में एक घंटे तक प्रश्न किए जाते है। और उनके उत्तर दिए जाते है। इसे 'प्रश्न काल' कहा जाता है। इसके अतिरिक्त, खोजी और अनुपूरक प्रश्न पूछने से मंत्रियों का भी

परीक्षण होता है कि वे अपने विभागों के कार्यकरण को कितना समझते है। प्रश्नकाल संसद की कार्यवाहियों का सबसे अधिक दिलचस्प अंग है। लोगों के लिए समाचार पत्रों के लिए और स्वयं सदस्यों के लिए कोई अन्य कार्य इतनी दिलचस्पी पैदा नहीं करता जितनी कि प्रश्नकाल पैदा करता है। इस काल के दौरान सदन का वातावरण अनिश्चित होता है।

कभी अचानक तनाव का बवंडर उठ खड़ा होता है तो कभी कहकहे लगने लगते है। कभी कभी किसी प्रश्न पर होने वाले कटु तर्क–वितर्क से उत्तेजना पैदा होती है। ऐसी हालत सदस्यों या मंत्रियों की हाजिर–जवाबी और विनोदप्रियता से दूर हो जाती है।

यही कारण है कि प्रश्नकाल के दौरान न केवल सदन कक्ष बल्कि दर्शक एवं प्रेस गैलरियां भी सदा लगभग भरी रहती है।

कुछ प्रश्नों का मौखिक उत्तर दिया जाता है। इन्है। तारांकित प्रश्न कहा जाता है। अतारांकित प्रश्नों का लिखित उत्तर दिया जाता है।

यह बात निश्चित रूप से कही जा सकती है कि सदस्य प्रश्न पूछने के अधिकार का प्रयोग करने में भारी रूचि दिखाते रहे है। चूंकि प्रश्नों की प्रक्रिया अपेक्षतः सरल और आसान है। अतः यह संसदीय प्रक्रिया के अन्य उपायों की तुलना में संसद सदस्यों में अधिकाधिक प्रिय होती जा रही है।

शून्यकाल (जीरो आवर)

संसद के दोनों सदनों में प्रश्नकाल के ठीक बाद का समय आमतौर पर 'शून्यकाल' अथवा जीरो आवर के नाम से जाना जाने लगा है। यह एक से अधिक अर्थों में शून्यकाल होता है।

12 बजे दोपहर का समय न तो मध्याह्न पूर्व का समय होता है और न ही मध्याह्न पश्चात का समय। 'शून्यकाल' 12 बजे प्रारंभ होने के कारण इस नाम से जाना जाता है इसे 'आवर' भी कहा गया क्योंकि पहले 'शून्यकाल' पूरे घंटे तक चलता था, अर्थात 1 बजे दिन में सदन का दिन

के भोजन के लिए अवकाश होने तक।

यह कोई नहीं कह सकता कि इस काल के दौरान कौन–सा मामला उठ खड़ा हो या सरकार पर किस तरह का आक्रमण कर दिया जाए। नियमों में 'शून्यकाल' का कहीं भी कोई उल्लेख नहीं है। प्रश्नकाल के समाप्त होते ही सदस्यगण ऐसे मामले उठाने के लिए खड़े हो जाते है। जिनके बारे में वे महसूस करते है। कि कार्यवाही करने में देरी नहीं की जा सकती। हालाँकि इस प्रकार मामले उठाने के लिए नियमों में कोई उपबंध नहीं है। ऐसा प्रतीत होता है कि इस प्रथा के पीछे यही विचार रहा है कि ऐसे नियम जो राष्ट्रीय महत्व के मामले या लोगों की गंभीर शिकायतों संबंधी मामले सदन में तुरंत उठाए जाने में सदस्यों के लिए बाधक होते है। वे निरर्थक है।

नियमों की दृष्टि से तथाकथित 'शून्यकाल' एक अनियमितता है। मामले चूंकि बिना अनुमति के या बिना पूर्व सूचना के उठाए जाते है। अतः इससे सदन का बहुमूल्य समय व्यर्थ जाता है। इससे सदन के विधायी, वित्तीय और अन्य नियमित कार्य का अतिक्रमण होता है। अब तो शून्यकाल में उठाये जाने वाले कुछ मामलों की पहले से दी गई सूचना के आधार पर, अध्यक्ष की अनुमति से, एक सूची भी बनने लगी है।

संसद में जनहित के मामले

संसद के दोनों सदनों के नियमों में लोक महत्व के मामले बिना देरी के और कई प्रकार से उठाने की व्यवस्था है। जो विभिन्न प्रक्रियाएं प्रत्येक सदस्य को उपलब्ध रहती है। वे इस प्रकार है।

स्थगन प्रस्ताव

इसके द्वारा लोक सभा के नियमित काम–काज को रोककर तत्काल महत्वूपर्ण मामले पर चर्चा कराई जा सकती है।

ध्यानाकर्षण

इसके द्वारा कोई भी सदस्य सरकार का ध्यान तत्काल महत्व के

मामले की और दिला सकता है। मंत्री को उस मामले में बयान देना होता है। ध्यानाकर्षण करने वाले प्रत्येक सदस्य को एक प्रश्न पूछने का अधिकार होता है।

आपातकालीन चर्चाएं

इनके द्वारा तत्काल महत्व के प्रश्नों पर एक घंटे की चर्चा की जा सकती है। हालाँकि इस पर मतदान नहीं होता।

विशेष उल्लेख

हमारे निर्वाचित प्रतिनिधि किस तरह ऐसे मामले उठाने का प्रयास करते हैं। जिनका नियमों एवं विनियमों की व्याख्या से कोई संबंध नहीं होता। लेकिन ये मामले उस समय उन्है। और उनके निर्वाचन क्षेत्र के लोगों को उत्तेजित कर रहे होते हैं। जो मामले व्यवस्था के प्रश्न नहीं होते या जो प्रश्नों, अल्प–सूचना प्रश्नों, ध्यानाकर्षण प्रस्तावों आदि से संबंधित नियमों के अधीन नहीं उठाए जा सकते, वे इसके अधीन उठाए जाते हैं।

प्रस्ताव (मोशन)

सदन लोक महत्व के विभिन्न मामलों पर अनेक फैसले करता है और अपनी राय व्यक्त करता है। कोई भी सदस्य एक प्रस्ताव के रूप में कोई सुझाव सदन के समक्ष रख सकता है। जिसमें उसकी राय या इच्छा दी गई हो। यदि सदन उसे स्वीकार कर लेता है तो वह समूचे सदन की राय या इच्छा बन जाती है। अंतः मोटे तौर पर 'प्रस्ताव' सदन का फैसला जानने के लिए सदन के सामने लाया जाता है।

प्रस्ताव वास्तव में संसदीय कार्यवाही का आधार होते हैं। लोक महत्व का कोई भी मामला किसी प्रस्ताव का विषय हो सकता है। प्रस्ताव भिन्न–भिन्न सदस्यों द्वारा भिन्न–भिन्न प्रयोजनों से पेश किए जा सकते है। प्रस्ताव मंत्रियों द्वारा पेश किए जा सकते हैं, और गैर–सरकारी सदस्यों द्वारा भी। गैर–सरकारी सदस्यों द्वारा पेश किए जाने वाले

प्रस्तावों का उद्देश्य सामान्यतः किसी मामले पर सरकार की राय या विचार जानना होता है।

संकल्प

संकल्प भी एक प्रक्रियागत उपाय है यह आम लोगों के हित के किसी मामले पर सदन में चर्चा उठाने के लिए सदस्यों और मंत्रियों को उपलब्ध है। सामान्य रूप के प्रस्तावों के समान संकल्प, राय या सिफारिश की घोषणा के रूप में हो सकता है या किसी ऐसे अन्य रूप में हो सकता है जैसा कि अध्यक्ष उचित समझे।

अविश्वास प्रस्ताव

मंत्रिपरिषद तब तक पदासीन रहती है जब तक उसे लोक सभा का विश्वास प्राप्त हो। लोक सभा द्वारा मंत्रिपरिषद में अविश्वास व्यक्त करते ही सरकार को संवैधानिक रूप से पद छोड़ना होता है। नियमों में इस आशय का एक प्रस्ताव पेश करने का उपबंध है जिसे 'अविश्वास प्रस्ताव' कहा जाता है। राज्यसभा को अविश्वास प्रस्ताव पर विचार करने की शक्ति प्राप्त नहीं है।

निंदा प्रस्ताव

निंदा प्रस्ताव अविश्वास के प्रस्ताव से भिन्न होता है। अविश्वास के प्रस्ताव में उन कारणों का उल्लेख नहीं होता जिन पर वह आधारित हो। परंतु निंदा प्रस्ताव में ऐसे कारणों या आरोपों का उल्लेख करना आवश्यक होता है। यह प्रस्ताव कतिपय नीतियों और कार्यों के लिए सरकार की निंदा करने के इरादे से पेश किया जाता है। निंदा प्रस्ताव मंत्रिपरिषद के विरूद्ध या किसी एक मंत्री के विरूद्ध या कुछ मंत्रियों के विरूद्ध पेश किया जाता है। उसमें किसी मंत्री या मंत्रियों की विफलता पर सदन द्वारा खेद, रोष या आश्चर्य प्रकट किया जाता है।

संसद में बजट

सरकार को शासन, सुरक्षा और जन कल्याण के बहुत से काम

करने होते हैं। इन सबके लिए बहुत साधन चाहिए। ये आएं कहाँ से? सरकार जनता से कर वसूलती है। जरूरत पड़ने पर कर्जे भी लेती है। क्योंकि हम संसदीय व्यवस्था में रहते हैं, सरकार के लिए यह जरूरी है कि कोई भी कर लगाने या कोई भी खर्चा करने से पहले वह संसद की मंजूरी ले। इस मंजूरी को लेने के लिए ही हर वर्ष सरकार एक बजट यानी पूरे साल की आमदनी और खर्चे का लेखा जोखा संसद में पेश करती है।

रेल बजट और सामान्य बजट अलग अलग पेश किए जाते हैं। सामान्य बजट प्रायः फरवरी के अंतिम कार्य दिवस पर लाया जाता है। रेल बजट उससे कुछ दिन पहले आ जाता है। वित्तीय वर्ष इस समय प्रत्येक साल की पहली अप्रैल से आरंभ होता है। बजट में इस आशय का प्रस्ताव होता है कि आने वाले साल के दौरान किस मद पर कितना धन खर्च किया जाना है। उसमें कितना धन किस तरीके से आएगा या कहाँ से जुटाया जाएगा। बजट के आगामी वर्ष के लिए अनुदान दिए जाते हैं। सरकार को अपनी वित्तीय और आर्थिक नीतियों तथा कार्यक्रमों और उनकी व्याख्या करने का अवसर मिलता है। साथ ही, संसद को उन पर विचार करने और उनकी आलोचना करने का भी अवसर मिलता है।

बजट पास करने की प्रक्रिया में संसद के दोनों सदनों में गंभीर एवं पूर्ण चर्चा होती है। यह बजट पेश किए जाने के कुछ दिन बाद होती है। चर्चा सामान्य वाद विवाद से आरंभ होती है। यह संसद के दोनों सदनों में तीन या चार दिन तक चलती है। प्रथा यह है कि इस अवस्था में सदस्य सरकार की राजकोषीय और आर्थिक नीतियों के सामान्य पहलुओं पर ही विचार करते हैं। कर लगाने तथा खर्च के ब्यौरे में नहीं जाते। इस प्रकार सामान्य वाद विवाद से प्रत्येक सदन को अपने विचार व्यक्त करने का अवसर मिलता है।

सरकार को भी आभास हो जाता है कि किसी प्रस्ताव विशेष के प्रति बाद की अवस्थाओं में क्या प्रतिक्रिया होगी। यह ध्यान देने की बात है कि राज्यसभा को सामान्य चर्चा के अलावा बजट से कोई सरोकार नहीं

होता। मांगों पर मतदान केवल लोक सभा में होता है। दूसरी अवस्था अनुदानों की मांगों पर चर्चा और मतदान की है। सामान्यतः प्रत्येक मंत्रालय के लिए प्रस्तावित अनुदानों के लिए अलग मांगें रखी जाती हैं। इन 'मांगों' का संबंध बजट के व्यय वाले भाग से होता है। इनका स्वरूप कार्यपालिका द्वारा लोक सभा के लिए किए गए निवेदन का है कि मांगी गई राशि को खर्च करने का अधिकार दिया जाए।

मांगों पर चर्चा रूचिपूर्ण होती है। चर्चा के दौरान मंत्रालय की नीतियों और क्रियाकलापों की बारीकी से छानबीन की जाती है। अनुदानों की मांगों के मूल प्रस्ताव के सहायक प्रस्ताव पेश करके सदस्य ऐसा कर सकते हैं। इन सहायक प्रस्तावों को संसदीय भाषा में 'कटौती प्रस्ताव' कहा जाता है।

लेखानुदान

बजट पास करने की प्रक्रिया बजट पेश किए जाने से इस पर चर्चा करने और अनुदानों की मांगे स्वीकृत करने और विनियोग तथा वित्त विधेयकों के पास होने तक सामान्यतः चालू वित्तीय वर्ष के आरंभ होने के बाद तक चलती रहती है। जब तक संसद, मांगें स्वीकृत नहीं कर लेती तब तक के लिए यह आवश्यक है कि देश का प्रशासन चलाने के लिए सरकार के पास पर्याप्त धन उपलब्ध हो। इसलिए 'लेखानुदान' के लिए विशेष उपबंध किया गया है। जिसके द्वारा लोकसभा को शक्ति दी गई है कि वह बजट की प्रक्रिया पूरी होने तक किसी वित्तीय वर्ष के एक भाग के लिए पेशगी अनुदान दे सकती है।

कानून निर्माण प्रक्रिया

कानून बनाना संसद का प्रमुख काम माना जाता है। इसके लिए पहल अधिकांशतः कार्यपालिका द्वारा की जाती है। सरकार विधायी प्रस्ताव पेश करती है। उस पर चर्चा तथा वाद विवाद के पश्चात संसद उस पर अनुमोदन की अपनी मुहर लगाती है।

सभी कानूनी प्रस्ताव विधेयक के रूप में संसद में पेश किए जाते हैं।

विधेयक विधायी प्रस्ताव का मसौदा होता है। विधेयक संसद के किसी एक सदन में सरकार द्वारा या किसी गैर–सरकारी सदस्य द्वारा पेश किया जा सकता है। इस प्रकार मोटे तौर पर, विधेयक दो प्रकार के होते हैं:– (क) सरकारी विधेयक और (ख) गैर–सरकारी सदस्यों के विधेयक। विधि का रूप लेने वाले अधिकांश विधेयक सरकारी विधेयक होते हैं। वैसे तो गैर सरकारी सदस्यों के बहुत कम विधेयक विधि का रूप लेते हैं। फिर भी उनके द्वारा यह बात सरकार और लोगों के ध्यान में लाई जाती है कि मौजूदा कानून में संशोधन करने या कोई आवश्यक विधान बनाने की आवश्यकता है।

विधेयक का मसौदा उस विषय से संबंधित सरकार के मंत्रालय में विधि मंत्रालय की सहायता से तैयार किया जाता है। मंत्रिमंडल के अनुमोदन के बाद इसे संसद के सामने लाया जाता है। संबंधित मंत्री द्वारा उसे संसद के दोनों सदनों में से किसी भी सदन में पेश किया जा सकता है। केवल धन विधेयक के मामले में यह पाबंदी है कि वह राज्यसभा में पेश नहीं किया जा सकता।

अधिनियम का रूप लेने से पूर्व विधेयक को संसद में विभिन्न अवस्थाओं से गुजरना पड़ता है। प्रत्येक विधेयक के प्रत्येक सदन में तीन वचन होते हैं। अर्थात पहला वाचन, दूसरा वाचन और तीसरा वाचन।

विधेयक 'पेश करना,' विधेयक का पहला वाचन है। प्रथा के अनुसार इस अवस्था में चर्चा नहीं की जाती है। विधेयक का दूसरा वाचन सबसे अधिक विस्तृत एवं महत्वपूर्ण अवस्था है क्योंकि इसी अवस्था में इसकी विस्तृत एवं बारीकी से जांच की जाती है।

जब विधेयक के सभी खंडों पर और अनुसूचियों पर, यदि कोई हों, सदन विचार कर उन्हें स्वीकृत कर लेता है। तब मंत्री यह प्रस्ताव कर सकता है कि विधेयक को पास किया जाए। यह तीसरा वाचन कहलाता है। जिस सदन में विधेयक पेश किया गया हो उसमें पास किए जाने के बाद उसे सहमति के लिए दूसरे सदन में भेजा जाता है। वहाँ विधेयक फिर इन तीनों अवस्थाओं में से गुजरता है।

किसी विधेयक पर दोनों के बीच असहमति के कारण गतिरोध होने पर एक असाधारण स्थिति उत्पन्न हो जाती है। जिसका समाधान दोनों सदनों की संयुक्त बैठक में होता है। जब दोनों सदनों द्वारा कोई विधेयक अलग–अलग या संयुक्त बैठक में पास कर दिया जाता है तो उसे राष्ट्रपति के पास भेजा जाता है। यदि राष्ट्रपति अनुमति प्रदान कर देता है तो अनुमति की तिथि से विधेयक अधिनियम बन जाता है।

संशोधन के द्वारा संविधान के किसी भी अनुच्छेद में बदलाव लाया जा सकता है। किंतु उच्चतम न्यायालय के निर्णय के अनुसार संविधान के मूल ढांचे या मूल तत्वों को नष्ट या न्यून करने वाला कोई परिवर्तन नहीं किया जा सकता।

संसदीय विशेषाधिकार

संसदीय विशेषाधिकार वे विशिष्ट अधिकार हैं, जो संसद के दोनों सदनों को, उसके सदस्यों को और समितियों को प्राप्त हैं। विशेषाधिकार इस दृष्टि से दिए जाते हैं। कि संसद के दोनों सदन, उसकी समितियां और सदस्य स्वतंत्र रूप से काम कर सके। उनकी गरिमा बनी रहे, परंतु इसका यह अर्थ नहीं है कि कानून की नजरों में साधारण नागरिकों के मुकाबले में विशेषाधिकार प्राप्त सदस्यों की स्थिति भिन्न है। जहाँ तक विधियों के लागू होने का संबंध है, सदस्य लोगों के प्रतिनिधि होने के साथ–साथ साधारण नागरिक भी होते हैं। मूल विधि यह है कि संसद सदस्यों सहित सभी नागरिक कानून की नजरों में बराबर माने जाने चाहिए। जो दायित्व अन्य नागरिकों के हों, वही उनके भी होते हैं, और शायद सदस्य होने के नाते कुछ अधिक होते है।

संसदों का सबसे महत्वपूर्ण विशेषाधिकार है सदन और उसकी समितियों में पूरी स्वतंत्रता के साथ अपने विचार रखने की छूट। संसद के किसी सदस्य द्वारा कही गई किसी बात या दिए गए किसी मत के संबंध में उसके विरूद्ध किसी न्यायालय में कोई कार्यवाही नहीं की जा सकती। संसदीय विशेषाधिकारों की सूचियां तैयार की जा सकती है।

वास्तव में ये तैयार भी की गईं है। परंतु ऐसी कोई भी सूची पूरी नहीं है। थोड़े में कह सकते हैं। कि कोई भी वह काम जो सदन के, उसकी समितियों के या उसके सदस्यों के काम में किसी प्रकार की बाधा डाले वह संसदीय विशेषाधिकार का हनन करता है। उदाहरण के लिए, कोई सदस्य न केवल उस समय गिरफ्तार नहीं किया जा सकता जबकि उस सदन का, जिसका कि वह सदस्य हो, अधिवेशन चल रहा हो या जबकि उस संसदीय समिति की, जिसका वह सदस्य हो, बैठक चल रही हो, या जबकि दोनों सदनों की संयुक्त बैठक चल रही हो, या जबकि दोनों सदनों की संयुक्त बैठक चल रही हो। संसद के अधिवेशन के प्रारंभ से 40 दिन पहले और उसकी समाप्ति से 40 दिन बाद या जबकि वह सदन को आ रहा हो या सदन के बाहर जा रहा हो, तब भी उसे गिरफ्तार नहीं किया जा सकता।

संसद के परिसरों के भीतर, अध्यक्ष सभापति की अनुमति के बिना, दीवानी या आपराधिक कोई कानूनी 'समन' नहीं दिए जा सकते हैं। अध्यक्ष सभापति की अनुमति के बिना संसद भवन के अंदर किसी को भी गिरफ्तार नहीं किया जा सकता है। क्योंकि संसद के परिसरों में केवल संसद के सदन के या अध्यक्ष सभापति के आदेशों का पालन होता है। यहाँ अन्य किसी सरकारी प्राधिकारी के या स्थानीय प्रशासन के आदेश का पालन नहीं होता।

संसद का प्रत्येक सदन अपने विशेषाधिकार का स्वयं ही रक्षक होता है। विशेषाधिकार भंग करने या सदन की अवमानना करने वाले को भर्त्सना करके या ताड़ना करके या निर्धारित अवधि के लिए कारावास द्वारा दंडित कर सकता है। स्वयं अपने सदस्यों के मामले में सदन अन्य दो प्रकार के दंड दे सकता है, अर्थात सदन की सेवा से निलंबित करना और निकाल देना, किसी सदस्य को एक निर्धारित अवधि के लिए सदन की सेवा से निलंबित किया जा सकता है। किसी अति गंभीर मामले में सदन से निकाला जा सकता है।

सदन अपराधियों को ऐसी अवधि के लिए कारावास का दंड दे सकता

है जो साधारणतः सदन के अधिवेशन की अवधि से अधिक नहीं होती। जैसे ही सदन का सत्रावसान होता है, बंदी को मुक्त कर दिया जाता है। दर्शकों द्वारा गैलरी में नारे लगाकर और अथवा इश्तिहार फेंककर सदन की अवमानना करने के कारण, दोनों सदनों ने, समय समय पर, अपराधियों को सदन के उस दिन स्थगित होने तक कारावास का दंड दिया है।

सदन का दांडिक क्षेत्र अपने सदनों तक और उनके सामने किए गए अपराधों तक ही सीमित न होकर सदन की सभी अवमाननाओं पर लागू होता है।

चाहे अवमानना सदस्यों द्वारा की गई हो या ऐसे व्यक्तियों द्वारा जो सदस्य न हो। इससे भी कोई अंतर नहीं पड़ता कि अपराध सदन के भीतर किया गया है या उसके परिसर से बाहर।

सदन का विशेषाधिकार भंग करने या उसकी अवमानना करने के कारण व्यक्तियों को दंड देने की सदन की यह शक्ति संसदीय विशेषाधिकार की नींव है।

सदन की ऐसी पंरपरा भी रही है कि सदन का विशेषाधिकार भंग करने या सदन की अवमानना करने के दोषी व्यक्तियों द्वारा स्पष्ट रूप से और बिना किसी शर्त के दिल से व्यक्त किया गया खेद सदन द्वारा स्वीकार कर लिया जाता है। ऐसे में साधारणतः सदन अपनी गरिमा को देखते हुए ऐसे मामलों पर आगे कार्यवाही न करने का फैसला करता है।

सदस्यों के वेतन एवं भत्ते

दोनों सदनों के सदस्य ऐसे वेतन और भत्ते, जिन्हें संसद समय समय पर, विधि द्वारा तय करे, पाने के हकदार हैं। संसद ने संसद सदस्य (वेतन, भत्ते और पेंशन) अधिनियम के अधीन सदस्यों को पेंशन दिए जाने की स्वीकृति दी है। चार वर्ष के सेवाकाल वाले प्रत्येक सदस्य तो एक हजार चार सौ रूपये प्रति मास की पेंशन दी जाती है। इसके अतिरिक्त पाँच वर्ष के बाद की सेवा के प्रत्येक वर्ष के लिए 250 रूपये और दिए जाते हैं।

प्रत्येक सदस्य 1500 रूपये प्रतिमास का वेतन तथा ऐसे स्थान पर, जहाँ संसद के किसी सदन का अधिवेशन या समिति की बैठक हो, ड्यूटी पर निवास के दौरान 200 रूपये प्रतिदिन का भत्ता प्राप्त करने का हकदार है। मासिक वेतन तथा दैनिक भत्ते के अलावा प्रत्येक सदस्य 3000 रूपये मासिक का निर्वाचन क्षेत्र भत्ता और 1000 रूपये प्रतिमास की दर से कार्यालय व्यय प्राप्त करने का हकदार है।

यात्रा संबंधी सुविधाएं प्रत्येक सदस्य निम्नलिखित यात्रा –भत्ते पाने का हकदार है–

(क) **रेल द्वारा यात्रा के लिए–** एक प्रथम श्रेणी के तथा एक द्वितीय श्रेणी के किराए के बराबर रकम

(ख) **विमान द्वारा यात्रा के लिए–** प्रत्येक ऐसी यात्रा के लिए विमान किराए के सवा गुना के बराबर रकम

(ग) **सड़क द्वारा यात्रा के लिए–** पाँच रूपये प्रति किलोमीटर तथा स्टीमर द्वारा यात्रा के लिए उच्चतम श्रेणी के किराए के अतिरिक्त उसका 3–5 भाग।

इसके अलावा, प्रत्येक सदस्य को प्रतिवर्ष देश के अंदर कहीं भी अपनी पत्नी अपने पति या सहचर के साथ 28 एक तरफा विमान यात्राएं करने की छूट होती है। प्रत्येक सदस्य को देश के अंदर कहीं भी, कितनी भी बार, वातानुकूलित श्रेणी में यात्रा के लिए स्वयं तथा सहचर के लिए एक रेलवे पास भी मिलता है। पत्नी–पति के लिए एक अलग से पास भी मिल सकता है।

टेलीफोन – प्रत्येक सदस्य निशुल्क टेलीफोन–एक दिल्ली में तथा दूसरा अपने निवास स्थान पर लगवानें का हकदार है। इसके अलावा, उसे प्रतिवर्ष निशुल्क 50,000 स्थानीय काल करने की छूट होती है।

वास सुविधा तथा वाहन – प्रत्येक सदस्य को दिल्ली में मकान दिया जाता है। फ्लैटों के लिए कोई शुल्क नहीं है। जबकि बंगलों के लिए नाममात्र लाईसेंस शुल्क लगाया जाता है। कतिपय सीमाओं में बिजली

तथा पानी निःशुल्क होते हैं।

प्रत्येक सदस्य को उसके कार्यकाल के दौरान वाहन खरीदने के लिए अग्रिम–राशि दी जाती है।

अन्य सुविधाएँ – सदस्यों को जो अन्य सुविधाएं प्रदान की जाती है। उनमें आशुलिपिक तथा टंकण पूल, आयकर में राहत, कैंटीन, जलपान और खानपान, क्लब, कामन रूम, बैंक, डाकघर, रेलवे तथा हवाई बुकिंग तथा आरक्षण, बस परिवहन, एल पी जी सेवा, विदेशी मुद्रा का कोटा, लॉकर, सुपर बाजार आदि शामिल है। संसद परिसर में एकमात्र सदस्यों के लिए एक सुसज्जित प्राथमिक चिकित्सा अस्पताल भी है।

संसद परिसर

संसद की इमारतों में संसद भवन, संसदीय सौध, स्वागत कार्यालय और निर्माणाधीन संसदीय ज्ञानपीठ अथवा संसद ग्रंथालय सम्मिलित है। इन सभी को मिलाकर संसद परिसर कहा जाता है इसमें लंबे–चौड़े लान, जलाशय, फव्वारे और सड़कें बनी हुई हैं। येह सारा परिसर सजावटी लाल पत्थर की दीवारों तथा लोहे के जंगलों और लोहे के ही विशाल दरवाजों से घिरा हुआ है।

अध्याय–3

भारत के राष्ट्रपति तथा उसकी शक्तियां

भारत का राष्ट्रपति, भारत गणराज्य का कार्यपालक अध्यक्ष होता है। देश के समस्त कार्यपालक कार्य उनके नाम से किये जाते हैं। अनुच्छेद 53 के अनुसार संघ की कार्यपालिका शक्ति उनमें निहित होती हैं। वह भारतीय सशस्त्र सेनाओं का सर्वोच्च सेनानायक भी है।

यह सभी प्रकार के आपातकाल लगाने व हटाने वाला, युद्ध शांति की घोषणा करने वाला होता है। वह देश का प्रथम नागरिक होता है। भारतीय राष्ट्रपति होने के लिए भारतीय नागरिक होना आवश्यक है।

सिद्धांततः राष्ट्रपति के पास पर्याप्त शक्ति होती है। पर कुछ अपवादों के अलावा राष्ट्रपति के पद में निहित अधिकांश अधिकार वास्तव में प्रधानमंत्री की अध्यक्षता वाले मंत्रिपरिषद् के द्वारा उपयोग किए जाते है।

भारत के राष्ट्रपति नई दिल्ली स्थित राष्ट्रपति भवन में रहते हैं, जिसे रायसीना हिल के नाम से भी जाना जाता है। राष्ट्रपति अधिकतम कितनी भी बार पद पर रह सकते हैं। इसकी कोई सीमा तय नहीं है। अब तक केवल पहले राष्ट्रपति डॉ० राजेंद्र प्रसाद ने ही इस पद पर दो बार अपना कार्यकाल पूरा किया है।

प्रतिभा पाटिल भारत की 12वीं तथा इस पद को सुशोभीत करने

वाली पहली महिला राष्ट्रपति थी। उन्होंने 25 जुलाई 2007 को पद व गोपनीयता की शपथ ली थी।

राम नाथ कोविन्द भारत के चौदहवें राष्ट्रपति है। आप उत्तर प्रदेश के कानपुर जिले के मूल निवासी है।

ऐतिहासिक संदर्भ

भारत 15 अगस्त 1947 को ब्रिटेन से स्वतंत्रता प्राप्त हुई थी तथा अन्तरिम व्यवस्था के तहत देश एक राष्ट्रमंडल अधिराज्य बन गया। इस व्यवस्था के तहत भारत के गवर्नर जनरल को भारत के राष्ट्रप्रमुख के रूप में स्थापित किया गया, जिन्है। ब्रिटिश इंडिया में ब्रिटेन के अन्तरिम राजा – जॉर्ज द्वारा ब्रिटिश सरकार के बजाय भारत के प्रधानमंत्री की सलाह पर नियुक्त करना था।

यह एक अस्थायी उपाय था, परन्तु भारतीय राजनीतिक प्रणाली में साझा राजा के अस्तित्व को जारी रखना सही मायनों में संप्रभु राष्ट्र के लिए उपयुक्त विचार नहीं था। आजादी से पहले भारत के आखिरी ब्रिटिश वाइसराय लॉर्ड माउंटबेटन ही भारत के पहले गवर्नर जनरल बने थे। जल्द ही उन्होंने सी.राजगोपालाचारी को यह पद सौंप दिया, जो भारत के इकलौते भारतीय मूल के गवर्नर जनरल बने थे।

इसी बीच डॉ० राजेंद्र प्रसाद के नेतृत्व में संविधान सभा द्वारा 26 नवम्बर 1949 को भारतीय संविधान का मसौदा तैयार हो चुका था और 26 जनवरी 1950 को औपचारिक रूप से संविधान को स्वीकार किया गया था।

इस तारीख का प्रतीकात्मक महत्व था क्योंकि 26 जनवरी 1930 को भारतीय राष्ट्रीय कांग्रेस ने ब्रिटेन से पहली बार पूर्ण स्वतंत्रता को आवाज दी थी। जब संविधान लागू हुआ और डॉ० राजेंद्र प्रसाद ने भारत के पहले राष्ट्रपति का पद संभाला तो उसी समय गवर्नर जनरल और राजा का पद एक निर्वाचित राष्ट्रपति द्वारा प्रतिस्थापित हो गया।

इस कदम से भारत की एक राष्ट्रमंडल अधिराज्य की स्थिति समाप्त

हो गया। लेकिन यह गणतंत्र राष्ट्रों के राष्ट्रमंडल का सदस्य बना रहा। क्योंकि भारत के प्रथम प्रधानमंत्री जवाहरलाल नेहरू ने तर्क किया की यदि कोई भी राष्ट्र ब्रिटिश सम्राट को राष्ट्रमंडल के प्रधान के रूप में स्वीकार करे पर जरूरी नहीं है कि वह ब्रिटिश सम्राट को अपने राष्ट्रप्रधान की मान्यता दे, उसे राष्ट्रमंडल में रहने की अनुमति दी जानी चाहिए। यह एक अत्यन्त महत्वपूर्ण निर्णय था जिसने बीसवीं सदी के उत्तरार्द्ध में नए–स्वतंत्र गणराज्य बने कई अन्य पूर्व ब्रिटिश उपनिवेशों के राष्ट्रमंडल में रहने के लिए एक मिसाल स्थापित किया।

राष्ट्रपति का चुनाव

भारत के राष्ट्रपति का चुनाव अनुच्छेद 55 के अनुसार आनुपातिक प्रतिनिधित्व प्रणाली के एकल संक्रमणीय मत पद्धति के द्वारा होता है।

राष्ट्रपति को भारत के संसद के दोनो सदनों (लोक सभा और राज्य सभा) तथा साथ ही राज्य विधायिकाओं (विधान सभाओं) के निर्वाचित सदस्यों द्वारा पाँच वर्ष की अवधि के लिए चुना जाता है। वोट आवंटित करने के लिए एक फार्मूला इस्तेमाल किया गया है ताकि हर राज्य की जनसंख्या और उस राज्य से विधानसभा के सदस्यों द्वारा वोट डालने की संख्या के बीच एक अनुपात रहे और राज्य विधानसभाओं के सदस्यों और राष्ट्रीय सांसदों के बीच एक समानुपात बनी रहे। अगर किसी उम्मीदवार को बहुमत प्राप्त नहीं होती है तो एक स्थापित प्रणाली है जिससे हारने वाले उम्मीदवारों को प्रतियोगिता से हटा दिया जाता है और उनको मिले वोट अन्य उम्मीदवारों को तब तक हस्तांतरित होता है, जब तक किसी एक को बहुमत नहीं मिलता।

आवश्यक योग्यताएँ

भारत का कोई नागरिक जिसकी उम्र 35 साल या अधिक हो वह पद का उम्मीदवार हो सकता है। राष्ट्रपति पद के लिए उम्मीदवार को लोकसभा का सदस्य बनने की योग्यता होना चाहिए और सरकार के अधीन कोई लाभ का पद धारण किया हुआ नहीं होना चाहिए। परन्तु

निम्नलिखित कुछ कार्यालय–धारकों को राष्ट्रपति के उम्मीदवार के रूप में खड़ा होने की अनुमति दी गई है–

- वर्तमान राष्ट्रपति
- वर्तमान उपराष्ट्रपति
- किसी भी राज्य के राज्यपाल

संघ या किसी राज्य के मंत्री।

राष्ट्रपति के निर्वाचन सम्बन्धी किसी भी विवाद में निणर्य लेने का अधिकार उच्चतम न्यायालय को है।

राष्ट्रपति पर महाभियोग

अनुच्छेद 61 राष्ट्रपति के महाभियोग से संबंधित है। भारतीय संविधान के अंतर्गत राष्ट्रपति मात्र महाभियोजित होता है, अन्य सभी पदाधिकारी पद से हटाये जाते हैं। महाभियोजन एक विधायिका सम्बन्धित कार्यवाही है जबकि पद से हटाना एक कार्यपालिका सम्बन्धित कार्यवाही है। महाभियोजन एक कड़ाई से पालित किया जाने वाला औपचारिक कृत्य है जो संविधान का उल्लघंन करने पर ही होता है। यह उल्लघंन एक राजानैतिक कृत्य है जिसका निर्धारण संसद करती है।

वह तभी पद से हटेगा जब उसे संसद में प्रस्तुत किसी ऐसे प्रस्ताव से हटाया जाये जिसे प्रस्तुत करते समय सदन के 1–4 सदस्यों का समर्थन मिले। प्रस्ताव पारित करने से पूर्व उसको 14 दिन पहले नोटिस दिया जायेगा। प्रस्ताव सदन की कुल संख्या के 2–3 से अधिक बहुमत से पारित होना चाहिये।

फिर दूसरे सदन में जाने पर इस प्रस्ताव की जाँच एक समिति के द्वारा होगी। इस समय राष्ट्रपति अपना पक्ष स्वंय अथवा वकील के माध्यम से रख सकता है। दूसरा सदन भी उसे उसी 2–3 बहुमत से पारित करेगा। दूसरे सदन द्वारा प्रस्ताव पारित करने के दिन से राष्ट्रपति पद से हट जायेगा।

राष्ट्रपति की प्रमुख शक्तियाँ

भारत के संविधान द्वारा यहाँ के राष्ट्रपति को अनेक सम्माननीय अधिकार प्रदान किए गए हैं जो निम्न प्रकार से हैं:–

न्यायिक शक्तियाँ

संविधान का 72वाँ अनुच्छेद राष्ट्रपति को न्यायिक शक्तियाँ प्रदान करता है कि वह दंड का उन्मूलन, क्षमा, आहरण, परिहरण, परिवर्तन कर सकता है।

क्षमादान – किसी व्यक्ति को मिली संपूर्ण सजा तथा दोष सिद्धि और उत्पन्न हुई निर्योज्ञताओं को समाप्त कर देना तथा उसे उस स्थिति में रख देना मानो उसने कोई अपराध किया ही नहीं था। यह लाभ पूर्णतः अथवा अंशतः मिलता है तथा सजा देने के बाद अथवा उससे पहले भी मिल सकती है।

लघुकरण – दंड की प्रकृति कठोर से हटा कर नम्र कर देना उदाहरणार्थ सश्रम कारावास को सामान्य कारावास में बदल देना

परिहार – दंड की अवधि घटा देना परंतु उस की प्रकृति नहीं बदली जायेगी

विराम – दंड में कमी ला देना यह विशेष आधार पर मिलती है जैसे गर्भवती महिला की सजा में कमी लाना

प्रविलंबन –दंड प्रदान करने में विलम्ब करना विशेषकर मृत्यु दंड के मामलौं में राष्ट्रपति की क्षमाकारी शक्तियां पूर्णतः उसकी इच्छा पर निर्भर करती है। उन्है। एक अधिकार के रूप में मांगा नहीं जा सकता है। ये शक्तियां कार्यपालिका प्रकृति की है तथा राष्ट्रपति इनका प्रयोग मंत्रिपरिषद की सलाह पर करेगा। न्यायालय में इनको चुनौती दी जा सकती है। इनका लक्ष्य दंड देने में हुई भूल का निराकरण करना है जो न्यायपालिका ने कर दी हो।

शेरसिंह बनाम पंजाब राज्य 1983 में सुप्रीमकोर्ट ने निर्णय दिया की अनु 72, अनु 161 के अंतर्गत दी गई दया याचिका जितनी शीघ्रता से हो सके उतनी जल्दी निपटा दी जाये। राष्ट्रपति न्यायिक कार्यवाही तथा न्यायिक निर्णय को नहीं बदलेगा वह केवल न्यायिक निर्णय से राहत देगा याचिकाकर्ता को यह भी अधिकार नहीं होगा कि वह सुनवाई के लिये राष्ट्रपति के समक्ष उपस्थित हो।

वीटो शक्तियाँ

विधायिका की किसी कार्यवाही को विधि बनने से रोकने की शक्ति वीटो शक्ति कहलाती है संविधान राष्ट्रपति को तीन प्रकार के वीटो देता है।

(1) **पूर्ण वीटो** – निर्धारित प्रकिया से पास बिल जब राष्ट्रपति के पास आये (संविधान संशोधन बिल के अतिरिक्त), तो वह् अपनी स्वीकृति या अस्वीकृति की घोषणा कर सकता है किंतु यदि अनु. 368 (संविधान संशोधन) के अंतर्गत कोई बिल आये तो वह अपनी अस्वीकृति नहीं दे सकता है यद्यपि भारत में अब तक राष्ट्रपति ने इस वीटो का प्रयोग बिना मंत्रिपरिषद की सलाह के नहीं किया हैं माना जाता है कि वह ऐसा कर भी नहीं सकता। (ब्रिटेन में यही पंरपंरा है जिसका अनुसरण भारत में किया गया है।)

(2) **निलम्बनकारी वीटो** – संविधान संशोधन अथवा धन बिल के अतिरिक्त राष्ट्रपति को भेजा गया कोई भी बिल वह संसद को पुनर्विचार हेतु वापिस भेज सकता है किंतु संसद यदि इस बिल को वापिस पास कर के भेज दे तो उसके पास करने के सिवाय अन्य कोई विकल्प नहीं है उस बिल को स्वीकृति दे दे। इस वीटो को वह अपने विवेकाधिकार से प्रयोग करेगा। इस वीटो का प्रयोग अभी तक संसद सदस्यों के वेतन बिल भत्ते तथा पेंशन नियम संशोधन 1991 में किया गया था। यह एक वित्तीय बिल

था। राष्ट्रपति वेंकट रमण ने इस वीटो का प्रयोग इस आधार पर किया कि यह बिल लोकसभा में बिना उनकी अनुमति के लाया गया था।

(3) **पाकेट वीटो** – संविधान राष्ट्रपति को स्वीकृति अस्वीकृति देने के लिये कोई समय सीमा नहीं देता है यदि राष्ट्रपति किसी बिल पे कोई निर्णय ना दे , तो माना जायेगा कि उस ने अपने पाकेट वीटो का प्रयोग किया है यह भी उसकी विवेकाधिकार शक्ति के अन्दर आता है पेप्सू बिल 1956 तथा भारतीय डाक बिल 1984 में तत्कालीन राष्ट्रपति ज्ञानी जैल सिंह ने इस वीटो का प्रयोग किया था।

राष्ट्रपति की संसदीय शक्ति

राष्ट्रपति संसद का अंग है। कोई भी बिल बिना उसकी स्वीकृति के पास नहीं हो सकता अथवा सदन में ही नहीं लाया जा सकता है।

राष्ट्रपति की विवेकाधीन शक्तियाँ

1. अनु. 74 के अनुसार
2. अनु. 78 के अनुसार प्रधान मंत्री राष्ट्रपति को समय समय पर मिल कर राज्य के मामलों तथा भावी विधेयको के बारे में सूचना देगा, इस तरह अनु. 78 के अनुसार राष्ट्रपति सूचना प्राप्ति का अधिकार रखता है यह अनु. प्रधान मंत्री पर एक संवैधानिक उत्तरदायित्व रखता है यह अधिकार राष्ट्रपति कभी भी प्रयोग ला सकता है इसके माध्यम से वह मंत्री परिषद को विधेयक निर्णयों के परिणामों की चेतावनी दे सकता है।
3. जब कोई राजनैतिक दल लोकसभा में बहुमत नहीं पा सके तब वह अपने विवेकानुसार प्रधानमंत्री की नियुक्ति करेगा
4. निलंबन वीटो पाकेट वीटो भी विवेकी शक्ति है।

5. संसद के सदनो को बैठक हेतु बुलाना।
6. अनु. 75 (3) मंत्री परिषद के सम्मिलित उत्तरदायित्व का प्रतिपादन करता है राष्ट्रपति मंत्री परिषद को किसी निर्णय पर जो कि एक मंत्री ने व्यक्तिगत रूप से लिया था पर सम्मिलित रूप से विचार करने को कह सकता है।
7. यदि मंत्रीपरिषद को बहुमत प्राप्त नहीं है तो लोकसभा का विघटन उसकी विवेक शक्ति के दायरे में आ जाता है।

किसी कार्यवाहक सरकार के पास लोकसभा का बहुमत नहीं होता इस प्रकार की सरकार मात्र सामन्य निर्णय ही ले सकती है ना कि महत्वपूर्ण निर्णय यह राष्ट्रपति निर्धारित करेगा कि निर्णय किस प्रकृति का है।

राष्ट्रपति की संविधान के अन्तर्गत स्थिति

रामजस कपूर वाद तथा शेर सिंह वाद में निर्णय देते हुए सुप्रीम कोर्ट ने कहा कि संसदीय सरकार में वास्तविक कार्यपालिका शक्ति मंत्रिपरिषद में है। 42, 44 वें संशोधन से पूर्व अनु. 74 का पाठ था कि एक मंत्रिपरिषद प्रधान मंत्री की अध्यक्षता में होगी जो कि राष्ट्रपति को सलाह देगी। इस अनुच्छेद में यह नहीं कहा गया था कि वह इस सलाह को मानने हेतु बाध्य होगा या नहीं।

केवल अंग्रेजी परंपरा के अनुसार माना जाता था कि वह बाध्य है। 42 वे संशोधन द्वारा अनु. 74 का पाठ बदल दिया गया राष्ट्रपति सलाह के अनुरूप काम करने को बाध्य माना गया। 44वें संशोधन द्वारा अनु. 74 में फिर बद्लाव किया गया। अब राष्ट्रपति दी गयी सलाह को पुर्नविचार हेतु लौटा सकता है किंतु उसे उस सलाह के अनुरूप काम करना होगा जो उसे दूसरी बार मिली हो।

अध्याय–4

भारत के प्रधानमंत्री तथा उसकी प्रमुख शक्तियां

भारत गणराज्य के प्रधानमन्त्री (सामान्य वर्तनी प्रधानमंत्री) का पद भारतीय संघ के शासन प्रमुख का पद है। भारतीय संविधान के अनुसार, प्रधानमन्त्री केंद्र सरकार के मंत्रिपरिषद् का प्रमुख और राष्ट्रपति का मुख्य सलाहकार होता है। वह भारत सरकार के कार्यपालिका का प्रमुख होता है और सरकार के कार्यों के प्रति संसद को जवाबदेह होता है।

भारत की संसदीय राजनैतिक प्रणाली में राष्ट्रप्रमुख और शासनप्रमुख के पद को पूर्णतः विभक्त रखा गया है। सैद्धांतिकरूप में संविधान भारत के राष्ट्रपति को देश का राष्ट्रप्रमुख घोषित करता है और सैद्धांतिक रूप में, शासनतंत्र की सारी शक्तियों को राष्ट्रपति निहित करता है। तथा संविधान यह भी निर्दिष्ट करता है कि राष्ट्रपति इन अधिकारों का प्रयोग अपने अधीनस्थ अधिकारियों की सलाह पर करेगा।

संविधान द्वारा राष्ट्रपति के सारे कार्यकारी अधिकारों को प्रयोग करने की शक्ति, लोकतांत्रिक रूप से निर्वाचित, प्रधानमन्त्री को दी गयी है। संविधान अपने भाग 5 के विभिन्न अनुच्छेदों में प्रधानमन्त्रीपद के संवैधानिक अधिकारों और कर्तव्यों को निर्धारित करता है।

भारतीय संविधान के अनुच्छेद 74 में स्पष्ट रूप से मंत्रिपरिषद की अध्यक्षता तथा संचालन हेतु प्रधानमन्त्री की उपस्थिति को आवश्यक माना गया है। उसकी मृत्यु या पदत्याग की दशा मे समस्त परिषद को पद छोड़ना पड़ता है। वह स्वेच्छा से ही मंत्रीपरिषद का गठन करता है। राष्ट्रपति मंत्रिगण की नियुक्ति उसकी सलाह से ही करते है। मंत्री गण के विभाग का निर्धारण भी वही करता है।

कैबिनेट के कार्य का निर्धारण भी वही करता है। देश के प्रशासन को निर्देश भी वही देता है तथा सभी नीतिगत निर्णय भी वही लेता है। राष्ट्रपति तथा मंत्रीपरिषद के मध्य संपर्कसूत्र भी वही है। मंत्रिपरिषद का प्रधान प्रवक्ता भी वही है। वह सत्तापक्ष के नाम से लड़ी जाने वाली संसदीय बहसों का नेतृत्व करता है। संसद मे मंत्रिपरिषद के पक्ष मे लड़ी जा रही किसी भी बहस में वह भाग ले सकता है। मन्त्रीगण के मध्य समन्वय भी वही करता है। वह किसी भी मंत्रालय से कोई भी सूचना आवश्यकतानुसार मंगवा सकता है।

प्रधानमन्त्री, लोकसभा में बहुमत–धारी दल का नेता होता है, और उसकी नियुक्ति भारत के राष्ट्रपति द्वारा लोकसभा में बहुमत सिद्ध करने पर होती है। इस पद पर किसी प्रकार की समय–सीमा निर्धारित नहीं की गई है परंतु एक व्यक्ति इस पद पर केवल तब तक रह सकता है जबतक लोकसभा में बहुमत उसके पक्ष में हो।

संविधान, विशेष रूप से, प्रधानमन्त्री को केंद्रीय मंत्रिमण्डल पर पूर्ण नियंत्रण प्रदान करता है। इस पद के पदाधिकारी को सरकारी तंत्र पर दी गयी अत्यधिक नियंत्रणात्मक शक्ति, प्रधानमन्त्री को भारतीय गणराज्य का सबसे शक्तिशाली और प्रभावशाली व्यक्ति बनाती है।

विश्व की सातवीं सबसे बड़ी अर्थव्यवस्था, दूसरी सबसे बड़ी जनसंख्या, सबसे बड़े लोकतंत्र और विश्व की तीसरी सबसे बड़ी सैन्य बलों समेत एक परमाणु–शस्त्र राज्य के नेता होने के कारण भारतीय प्रधानमन्त्री को विश्व के सबसे शक्तिशाली और प्रभावशाली व्यक्तियों में गिना जाता है।

वर्ष 2010 में फोर्ब्स पत्रिका ने अपनी, विश्व के सबसे शक्तिशाली लोगों की, सूची में तत्कालीन प्रधानमन्त्री मनमोहन सिंह को 18वीं स्थान पर रखा था, तथा 2012 और 2013 में उन्है। क्रमशः 19वें और 28वें स्थान पर रखा था। उनके उत्तराधिकारी, नरेंद्र मोदी को वर्ष 2014 में 15वें स्थान पर तथा वर्ष 2015 में विश्व का 6वाँ सबसे शक्तिशाली व्यक्ति नामित किया था।

इस पद की स्थापना, वर्त्तमान कर्तव्यों और शक्तियों के साथ, 26 जनवरी 1947 में, संविधान के परवर्तन के साथ हुई थी। उस समय से वर्त्तमान समय तक, इस पद पर कुल १५ पदाधिकारियों ने अपनी सेवा दी है।

इस पद पर नियुक्त होने वाले पहले पदाधिकारी जवाहरलाल नेहरू थे जबकि भारत के वर्तमान प्रधानमन्त्री नरेंद्र मोदी हैं, जिन्हें, 26 मई 2014 को इस पद पर नियुक्त किया गया था।

संवैधानिक पद व व्युत्पत्ति

भारत के संविधान–निर्माताओं ने भारतीय राजनैतिक प्रणाली को वेस्ट्मिन्स्टर प्रणाली से प्रभावित होकर एक संसदीय गणराज्य का रूप दिया था, जिसमें राष्ट्रप्रमुख तथा शासनप्रमुख के पदों को पूर्णतः पृथक रखा गया था।

भारतीय राजनैतिक प्रणाली में प्रधानमन्त्री का पद संविधान द्वारा स्थापित शासनप्रमुख का पद है, जिसपर सार्वभौमिक वयस्क मताधिकार के आधार पर प्रजातान्त्रिक रूप से निर्वाचित व्यक्ति को नियुक्त किया जाता है। वहीं भारत के राष्ट्रपति का पद भारत गणराज्य के राष्ट्रप्रमुख का पद है, जिन्है। संसद द्वारा अप्रत्यक्ष रूप से निर्वाचित किया जाता है।

प्रधानमन्त्री का पद निःसंदेह भारतीय राजनैतिक प्रणाली का सबसे शक्तिशाली एवं वर्चस्वपूर्ण पद है। संघीय सरकार तथा केंद्रीय मंत्रिमण्डल की सारी गतिविधियों व नीतियों पर अंत्यतः नियंत्रण प्रधानमन्त्री के पास ही होता है। केंद्रीय मंत्रियों की नियुक्ति व निष्कासन भी अंत्यतः प्रधानमन्त्री ही करते है।

हालाँकि, मंत्रियों की नियुक्ति, निष्कासन व अन्य ऐसे कार्य प्रधानमन्त्री स्वयं नहीं कर सकते हैं। मंत्रियों की नियुक्ति व निष्कासन राष्ट्रपति द्वारा प्रधानमन्त्री के सलाह पर होता है। भारतीय संविधान क्रमशः ऐसे कई विधान प्रेषित करता है, जिनके द्वारा वैधिक रूप से यह सुनिश्चित किया गया है कि सामान्य (गैर–आपातकालीन) हालातों में, कार्यपालिका के मामले में राष्ट्रपति पर केवल नाममात्र शक्तियाँ निहित हों, जबकि वास्तविक शक्तियाँ प्रधानमन्त्री के हाथों में हो। संविधान ने प्रधानमन्त्री और राष्ट्रपति की शक्तियों को भाग 5 के विभिन्न अनुच्छेदों में कुछ इस प्रकार अंकित किया गया है।

संघ की कार्यपालिका शक्ति राष्ट्रपति में निहित होगी और वह इसका प्रयोग इस संविधान के अनुसार स्वयं या अपने अधीनस्थ अधिकारियों के द्वारा करेगा।

–पंचम् भाग, 53वीं अनुच्छेद(1)

राष्ट्रपति को सहायता और सलाह देने के लिए एक मंत्रि–परिषद होगी जिसका प्रधान, प्रधानमन्त्री होगा और राष्ट्रपति अपने कृत्यों का प्रयोग करने में ऐसी सलाह के अनुसार कार्य करेगा, परंतु राष्ट्रपति मंत्रि–परिषद से ऐसी सलाह पर साधारणतया या अन्यथा पुनर्विचार करने की अपेक्षा कर सकेगा और राष्ट्रपति ऐसे पुनर्विचार के पश्चात दी गई सलाह के अनुसार कार्य करेगा।

–पंचम् भाग, 74वीं अनुछेद(1)

प्रधानमन्त्री की नियुक्ति राष्ट्रपति करेगा और अन्य मंत्रियों की नियुक्ति राष्ट्रपति, प्रधानमन्त्री की सलाह पर करेगा।

–पंचम् भाग, 75वीं अनुछेद(1)

नियुक्ति

साधारणतः प्रधानमन्त्री को संसदीय आम चुनाव के परिणाम के आधार पर राष्ट्रपति द्वारा नियुक्त किया जाता है। प्रधानमन्त्री, लोकसभा

में बहुमत–धारी दल (या गठबंधन) के नेता होते है। हालाँकि, प्रधानमन्त्री का स्वयं लोकसभा सांसद होना अनिवार्य नहीं है परंतु उन्हें लोकसभा में बहुमत सिद्ध करना होता है और नियुक्ति के छह महीनों के भीतर ही संसद का सदस्य बनना पड़ता है। प्रधानमन्त्री संसद के दोनों सदनों में से किसी भी एक सदन के सदस्य हो सकते हैं।

ऐतिहासिक तौर पर ऐसे कई प्रधानमन्त्री हुए है।, जोकि राज्यसभा–सांसद थे। 1966 में इंदिरा गांधी, देवगौड़ा (1996) और हाल ही में मनमोहन सिंह (2004,2009), राज्यसभा–सांसद थे।

प्रत्येक चुनाव पश्चात्, नवीन सभा की बैठक में बहुमत दल के नेता के चुनाव के बाद, राष्ट्रपति, बहुमत–धारी दल के नेता को प्रधानमन्त्री बनने हेतु आमंत्रित करते हैं, आमंत्रण स्वीकार करने के पश्चात, संबंधित व्यक्ति को लोकसभा में मतदान द्वारा विश्वासमत प्राप्त करना होता है। तत्पश्चात् विश्वासमत–प्राप्ति की आदेश को राष्ट्रपति तक पहुँचाया जाता है, जिसके बाद एक समारोह में प्रधानमन्त्री तथा अन्य मंत्रियों को पद की शपथ दिलाई जाती है और उन्हें प्रधानमन्त्री नियुक्त किया जाता है।

यदि कोई एक दल या गठबंधन, लोकसभा में बहुमत प्राप्त करने में अक्षम होता है, तो, यह पूर्णतः महामहिम राष्ट्रपति के विवेक पर निर्भर होता है कि वे किस व्यक्ति को प्रधानमन्त्रीपद प्राप्त करने हेतु आमंत्रित करे। ऐसी स्थिति को त्रिशंकु सभा की स्थिति कहा जाता है।

त्रिशंकु सभा की स्थिति में राष्ट्रपति साधारणतः सबसे बड़े दल के नेता को निम्नसदन में बहुमत सिद्ध करने हेतु आमंत्रित करते हैं (हालाँकि संवैधानिक तौर पर वे इस विषय में अपने पसंद के किसी भी व्यक्ति को आमंत्रित करने हेतु पूर्णतः स्वतंत्र हैं)।

निमंत्रण स्वीकार करने वाले व्यक्ति का लोकसभा में विश्वासमत सिद्ध करना अनिवार्य है और उसके बाद ही वह व्यक्ति प्रधानमन्त्री नियुक्त

किया जा सकता है। ऐतिहासिक तौर पर, इस विशेषाधिकार का प्रयोग अनेक अवसरों पर विभिन्न राष्ट्रपतिगण कर चुके हैं। वर्ष 1977 में राष्ट्रपति नीलम संजीव रेड्डी ने प्रधानमन्त्री मोरारजी देसाई के इस्तीफे के पश्चात्, चौधरी चरण सिंह को इसी विशेषाधिकार का प्रयोग कर, प्रधानमन्त्री नियुक्त किया था।

इसके अलावा भी इस विशेषाधिकार का उपयोग कर, राष्ट्रपतिगण ने 1989 में राजीव गांधी और विश्वनाथ प्रताप सिंह, 1991 में नरसिंह राव तथा 1996 और 1998 में अटल बिहारी वाजपेयी को प्रधानमंत्रिपद पर नियुक्त करने के लिए किया है। कैबिनेट, प्रधानमन्त्री द्वारा चयनित और राष्ट्रपति द्वारा नियुक्त मंत्रियों से बना होता है।

पात्रता

भारतीय संविधान, प्रधानमंत्री पद हेतु किसी प्रकार की विशेष अर्हताएँ निर्दिष्ट नहीं करता है। परंतु एक आवश्यकता जरूर निर्धारित की गई है। प्रधानमन्त्री के पास लोकसभा अथवा राज्यसभा की सदस्यता होनी चाहिए, और उनके पास लोकसभा में बहुमत का समर्थन होना चाहिये।

यदि नियुक्ति के समय पात्र, भारतीय संसद के दो सदनों में से किसी भी सदन का सदस्य नहीं होता है तो नियुक्ति के 6 महीनों के मध्य ही उन्हें संसद की सदस्यता प्राप्त करना अनिवार्य है अन्यथा उनका प्रधानमंत्रित्व खारिज हो जायेगा। अतः प्रधानमंत्रित्व के दावेदार के पास, एक सांसद होने की सारी अर्हताएँ होनी चाहिये। भारतीय संविधान के पंचम् भाग का 84वाँ अनुच्छेद, एक सांसद की अर्हताओं को निर्दिष्ट करता है, उसके अनुसार। कोई व्यक्ति संसद– के किसी स्थान को भरने के लिए चुने जाने के लिए अर्हित तभी होगा जब वह भारत का नागरिक है और निर्वाचन आयोग द्वारा इस निमित्त प्राधिकृत किसी व्यक्ति के समक्ष तीसरी अनुसूची में इस प्रयोजन के लिए दिए गए प्रारूप के अनुसार शपथ लेता है या प्रतिज्ञान करता है और उस पर अपने हस्ताक्षर करता है।

वह राज्य सभा में स्थान के लिए कम से कम तीस वर्ष की आयु का और लोकसभा में स्थान के लिए कम से कम पच्चीस वर्ष की आयु का है और उसके पास ऐसी अन्य अर्हताएँ हैं। जो संसद द्वारा बनाई गई किसी विधि द्वारा या उसके अधीन इस निमित्त विहित की जाएँ।

जैसा कि तीसरे बिंदू में विनिर्दिष्ट है, पात्र को संसद द्वारा भविष्य में पारित पात्रता के किसी भी योगयता पर खरा उतारना होगा तथा क्योंकि प्रधानमन्त्री का सांसद होना अनिवार्य है, अतः प्रधानमंत्रित्व के पात्र को लोकसभा या राज्यसभा का सदस्य होने योग्य होने हेतु, कुछ अन्य अर्हताओं पर भी खरा उतरना होता है, जिनमें उसका विकृत चरित्र वाला व्यक्ति या दिवालिया घोषित ना होना, स्वेच्छा से किसी विदेशी राज्य की नागरिकता प्राप्त कर लेना, किसी न्यायालय द्वारा उसका निर्वाचन शून्य घोषित कर दिया जाना, तथा राष्ट्रपति या राज्यपाल नियुक्त होना शामिल है।

साथ ही, पात्र का, केंद्रीय सरकार, किसी भी राज्य सरकार अथवा पूर्वकथित किसी भी सरकार के अधीन किसी भी कार्यालय तथा प्रशासनिक या गैर–प्रशासनिक निकाय की सेवा में किसी भी लाभकारी पद का कर्मचारी नहीं होना चाहिए। साथ ही सदन से प्रस्ताव–स्वीकृत निष्कासन से भी पात्र की सदस्यता समाप्त हो जाती है।

नियुक्ती के पश्चात, इनमें से, पूर्वकथित किसी भी अर्हताओं पर, प्रधानमंत्री की अयोग्यता, किसी विधिक न्यायालय में सिद्ध की जाती है, तो, उस व्यक्ति का निर्वाचन शून्य घोषित कर दिया जाता है, और उसे प्रधानमंत्री के पद से निष्कासित कर दिया जाता है।

कार्यपद की शपथ

प्रधानमन्त्री को पद की शपथ राष्ट्रपति द्वारा दिलाई जाती है। पद पर नियुक्ति हेतु, भावी पदाधिकारी को दो शपथ लेने की अनिवार्यता है।

ये दोनों शपथ भारतीय संविधान की तीसरी अनुसूची में विनिर्दिष्ट है। (अनुच्छेद 75 (4), 99, 124 (6), 148 (2), 164 (3), 188 और 219)।

शपथ या प्रतिज्ञान के प्ररूप

मंत्रीपद की शपथ का प्ररूप

"मैं, अमुक,, ईश्वर की शपथ लेता हूँ सत्यनिष्ठा से प्रतिज्ञान करता हूँ कि मैं विधि द्वारा स्थापित भारत के संविधान के प्रति सच्ची श्रद्धा और निष्ठा रखूँगा, (संविधान (सोलहवाँ संशोधन) अधिनियम, 1963 की धारा 5 द्वारा अंतःस्थापित।) मैं भारत की प्रभुता और अखंडता अक्षुण्ण रखूँगा, मैं संघ के प्रधानमन्त्री के रूप में अपने कर्तव्यों का श्रद्धापूर्वक और शुद्ध अंतःकरण से निर्वहन करूँगा तथा मैं भय या पक्षपात, अनुराग या द्वेष के बिना, सभी प्रकार के लोगों के प्रति संविधान और विधि के अनुसार न्याय करूँगा।"

गोपनीयता की शपथ का प्ररूप

"मैं, अमुक, ईश्वर की शपथ लेता हूँ सत्यनिष्ठा से प्रतिज्ञान करता हूँ कि जो विषय संघ के प्रधानमन्त्री के रूप में मेरे विचार के लिए लाया जाएगा अथवा मुझे ज्ञात होगा उसे किसी व्यक्ति या व्यक्तियों को, तब के सिवाय जबकि ऐसे मंत्री के रूप में अपने कर्तव्यों के सम्यक निर्वहन के लिए ऐसा करना अपेक्षित हो, मैं प्रत्यक्ष अथवा अप्रत्यक्ष रूप से संसूचित या प्रकट नहीं करूँगा।"

कार्यकाल व निलंबन

सैद्धान्तिक रूप से, पदस्थ प्रधानमन्त्री, राष्ट्रपति के प्रसादपर्यंत, अपने पद पर बना रहता है। राष्ट्रपतिपद के विपरीत, प्रधानमन्त्री के कार्यकाल के लिए कोई काल–सीमा निर्धारित नहीं की गई है। अतः एक पदस्थ प्रधानमन्त्री अनिश्चित काल तक प्रधानमन्त्रीपद पर बना रह सकता है, बशर्ते कि राष्ट्रपति को उसपर विश्वास हो।

इसका वास्तविक अर्थ यह है कि एक व्यक्ति केवल तब तक प्रधानमन्त्री पद पर बना रह सकता है, जबतक लोकसभा में बहुमत का विश्वास उसके पक्ष में है। बहरहाल, लोकसभा का पूरा कार्यकाल 5 वर्ष

होता है, जिसके बाद नए चुनाव कराये जाते हैं, और नवीन सभा पुनः प्रधानमन्त्री के पक्ष में विश्वासमत पारित करती है, यदि नव–निर्वाचित सभा प्रधानमन्त्री में अविश्वास घोषित कर देती है तो फिर प्रधानमन्त्री का कार्यकाल समाप्त हो जाता है। अतः यह कहा जा सकता है कि प्रधानमन्त्री का एक पूरा कार्यकाल 5 वर्ष का होता है, जिसके बाद उसकी पुनःसमीक्षा होती है।

बहरहाल, प्रधानमन्त्री का कार्यकाल 5 वर्षों से पूर्व ही समाप्त हो सकता है, यदि किसी कारणवश, लोकसभा सरकार के विरोध में अविश्वास मत पारित करे अथवा यदि किसी कारणवश, प्रधानमन्त्री की संसद की सदस्यता शून्य घोषित हो जाए तो प्रधानमन्त्री, किसी भी समय, अपने पद का त्याग, राष्ट्रपति को एक लिखित त्यागपत्र सौंप के कर सकते हैं। प्रधानमन्त्री मोरारजी देसाई देश के पहले प्रधानमन्त्री थे, जिन्होंने कार्यकाल के बीच अपना पद त्याग दिया था। प्रधानमन्त्री के कार्यकाल पर ना ही किसी प्रकार की समय–सीमा है ना कोई आयु सीमा निर्दिष्ट की गई है।

कार्य व शक्तियाँ

भारतीय संविधान के अनुच्छेद ७४ में स्पष्ट रूप से मंत्रिपरिषद की अध्यक्षता तथा संचालन हेतु प्रधानमन्त्री की उपस्थिति आवश्यक मानता है। उसकी मृत्यु या त्यागपत्र की दशा मे समस्त परिषद को पद छोडना पडता है। वह अकेले ही मंत्री परिषद का गठन करता है। राष्ट्रपति मंत्रिगण की नियुक्ति उसकी सलाह से ही करते हैं। मंत्री गण के विभाग का निर्धारण भी वही करता है।

कैबिनेट के कार्य का निर्धारण भी वही करता है। देश के प्रशासन को निर्देश भी वही देता है। सभी नीतिगत निर्णय वही लेता है। राष्ट्रपति तथा मंत्री परिषद के मध्यसंपर्क सूत्र भी वही है।

मंत्रिपरिषद का प्रधान प्रवक्ता भी वही है। वह परिषद के नाम से लड़ी जाने वाली संसदीय बहसों का नेतृत्व करता है। संसद मे परिषद

के पक्ष मे लड़ी जा रही किसी भी बहस मे वह भाग ले सकता है। मन्त्री गण के मध्य समन्वय भी वही करता है। वह किसी भी मंत्रालय से कोई भी सूचना मंगवा सकता है। इन सब कारणॉ के चलते प्रधानमन्त्री को भारत का सबसे महत्त्वपूर्ण राजनैतिक व्यक्तित्व माना जाता है।

कार्यकारी शक्तियाँ

भारतीय प्रधानमन्त्रीपद के वर्चस्व व महत्व का सबसे अहम कारण है, उसके पदाधिकारी को प्रदान की गई कार्यकारी शक्तियाँ। संविधान का अनुच्छेद 74, प्रधानमन्त्री के पद को स्थापित करता है, एवं यह निर्दिष्ट करता है कि एक मंत्रीपरिषद् होगी जिसका मुखिया प्रधानमन्त्री होगा, जो भारत के राष्ट्रपति को सलाह और सहायता प्रदान करेंगे तथा अनुच्छेद 75 यह स्थापित करता है कि मंत्रियों की नियुक्ति, राष्ट्रपति द्वारा प्रधानमन्त्री की सलाह के अनुसार की जायेगी, एवं मंत्री को विभिन्न कार्यभार भी राष्ट्रपति, प्रधानमन्त्री की सलाह के अनुसार ही देंगे। अतः संविधान यह निर्दिष्ट करता है की, जहाँ संवैधानिक कार्यकारी अधिकार भारत के राष्ट्रपति के पास है, परंतु क्योंकि इन संबंधों में भारत के राष्ट्रपति केवल प्रधानमन्त्री की सलाहनुसार कार्य करते हैं, अतः वास्तविक रूप से, इन कार्यकारी अधिकारों का प्रयोग प्रधानमन्त्री अपनी इच्छानुसार करते हैं। इन विधानों द्वारा संविधान यह स्थापित करता है, की भारत के राष्ट्रप्रमुख होने के नाते, राष्ट्रपति पर निहित सारे कार्यकारी अधिकार, अप्रत्यक्ष रूप से, प्रधानमन्त्री ही किया करेंगे, तथा संपूर्ण मंत्रिपरिषद् के प्रधान होंगे तथा अनुच्छेद 75 द्वारा मंत्रिपरिषद् का गठन, मंत्रियों की नियुक्ति एवं उनका कार्यभार सौंपना भी प्रधानमन्त्री की इच्छा पर छोड़ दिया गया है, बल्कि मंत्रियों और मंत्रालयों के संबंध में संविधान, प्रधानमन्त्री को पूरी खुली छूट प्रदान करता है।

प्रधानमन्त्री, अपने मंत्रिमण्डल में किसी भी व्यक्ति को शामिल कर सकते है, निकाल सकते हैं, नियुक्त कर सकते हैं। या निलंबित करवा सकते हैं। क्योंकि मंत्रियों की नियुक्ति राष्ट्रपति द्वारा केवल प्रधानमन्त्री की सलाह पर होती हैं, अतः इसका अर्थ यह है की केंद्रीय मंत्रिपरिषद्

वास्तविक रूप से प्रधानमन्त्री की पसंद के लोगों द्वारा निर्मित होती है, जिसमें वे अपनी पसंदानुसार कभी भी फेर–बदल कर सकते हैं। साथ ही मंत्रियों को विभिन्न कार्यभार प्रदान करना भी पूर्णतः प्रधानमन्त्री की इच्छा पर निर्भर करता हैं वे अपने मंत्रियों में से किसी को भी कोई भी मंत्रालय या कार्यभार सौंप सकती हैं, छीन सकते हैं। या दूसरा कोई कार्यभार मंत्रालय सौंप सकते हैं।

इन मामलो में संबंधित मंत्रियों से सलाह–मशवरा करने की, या उनकी अनुमति प्राप्त करने की, प्रधानमन्त्री पर किसी भी प्रकार की कोई संवैधानिक बाध्यता नहीं है। बल्कि मंत्रियों व मंत्रालयों के विषय में पूर्वकथित किसी भी मामले में संबंधित मंत्री या मंत्रियों की सलाह या अनुमति प्राप्त करने की, प्रधानमन्त्री पर किसी भी प्रकार की संवैधानिक बाध्यता नहीं है। वे कभी भी अपनी इच्छानुसार, किसी भी मंत्री को मंत्रिपद से इस्तीफा देने के लिए भी कह सकते हैं, और यदि वह मंत्री, इस्तीफा देने से इंकार कर देता है, तो वे राष्ट्रपति से कह कर उसे पद से निलंबित भी करवा सकते हैं।

प्रधानमन्त्री नरेंद्र मोदी की मंत्रिमण्डलीय बैठक की तस्वीर,, मंत्रियों की नियुक्ति एवं मंत्रालयों के आवण्टन के अलावा, मंत्रिमण्डलीय सभाएँ, कैबिनेट की गतिविधियाँ और सरकार की नीतियों पर भी प्रधानमन्त्री का पूरा नियंत्रण होता है। प्रधानमन्त्री, मंत्रिपरिषद् के संवैधानिक प्रमुख एवं नेता होते हैं।

वे संसद एवं अन्य मंचों पर मंत्रिपरिषद् का प्रतिनिधित्व करते हैं। वे मंत्रिमण्डलीय सभाओं की अध्यक्षता करते हैं, तथा इन बैठकों की कार्यसूची, तथा चर्चा के अन्य विषय वो ही तय करते हैं। बल्कि कैबिनेट बैठकों में उठने वाले सारे मामले व विषयसूची, प्रधानमन्त्री की ही स्वीकृति व सहमति से निर्धारित किये जाते हैं। कैबिनेट की बैठकों में उठने वाले विभिन्न प्रस्तावों को मंजूर या नामंजूर करना, प्रधानमन्त्री की इच्छा पर होता है। हालाँकि, चर्चा करने और अपने निजी सुझाव व प्रस्तावों को बैठक के समक्ष रखने की स्वतंत्रता हर मंत्री को है, परंतु अंततः वही

प्रस्ताव या निर्णय लिया जाता है, जिसपर प्रधानमन्त्री की सहमति हो और निर्णय पारित किये जाने के पश्चात् उसे पूरे मंत्रिपरिषद का अंतिम निर्णय माना जाता है, और सभी मंत्रियों को प्रधानमन्त्री के उस निर्णय के साथ चलना होता है। अतः यह कहा जा सकता है कि संवैधानिक रूप से, केंद्रीय मंत्रिमण्डल पर प्रधानमन्त्री को पूर्ण नियंत्रण व चुनौतीहीन प्रभुत्व हासिल है।

नियंत्रण के मामले में प्रधानमन्त्री, मंत्रिपरिषद् का सर्वेसर्वा होता है, और उसके इस्तीफे से पूरी सरकार गिर जाती है, अर्थात् सारे मंत्रियों का मंत्रित्व समाप्त हो जाता है। मंत्रिपरिषद् की अध्यक्षता के अलावा संविधान, प्रधानमन्त्री पर एक और खास विशेषाधिकार निहित करता है, यह विशेषाधिकार है मंत्रिपरिषद् और राष्ट्रपति के बीच का मध्यसंपर्क सूत्र होना। यह विशेषाधिकार केवल प्रधानमन्त्री को दिया गया है, जिसके माध्यम से प्रधानमन्त्री समय–समय पर, राष्ट्रपति को मंत्रीसभा में लिए जाने वाले निर्णय और चर्चाओं से संबंधित जानकारी से राष्ट्रपति को अधिसूचित कराते रहते हैं।

प्रधानमन्त्री के अलावा कोई भी अन्य मंत्री, स्वेच्छा से मंत्रीसभा में चर्चित किसी भी विषय को राष्ट्रपति के समक्ष उद्घाटित नहीं कर सकता है। यह विशेषाधिकार का महत्त्व व अर्थ यह है की मंत्रिमण्डलीय सभाओं में चर्चित विषयों में से किन जानकारियों को गोपनीय रखना है, एवं किन जानकारियों को दुनिया के सामने प्रस्तुत करना है, यह तय करने का अधिकार भी प्रधानमन्त्री के पास है।

प्रशासनिक शक्तियाँ

प्रधानमन्त्री, राज्य के विभिन्न अंगों के मुख्य प्रबंधक के रूप में कार्य करते हैं, जिसका कार्य, राज्य के सरे विभाग ों व अंगों से, अपनी इच्छानुसार कार्य करवाना है। सरकार के विभिन्न विभागों और मंत्रालयों के बीच समन्वय बनाना, और कैबिनेट द्वारा लिए गए निर्णयों को कार्यान्वित करवाना तथा विभिन्न विभागों को निर्देशित करना भी उनका

काम है। मंत्रालयों और विभागों के बीच के प्रशासनिक मतभेद सुलझना और अंतिम निर्णय लेना भी उनका काम है।

सरकारी कार्यों के कार्यान्वयन के अलावा भी, सरकारी तंत्र पर प्रधानमन्त्री का अत्यधिक प्रभाव और पकड़ होता है। शासन व सरकार के प्रमुख होने के नाते, कार्यकारिणी की तमाम नियुक्तियाँ वास्तविक तौरपर प्रधानमन्त्री द्वारा की जाती है। सारे उच्चस्तरीय अधिकारी व पदाधिकारी प्रधानमन्त्री, अपने पसंद के ही नियुक्त करते हैं।

इन नियुक्तियों में, उच्च–सलाहकारों तथा सरकारी मंत्रालयों और कार्यालयों के उच्चाधिकारी समेत, विभिन्न राज्यों के राज्यपाल, महान्यायवादी, महालेखापरीक्षक, लोक सेवा आयोग के अधिपति, व अन्य सदस्य, विभिन्न देशों के राजदूत, वाणिज्यदूत इत्यादि, सब शामिल हैं। यह सारे उच्चस्तरीय नियुक्तियाँ, भारत के राष्ट्रपति द्वारा, प्रधानमन्त्री की सलाह पर किये जाते हैं।

विधानमण्डलीय शक्तियाँ

सरकार और मंत्रिपरिषद के प्रमुख होने के नाते, प्रधानमन्त्री लोकसभा में बहुमत और सत्तापक्ष के नेता और प्रमुख प्रतिनिधि है। इस सन्दर्भ में, सदन में सरकार और सत्तापक्ष का प्रतिनिधित्व करना प्रधानमन्त्री का कर्त्व्य माना जाता है। साथ ही यह आशा की जाती है कि सदन में सरकार द्वारा लिए गए महत्वपूर्ण विधेयक और घोषणाएँ प्रधानमन्त्री करेंगे तथा उन महत्वपूर्ण निर्णयों के विषय में सत्तापक्ष की तरफ से प्रधानमन्त्री उत्तर देंगे।

लोकसभा अध्यक्ष का चुनाव, निर्वाचन द्वारा होता है, अतः साधारणतः, सभापति भी बहुमत दल का होता है। अतः, बहुमत दाल के नेता होने के नाते, सभापति के जरिये, प्रधानमन्त्री, लोकसभा की कार्रवाई को भी सीमितरूप से प्रभावित करने की क्षमता रखते हैं, क्योंकि सभापति, सभा का अधिष्ठाता होता है, और सदन में चर्चा की विषयसूची भी सभापति ही निर्धारित करता है, हालाँकि सदन की कार्रवाई को अधिक हद तक

प्रभावित नहीं किया जा सकता है। इन कर्तव्यों के अलावा, संसदीय कार्रवाई करने पर प्रधानमन्त्री का सबसे महत्वपूर्ण शक्ति है, लोकसभा सत्र बुलाने और सत्रांत करने की शक्ति। संविधान का अनुच्छेद 85, लोकसभा के सत्र बुलाने और सत्रांत करने का अधिकार, भारत के राष्ट्रपति को देता है, परंतु इस मामले राष्ट्रपति को प्रधानमन्त्री की सलाह के अनुसार कार्य करना पड़ता है। अर्थात् वास्तविकरूपे, लोकसभा का सत्र बुलाना और अंत करना प्रधानमन्त्री के हाथों में होता है। यह अधिकार, निःसंदेह, प्रधानमन्त्री के हाथों में दी गयी सबसे महत्वपूर्ण अधिकार है, जोकि उनको न केवल अपने दल पर, बल्कि विपक्ष के सांसदों की गतिविधियों पर भी सीमित नियंत्रण का अवसर प्रदान करता है।

वैश्विक संबंधों में किरदार

सरकार और देश के नेता होने के नाते, वैश्विक मंच पर भारत का प्रतिनिधित्व करना प्रधानमन्त्री की सबसे महत्वपूर्ण जिम्मेदारियों में से एक है। सरकार और मंत्रिपरिषद् पर अपनी अपार नियंत्रण के कारण, भारतीय राज्य की वैश्विक नीति निर्धारित करने में प्रधानमन्त्री की सबसे अहम भूमिका होती है।

देश की विदेश नीति से संबंधित निर्णय, देश की सामरिक, कूटनीतिक, आर्थिक, वाणिज्यिक इत्यादि आवश्यकताओं के अनुसार आमतौर पर मंत्रिपरिषद् में चर्चा द्वारा निर्धारित की जाती है, जिनमे अंतिम निर्णय प्रधानमन्त्री लेते हैं।

वैश्विक संबंधों और उनसे जुड़े मामलों में भारत का विदेश मंत्रालय संभालता है, जिसके लिए विदेश मंत्री के नाम से एक स्वतंत्र कैबिनेट मंत्री भी नियुक्त किया जाता रहा है(कई बार प्रधानमन्त्री स्वयं भी विदेश मंत्रालय का प्रभार संभालते हैं), परंतु क्योंकि विदेश नीतियाँ, इत्यादि, प्रधानमन्त्री निधारित करते हैं, अतः, विदेश मंत्री अंततः प्रधानमन्त्री द्वारा लिए गए निर्णयों और नीतियों को कार्यान्वित करने का काम करता है।

विभिन्न देशों से सामरिक, आर्थिक, कूटनीतिक, वाणिज्यिक और

संसाधनिक, इत्यादि संधियाँ और समझौते, तथा उनसे जुड़ी कूटनीतिक बहस और वार्ताओं में प्रधानमन्त्री का किरदार सबसे महत्वपूर्ण होता है, और ऐसी वार्ताओं में वे देश का प्रतिनिधित्व करते हैं।

विभिन्न देशों के राष्ट्राध्यक्षों व प्रतिनिधिमंडलों का स्वागत–सत्कार करना व उनकी मेजबानी करना भी प्रधानमन्त्री की जिम्मेदार होती है। विदेशी प्रतिनिधियों की मेजबानी के आलावा, प्रधानमन्त्री, जनप्रतिनिधि व शासनप्रमुख होने के नाते, विदेशों में भारत का प्रतिनिधित्व भी करते हैं।

वे संयुक्त राष्ट्र संघ, जी–20, ब्रिक्स, सार्क, गुट निरपेक्ष आंदोलन, राष्ट्रमण्डल, इत्यादि जैसे अंतराष्ट्रीय संगठनों में भारत का प्रतिनिधित्व करते हैं, और भारत का पक्ष रखते है। अंतराष्ट्रीय मंच पर देश की छवि बनाने, और कूटनीतिक वार्ताओं द्वारा देश के हित की आपूर्ति करने में प्रधानमन्त्री का स्थान बेहद महत्वपूर्ण है।

भारतीय संविधान, राष्ट्रप्रमुख और सर्व सामरिक बलों के अधिपति होने के नाते, किसी अन्य देश से युद्ध व शांति घोषित करने का अधिकार भारत के राष्ट्रपति को देता है, परंतु इसका वास्तविक अधिकार प्रधानमन्त्री को है, क्योंकि राष्ट्रपति इस मामले में प्रधानमन्त्री की सलाह के अनुसार कार्य करने हेतु बाध्य है। युद्ध की घोषणा के अलावा, युद्ध की रणनीति निर्धारित करना तथा सामरिक बलों को नियंत्रित करना भी प्रधानमन्त्री द्वारा ही होता है तथा शांति–घोषणा करना और शांति–समझौता करना भी प्रधानमन्त्री का कर्त्व्य है।

विभिन्न मंत्रालयों/विभागों का प्रभार

भारत सरकार के कुछ विशेष, संवेदनशील एवं उच्चस्तरीय विभाग व मंत्रालय ऐसे हैं, जिनकी विशेषता, संवेदनशीलता या अन्य किसी कारणवश प्रधानमन्त्री के अलावा अन्य किसी भी मंत्री को इनका कार्यभार नहीं सौंपा जाता है। इन विभिन्न विभागों के कार्यों के प्रति वे संसद को जवाबदेह हैं, और आवश्यकता पड़ने पर उन्हें संसद् में पूछे गए प्रश्नो का उत्तर देना पड़ता है। आम तौरपर, प्रधानमन्त्री इन निम्नलिखित विभागों

के प्रभारी होते हैं–

- कैबिनेट नियुक्ति आयोग
- कार्यकर्मी, जनशिकायत व पेंशन मंत्रालय
- नीति आयोग
- परमाणु ऊर्जा विभाग
- अंतरिक्ष विभाग
- नाभिकीय कमान प्राधिकरण

परंपरागत कर्त्व्य

भारत के प्रधानमन्त्रीपद के राजनैतिक महत्त्व एवं उसके पदाधिकारी की जननायक और राष्ट्रीय नेतृत्वकर्ता की छवि के लिहाज से, प्रधानमन्त्री पद के पदाधिकारी से यह आशा की जाती है, कि वे भारत के जनमानस को भली–भाँति जाने, समझें एवं राष्ट्र को उचित दिशा प्रदान करे।

जनमानस के प्रतिनिधि होने के नाते, महत्वपूर्ण राष्ट्रीय दिवसों और समारोहों में प्रधानमन्त्री के अहम पारंपरिक एवं चिन्हात्मक किरदार रहा है। समय के साथ, प्रधानमन्त्री पर अनेक परंमपरागत कर्त्व्य विकसित हुए हैं। इन कर्तव्यों में प्रमुख हैं, स्वतंत्रता दिवस के अवसर पर प्रतिवर्ष, दिल्ली के लाल किले की प्राचीर से प्रधानमन्त्री का राष्ट्र को संबोधन। स्वतत्रंता पश्चात्, वर्ष 1947 से ही यह परंपरा चली आ रही है, जिसमें, प्रधानमन्त्री, स्वयँ दिल्ली के ऐतिहासिक लाल किले की प्राचीर पर, राष्ट्रीय ध्वज फहराते हैं। और जनता को संबोधित करते हैं।

इन भाषणों में अमूमन प्रधानमन्त्रीगण, बीते वर्ष में सरकार की उपलब्धियों को उजागर करते हैं।, तथा आगामी वर्षों में सरकार की कार्यसूची और मनोदशा से लोगों को प्रत्यक्ष रूप से अवगत कराते हैं। 15 अगस्त, वर्ष 1947 को सर्वप्रथम, भारत के प्रथम प्रधानमन्त्री, जवाहरलाल नेहरू ने लाल किले की प्राचीर से देश को संबोधित किया था। लाल किले से जनता को संबोधित करने की इस परंपरा को उन्होंने अपने १७

वर्षीय कार्यकाल में प्रतिवर्ष जारी रखा। तत्पश्चात्, उनके द्वारा शुरू की गयी इस परंपरा को उनके प्रत्येक उत्तराधिकारी ने बरकरार रखा है, और यह परंपरा आज तक चली आ रही है।

वर्तमान समय में, प्रधानमन्त्री का भाषण वर्ष के सबसे अहम राजनैतिक घटनों में से एक माना जाता है, जिसमे प्रधानमन्त्री स्वयं प्रत्यक्ष रूप से जनता के समक्ष सरकार की उपलब्धियों और मनोदशा को प्रस्तुत करता है।

15 अगस्त के भाषण के अलावा, प्रतिवर्ष, 26 जनवरी को गणतंत्रता दिवस के दिन, राजपथ पर गणतंत्रत दिवस के समारोह की प्रारंभ से पूर्व, प्रधानमन्त्री, देश के तरफ से, अमर जवान ज्योति पर पुष्पमाला अर्पित कर, भारतीय सुरक्षा बलों के शहीद सैनिकों को श्रद्धांजलि अर्पित करते हैं।

इस परंपरा की शुरुआत, प्रधानमन्त्री इंदिरा गांधी के शासनकाल के समय हुई थी, जब 1971 की युद्ध में पाकिस्तान की पराजय और बांग्लादेश की मुक्ति के पश्चात् देश की रक्षा के लिए शहीद हुए सैनिकों के उपलक्ष में दिसंबर 1971 को अमर जवान ज्योति को स्थापित किया गया। सर्वप्रथम, इंदिरा गांधी ने अमर जवान ज्योति पर, शहीद सैनिकों 26 जनवरी 1979 को, २३वें गणतंत्रता दिवस पर पुष्पमाला अर्पित की थी। तत्पश्चात्, प्रतिवर्ष, प्रत्येक प्रधानमन्त्री इस परंपरा को निभा रहे हैं।

प्रधानमन्त्री कोष

प्रधानमन्त्री, विभिन्न राहत कोषों के अध्यक्ष है।, जिनका उपयोग विभिन्न प्रकार की प्राकृतिक, सामरिक तथा अन्य आपदाओं में आर्थिक सहायता देने के लिए किया जाता है। ये कोष, पूर्णतः सार्वजनिक–अंशदान पर निर्भर होते हैं। इन्हें सरकार द्वारा किसी प्रकार की वित्तीय सहायता उपलब्ध नहीं कराई जाती है, और इन्हें प्रधानमन्त्री कार्यालय द्वारा एक न्यास की तरह प्रबंधित किया जाता है।

प्रधानमन्त्री राष्ट्रीय राहत कोष

प्रधानमन्त्री राष्ट्रीय राहत कोष जनता के अंशदान से बनी एक न्यास है जिसका प्रबंधन प्रधानमन्त्री अथवा विविध नामित अधिकारियों द्वारा राष्ट्रीय प्रयोजनों के लिए किया जाता है। इस कोष के अध्यक्ष स्वयं प्रधानमन्त्री होते हैं। इस राहत कोष की धनराशि का इस्तेमाल अब प्रमुखतया बाढ़, चक्रवात और भूकंप आदि जैसी प्राकृतिक आपदाओं में मारे गए लोगों के परिजनों तथा बड़ी दुर्घटनाओं एवं दंगों के पीड़ितों को तत्काल राहत पहुंचाने के लिए किया जाता है।

इसके अलावा हृदय शल्य–चिकित्सा, गुर्दा प्रत्यारोपण, कैंसर आदि के उपचार के लिए भी इस कोष से सहायता दी जाती है। इसे वर्ष 1948 में तत्कालीन प्रधानमन्त्री पंडित जवाहरलाल नेहरू की अपील पर जनता के अंशदान से पाकिस्तान से विस्थापित लोगों की मदद करने के लिए स्थापित किया गया था।

यह कोष केवल जनता के अंशदान से बना है और इसे कोई भी बजटीय सहायता नहीं मिलती है। समग्र निधि का सार्वजनिक क्षेत्र के बैंकों में विभिन्न रूपों में निवेश किया जाता है। कोष से धनराशि प्रधानमन्त्री के अनुमोदन से वितरित की जाती है। प्रधानमन्त्री राष्ट्रीय राहत कोष का गठन संसद द्वारा नहीं किया गया है। इस कोष की निधि को आयकर अधिनियम के तहत एक ट्रस्ट के रूप में माना जाता है और इसका प्रबंधन प्रधानमन्त्री अथवा विविध नामित अधिकारियों द्वारा राष्ट्रीय प्रयोजनों के लिए किया जाता है।

इस कोष का संचालन प्रधानमन्त्री कार्यालय, साउथ ब्लॉक, नई दिल्ली से किया जाता है। प्रधानमन्त्री राष्ट्रीय राहत कोष को आयकर अधिनियम 1961 की धारा 10 और 139 के तहत आयकर रिटर्न भरने से छूट प्राप्त है।

प्रधानमन्त्री, प्रधानमन्त्री राष्ट्रीय राहत कोष के अध्यक्ष है। और अधिकारी कर्मचारी अवैतनिक आधार पर इसके संचालन में उनकी

सहायता करते हैं। प्रधानमन्त्री राष्ट्रीय राहत कोष में किए गए अंशदान को आयकर अधिनियम, 1961 की धारा 80 (छ) के तहत कर योग्य आय से पूरी तरह छूट हेतु अधिसूचित किया जाता है। प्रधानमन्त्री राष्ट्रीय राहत कोष में किसी व्यक्ति और संस्था से केवल स्वैच्छिक अंशदान ही स्वीकार किए जाते हैं। सरकार के बजट स्रोतों से अथवा सार्वजनिक क्षेत्र के उपक्रमों के बैलेंस शीटों से मिलने वाले अंशदान स्वीकार नहीं किए जाते हैं।

प्रधानमन्त्री राष्ट्रीय रक्षा निधि

राष्ट्रीय रक्षा प्रयासों को बढ़ावा देने हेतु नकद एवं वस्तुओं के रूप में प्राप्त स्वैच्छिक दान की जिम्मेदारी लेने और उसके इस्तेमाल पर निर्णय लेने के लिए राष्ट्रीय रक्षा कोष स्थापित किया गया था। इस कोष का इस्तेमाल सशस्त्र बलों तथा अर्द्ध सैनिक बलों के सदस्यों और उनके आश्रितों के कल्याण के लिए किया जाता है।

यह कोष एक कार्यकारिणी समिति के प्रशासनिक नियंत्रण में होता है। इस समिति के अध्यक्ष प्रधानमन्त्री होते हैं, और रक्षा, वित्त तथा गृहमंत्री इसके सदस्य होते हैं। वित्तमंत्री इस कोष के कोषपाल होते है। तथा इस विषय को देख रहे प्रधानमन्त्री कार्यालय के संयुक्त सचिव कार्यकारिणी समिति के सचिव होते हैं। कोष का लेखा भारतीय रिजर्व बैंक में रखा जाता है। यह कोष भी जनता के स्वैच्छिक अंशदान पर पूरी तरह से निर्भर होता है और इसे किसी भी तरह की बजटीय सहायता नहीं मिलती है।

वेतन व पेंशन

भारतीय संविधान के अनुच्छेद 75 के अनुसार, प्रधानमन्त्री तथा संघ के अन्य मंत्रियों को मिलने वाली प्रतिश्रमक इत्यादि का निर्णय संसद करती है। इस राशि को समय–समय पर संसदीय अधिनियम द्वारा पुनरवृत किया जाता है। मंत्रियो के वेतन से संबंधित मूल राशियों का उल्लेख संविधान की दूसरी अनुसूची के भाग ख में दिया गया था, जिसे

बाद में संवैधानिक संशोधन द्वारा हटा दिया गया था। वर्ष २०१० में जारी की गयी आधिकारिक सूचना में प्रधानमन्त्री कार्यालय ने यह सूचित किया था कि प्रधानमन्त्री की कुल आय उनकी मूल वेतन से अधिक उन्हें प्रदान किये जाने वाले विभिन्न भत्तों के रूप में होता है।

वर्ष 2013 में आए, एक सूचना अधिकार आवेदन के उत्तर में यह स्पष्ट किया गया था कि प्रधानमन्त्री का मूल वेतन 50,000 प्रति माह था, जिसके साथ 3,000 का मासिक, व्यय भत्ता भी प्रदान किया जाता है। इसके अतिरिक्त, प्रधानमन्त्री को 2,000 की दैनिक दर से प्रतिमाह 62,000 का दैनिक भत्ता मुहैया कराया जाता है, साथ ही 45,000 का निर्वाचन क्षेत्र भत्ता भी प्रधानमन्त्री को प्रदान किया जाता है। इन सब भत्तों और राशियों को मिला कर, प्रधानमन्त्री की मासिक आय का कुल मूल्य 1,60,000 प्रतिमाह तथा 20 लाख प्रतिवर्ष है।

अमरीकी पत्रिका, द एकॉनॉमिस्ट की एक रिपोर्ट के अनुसार, पर्चेजिंग पावर प्रॅरिटी के अनुपात के आधार पर भारतीय प्रधानमन्त्री+4106 के समानांतर वेतन प्राप्त करते हैं। प्रति–व्यक्ति जीडीपी के अनुपात के आधार पर यह आंकड़ा विश्व में सबसे कम है। प्रधानमन्त्री की सेवानिवृत्ति के पश्चात् प्रधानमन्त्री को 20,000 की मासिक पेंशन प्रदान की जाती है एवं सीमित सचिवीय सहायता के साथ, 6,000 का कार्यालय खर्च भी प्रदान किया जाता है।

सुविधाएँ

प्रधानमन्त्री कार्यालय

प्रधानमन्त्री कार्यालय, भारत सरकार का उच्चतम कार्यालय है, जो प्रधानमन्त्री को सचिवीय सहायता प्रदान करता है। इसमें प्रधानमन्त्री के तत्काल कार्यकारिणी एवं सलाहकार शामिल रहते हैं, साथ ही संबंधित वरिष्ठाधिकारियों की सहकारिणी भी इस कार्यालय का भाग होते हैं। इस कार्यालय के विभिन्न विभाग होते हैं, जोकि प्रधानमन्त्री को शासन चलाने, विभिन्न मंत्रालयों के बीच समन्वय बनाने तथा जनता की

शिकायतों का निपटान करने में प्रधानमन्त्री की सहायता करती है। यह कार्यालय प्रधानमन्त्री तथा उनके द्वारा प्रशासनिक सेवाओं के कुछ गिने–चुने वरिष्ठ अधिकारियों की मेजबानी करता है। प्रधानमन्त्री कार्यालय की अध्यक्षता प्रधानमन्त्री के प्रधान सचिव करते हैं। इसी कार्यालय के माध्यम से सभी मंत्रिमण्डलीय मंत्रिगण, स्वतंत्र–प्रभारी राज्यमंत्रिगण, मंत्रालयों, राज्य सरकारों तथा राज्यपालगण के साथ अधिकारिक संबंध तथा समन्वय साधते हैं। यह कार्यालय केंद्र सरकार का ही एक हिस्सा है और रायसीना पहाड़ी, नई दिल्ली के सचिवीय भवनों के साउथ ब्लॉक से कार्य करता है।

प्रधानमन्त्री आवास

भारत के प्रधानमन्त्री का वर्त्तमान आधिकारिक निवास, 7, लोक कल्याण मार्ग पर अवस्थित है, जिसे पूर्वतः 7, रेस कोर्स रोड कहा जाता था। इस आवास का आधिकारिक नाम पंचवटी है। नई दिल्ली के लोक कल्याण मार्ग पर स्थित यह संपत्ति 12 एकरी भूमि पर फैली हुई है, जिसमें कुल पाँच बंगले शामिल हैं।

कुल मिला कर, इन पाँच भवनों, बगीचों तथा कुछ अन्य सामरिक संरचनाओं का यह समुह भारतीय प्रधानमन्त्री का आधिकारिक निवास तथा प्रमुख कार्यगार है। इस संपत्ति में प्रधानमन्त्री के निजी आवासीय क्षेत्र, कार्यगृह, सभागृह एवं अतिथिशाला स्थित है। यहाँ निवास करने वाले प्रथम् प्रधानमन्त्री, राजीव गांधी थे। भारत के सप्तम् प्रधानमन्त्री एवं राजीव गांधी के उत्तराधिकारी, प्रधानमन्त्री विश्वनाथ प्रताप सिंह ने पहली बार इसे स्वयं एवं भविष्य के प्रधानमंत्रियों के लिए अधिकारिक प्रधानमन्त्री आवास निर्दिष्ट किया था।

अमूमन प्रधानमन्त्रीगण अपने सारे आधिकारिक और राजनैतिक बैठकें यहीं किया करते हैं, हालाँकि, प्रधानमन्त्री का मूल कार्यालय रायसीना की पहाड़ी पर स्थित, केंद्रीय सचिवालय में अवस्थित है, परंतु पंचवटी में भी प्रधानमन्त्री के लिए एक कार्यगृह एवं सभागृह विद्यमान है,

जहाँ प्रधानमन्त्री यहीं रहते हुए अपने कार्यों का निर्वाह कर सकते है। यह एक अतितीव्र–सुरक्षा क्षेत्र है और हर क्षण विशेष सुरक्षा दल के पहरे में रहता है। साधारण जनमानस का प्रवेश यहाँ पूर्णतः निषेध होता है। लोक कल्याण मार्ग का नाम पूर्वतः रेस कोर्स रोड था। सितंबर 2016 में इसके नाम को परिवर्तित कर लोक कल्याण मार्ग कर दिया गया था।

सुरक्षा

भारतीय प्रधानमन्त्री पर प्रति क्षण मण्डरा रहे आत्मघाती संकट के मद्देनजर, प्रधानमन्त्री की सुरक्षा बेहद महत्वपूर्ण और चुनौतीपूर्ण विषय है। प्रधानमन्त्री की सुरक्षा, संघ की एक विशेष सुरक्षा बल, विशेष सुरक्षा दल (एसपीजी) की जिम्मेदार होती है, यह विशिष्ट बल सीधे केंद्र सरकार के मंत्रिमण्डलीय सचिवालय के अधीन है, और आसूचना ब्यूरो(आईबी) के अंतर्गत उसके एक विभाग के रूप में कार्य करती है। एसपीजी के जवान प्रधानमन्त्री को 24 घंटे एक विशेष सुरक्षा घेरा प्रदान करते हैं, तथा उनकी अंगरक्षा, अनुरक्षण एवं उनके आवासों, विमानों और वाहनों की सुरक्षा, आरक्षा एवं अनुरक्षणिक जाँच प्रदान करती है।

एसपीजी देश की सबसे पेशेवर एवं आधुनिकतम सुरक्षा बलों में से एक है। एसपीजी के जवानों को सुरक्षा, अंगरक्षा, अनुरक्षण एवं अनुरक्षणिक जाँच हेतु विशेष एवं पेशेवर परिक्षण, उपकरण और पोशाप्रदान की जाती है तथा दृढ अनुशासन में रखा जाता है, ताकि प्रधानमन्त्री को सुरक्षा प्रदान करने में वे लोग पूर्णतः सक्षम रहें।

राष्ट्रीय राजधानी क्षेत्र, देश के अन्य हिस्से, तथा विदेशी दौरों पर, हर स्थान, हर क्षण, प्रधानमन्त्री की अंगरक्षा एवं किसी भी प्रकार के हमले से उनकी सुरक्षा, विशेष सुरक्षा दल(एसपीजी) की जिम्मेदारी होती है। प्रधानमन्त्री की अंगरक्षा के अलावा एसपीजी प्रधानमन्त्री आवास, प्रधानमन्त्री कार्यालय तथा हर वह स्थान जहाँ प्रधानमन्त्री वास करते हैं, उनकी सुरक्षा करती है। साथ ही प्रधानमन्त्री के तत्काल परिवार एवं पूर्व प्रधानमंत्रियों और उनके परिवारों की सुरक्षा(पदत्याग के बाद १ वर्ष तक)

भी एसपीजी करती है। प्रधानमन्त्री की अंगरक्षा हेतु एक विशेष सुरक्षा दल की आवश्यकता पहली बार प्रधानमन्त्री इंदिरा गांधी की हत्या के बाद महसूस हुई थी, तत्पश्चात 1988 में एसपीजी को आईबी की एक विशेष अंग के रूप में, सीधे केंद्र सरकार के अंतर्गत एक सुरक्षा टुकड़ी के रूप में गठित किया गया था।

एसपीजी के गठन से पूर्व, 1981 से पहले राष्ट्रीय राजधानी में, प्रधानमन्त्री की सुरक्षा दिल्ली पुलिस की एक विशेष अंग के अंतर्गत थी। तत्पश्चात् प्रधानमन्त्री की अनुरक्षण एवं विशिष्ट सुरक्षा घेरा प्रदान करने हेतु, आसूचना ब्यूरो ने एक विशेष कार्य बल गठित किया। इंदिरा गांधी की हत्या के पश्चात् विशेष सुरक्षा दल को एक स्वतंत्र निर्देशक के अंतर्गत स्थापित किया गया, जोकि राजधानी, देश तथा विश्व के हर कोने में, जहाँ प्रधानमन्त्री जाएँ, वहां उनको सुरक्षा प्रदान करें।

अन्य सुविधाएँ एवं लाभ

भारत के प्रधानमन्त्री को सचिवीय सहायता, निःशुल्क आवास एवं 24 घंटे–365 दिन की एसपीजी सुरक्षा के अतिरिक्त और भी कई सुविधाएँ मुहैया कराई जाती है। प्रधानमन्त्री को देश एवं दुनिया भर में असंख्य निःशुल्क यात्राएँ करने की सुविधाएँ प्राप्त होती हैं। प्रधानमन्त्री की आवा–जाही हेतु विशिष्ट एवं अत्याधुनिक सुरक्षा–उपकरणों से लैस वाहन प्रदान किये जाते हैं, जोकि बुलेट–प्रूफ और बम–प्रूफ होने के साथ–साथ इस तरह से बनाये जाते हैं। कि उसके ईंधन टंकी को नुकसान पहुँचने के बावजूद भी उसमे विस्फोट नहीं होता है। साथ ही प्रधानमन्त्री का विशेष वाहन फ्लैट टायर के साथ भी मीलों तक बिना रुके चल सकता है। इसके अलावा, गैस या रासायनिक हमले के समय, इस वाहन की अंदरुनी कक्ष, एक गैस–चैम्बर में तबदील होने में भी सक्षम है, ताकि बाहरी वायु भीतर प्रवेश ना कर सके, और कक्ष में ऑक्सीजन की सप्लाई भी मौजूद रहती है। प्रधानमन्त्री के विशेष वाहन के अलावा, प्रधानमन्त्री अपने विशेष काफिले के साथ चलते है।, जिनमे करीब दर्जन–भर और गाड़ियाँ होती हैं, जिनमें प्रधानमन्त्री की सुरक्षा में

मशगूल एसपीजी के जवान प्रधानमन्त्री के अनुरक्षण हेतु उपस्थित रहते हैं। इसके अलावा काफिले में एक एम्बुलेंस और एक जैमर भी हमेशा मौजूद रहता है।

विशेष वाहन के अलावा प्रधानमन्त्री के लिए विशेष विमान भी उपलब्ध कराई जाती है। भारतीय प्रधानमन्त्री की मेजबानी कर रहे किसी भी विमान का आधिकारिक कॉल–साइन एयर इण्डिया वन होता है। इन विमानों को भारतीय वायु सेना द्वारा वीवीआईपी विमानों की तरह चलाया जाता है। वायु सेना, प्रधानमन्त्री, राष्ट्रपति एवं उपराष्ट्रपति की वायु यात्राओं के लिए कुछ विशेष विमान रखती है।

वायुसेना दो प्रकार के विमान रखती है, एक जिन्हें देश के भीतर यात्रा करने के लिए उपयोग किया जाता है, एवं दुसरे वो जिन्हें प्रधानमन्त्री के विदेश दौरों के लिए रखा जाता है।

यह तमाम विमान विशिष्ट उपकरणों और अत्याधुनिक उपकरणों से लैस होते हैं, और प्रधानमन्त्री के विमानों की सुरक्षा एसपीजी के नियंत्रण में रहती है।

यातायात की सुविधाओं के अलावा, प्रधानमन्त्री को संपर्क और दूरभाष की भी अनेक सुविधाएँ प्राप्त हैं। प्रधानमन्त्री अपने सरकारी फोन से देश और दुनिया–भर में असंख्य निःशुल्क फोन कॉल कर सकते है।

सेवानिवृत्ति के उपरांत सुविधाएँ

सेवानिवृत्ति पश्चात्, पूर्व पदाधिकारियों को जीवन–भर की निःशुल्क आवास तहत सेवानिवृत्ति के बाद के पाँच वर्षों तक मेडिकल सुविधा, 14 सचिवीय कार्यकारिणी, कार्यकारी खर्च, वार्षिक तौर पर 6 एक्सिक्यूटिव कलास की अप्रवासिया वायु यात्राएँ एवं असंख्य मुफ्त ट्रेन यात्राएँ प्रदान किये जाते हैं।

सेवानिवृत्ति के एक वर्ष बाद तक उन्हें एसपीजी सुरक्षा प्रदान की जाती है। पाँच वर्षों की समाप्ति के पश्चात् उन्हें एक निजी सहायक, एक

संत्री तथा निःशुल्क वायु और ट्रेन टिकट तथा मासिक तौर पर ६००० के कार्यालय के खर्च लिए प्रदान की जाती है।

पद का इतिहास

1947—1980

वर्ष 1947 से 2015 तक, प्रधानमन्त्री के इस पद पर कुल 14 पदाधिकारी अपनी सेवा दे चुके हैं और यदि गुलजारीलाल नंदा को भी गिनती में शामिल किया जाए, जोकि दो बार कार्यवाही प्रधानमन्त्री के रूप में अल्पकाल हेतु अपनी सेवा दे चुके हैं, तो यह आंकड़ा १५ तक पहुँचता है। 1947के बाद के कुछ दशकों ने भारत के राजनैतिक मानचित्र पर कांग्रेस पार्टी की लगभग चुनौतीहीन राज देखा।

इस कल के दौरान, कांग्रेस के नेतृत्व में कई मजबूत सरकारों का राज देखा, जिनका नेतृत्व कई शक्तिशाली व्यक्तित्व के प्रधानमन्त्रीगण ने किया। भारत के पहले प्रधानमन्त्री, जवाहरलाल नेहरू थे, जिन्होंने १५ अगस्त 1947 में कार्यकाल की शपथ ली थी। उन्होंने अविरल 17 वर्षों तक सेवा दी। उन्होंने 3 पूर्ण और एक निषपूर्ण कार्यकालों तक इस पद पर विराजमान रहे। उनका कार्यकाल, मई 1964 में उनकी मृत्यु पर समाप्त हुआ। वे इस समय तक, सबसे लंबे समय तक शासन संभालने वाले प्रधानमन्त्री हैं।

जवाहरलाल नेहरू की मृत्यु के बाद, उन्हींके पार्टी के, लाल बहादुर शास्त्री इस पद पर विद्यमान हुए, जिनके लघुकालीय 19—महीने के कार्यकाल ने वर्ष 1965 की कश्मीर युद्ध और उसमे पाकिस्तान की पराजय देखी। युद्ध के पश्चात, ताशकेंत के शांति—समझौते पर हस्ताक्षर करने के बाद, ताशकंद में ही उनकी अकारण व अकस्मात् मृत्यु हो गयी। शास्त्री के बाद, प्रधानमन्त्रीपद पर, नेहरू की पुत्री, इंदिरा गांधी इस पद पर, देश की पहली महिला प्रधानमन्त्री के तौर पर निर्वाचित हुई। इंदिरा का यह पहला कार्यकाल 11 वर्षों तक चला, जिसमें उन्होंने, बैंकों का राष्ट्रीयकरण और पूर्व राजपरिवारों को मिलने वाले शाही भत्ते और

राजकीय उपादियों की समाप्ती, जैसे कठोर कदम लिया। साथ ही 1971 का युद्ध और बांग्लादेश की स्थापना, जनमत–संग्रह द्वारा सिक्किम का भारत में अभिगमन और पोखरण में भारत का पहला परमाणु परिक्षण जैसे ऐतिहासिक घटनाएँ भी इंदिरा गांधी के इस शासनकाल में हुआ।

परंतु इन तमाम उपलब्धियों के बावजूद, 1975 से 1977 तक का कुख्यात आपातकाल भी इंदिरा गांधी ने ही लगवाया था। यह समय सरकार द्वारा, आंतरिक उथल–पुथल और अराजकता को "नियंत्रित" करने हेतु, लोकतांत्रिक नागरिक अधिकारों की समाप्ति और राजनैतिक विपक्ष के दमन के लिए कुख्यात रहा।

इस आपातकाल के कारण, इंदिरा के खिलाफ उठे विरोध की लहर के कारण, विपक्ष की तमाम राजनैतिक दलों ने आपातकाल के समापन के बाद, 1977 के चुनावों में, संगठित रूप से जनता पार्टी के छत्र के नीचे, कांग्रेस के खिलाफ एकजुट होकर लड़ा, और कांग्रेस को बुरी तरह परास्त करने में सफल रही। तथा, ज नता पार्टी की गठबंधन की तरफ से मोरारजी देसाई देश के पहले गैर–कांग्रेसी प्रधानमन्त्री बने।

प्रधानमन्त्री मोरारजी देसाई की सरकार अत्यंत विस्तृत एवं कई विपरीत विचारधाराओं की राजनीतिक दलों द्वारा रचित थी, जिनका एकजुट होकर साथ चलना और विभिन्न राजनैतिक निर्णयों पर एकमत व समन्वय बरकरार रखना बहुत कठिन था। अंत्यतः ढाई वर्षों के बाद, 28 जुलाई 1979 को मोरारजी के इस्तीफे के साथ ही उनकी सरकार गिर गई। तत्पश्चात्, क्षणिक समय के लिए, मोरारजी की सरकार में उपप्रधानमन्त्री रहे, चौधरी चरण सिंह ने कांग्रेस के समर्थन से, बहुमत सिद्ध किया और प्रधानमन्त्री की शपथ ली।

उनका कार्यकाल केवल 5 महीनों तक चला(जुलाई 1979 से जनवरी 1980)। उन्है। भी घटक दलों के साथ समन्वय बना पाना कठिन हो रहा था, और अंततः कांग्रेस के समर्थन वापस लेने के कारण उन्होंने भी बहुमत खो दिया, और उन्हें भी इस्तीफा देना पड़ा।

इन तकरीबन 3 वर्षों की सत्ता से बेदखली के बाद, कांग्रेस पुनः भारी बहुमत के साथ सत्ता में आई, और इंदिरा गांधी को अपने दूसरे कार्यकाल के लिए निर्वाचित किया गया। इस दौरान, उनके द्वारा लिया गया सबसे कठोर एवं विवादस्पद कदम था। ऑपरेशन ब्लू स्टार, जिसे अमृतसर के हरिमंदिर साहिब में छुपे हुए खालिस्तानी आतंकवादियों के खिलाफ किया गया था। अंततः, उनका कार्यकाल, 31 दिसंबर 1984 की सुबह को उनकी हत्या के साथ समाप्त हो गया।

1980–2000

इंदिरा के बाद, भारत के प्रधानमन्त्री बने, उनके बडे पुत्र, राजीव गांधी, जिन्हें, 31 अक्टूबर की शाम को ही कार्यकाल की शपथ दिलाई गयी। उन्होंने पुनः निर्वाचन करवाया और इस बार, कांग्रेस ऐतिहासिक बहुमत प्राप्त कर, विजयी हुई। 1984 के चुनाव में कांग्रेस ने लोकसभा में 401 सीटों को आसानी से प्राप्त किया था, जोकि किसी भी दालद्वारा प्राप्त की गई अधिकतम संख्या है।

40 वर्ष की आयु में प्रधानमन्त्रीपद की शपथ लेने वाले राजीव गांधी, इस पद पर विराजमान होने वाले सबसे युवा व्यक्ति थे। राजीव गांधी के बाद, राष्ट्रीय मंच पर , विश्वनाथ प्रताप सिंह, जोकि राजीव गांधी की कैबिनेट में, वित्तमंत्री और रक्षामंत्री के पद पर थे।

अपनी साफ छवि के लिए जाने वाले विश्वनाथ प्रताप सिंह ने अपने वित्तमंत्रीत्व और रक्षामंत्रीत्व के समय, भ्रष्टाचार, कला–बाजारी और टैक्स–चोरी जैसी समस्याओं के खिलाफ कई कदम उठाये थे, ऐसा अनुमान लगाया जाता है कि इन कदमों में कई ऐसे भी थे, जिनके कारण कांग्रेस की पूर्व सरकारों के समय किये गए घोटालों पर से पर्दा उठ सकता था, और इसीलिए अपनी पार्टी की साख पर खतरे को देखते हुए, उन्हें राजीव गांधी ने मंत्रिमंडल से 1987 में निष्कासित कर दिया था। 1988 में उन्होंने जनता दल नमक राजनैतिक दल की स्थापना की, और अनेक कांग्रेस–विरोधी दलों की मदद से नेशनल फ्रंट नामक गठबंधन

का गठन किया। 1989 के चुनाव में कांग्रेस 64 सीटों तक सीमित रह गयी, जबकि नेशनल फ्रंट, सबसे बड़ा ग्रुप बन कर उभरा। भारतीय जनता पार्टी और वामपंथी दलों के बाहरी समर्थन के साथ नेशनल फ्रंट ने सरकारबनाई, जिसका नेतृत्व विश्वनाथजी को दिया गया।

वी.पी. सिंह के कार्यकाल में सामाजिक न्याय की दिशा में कई कदम उठाये गए थे, जिनमे से एक था, मंडल आयोग की सुझावों को मानते हुए, अन्य पिछड़े वर्ग में आने वाले लोगो के लिए नौकरी और शिक्षण संस्थानों में आरक्षण कोटे का प्रावधान पारित करना। इसके अलावा, उन्होंने, राजीव गांधी के काल में, श्रीलंका में तमिल आतंकवादियों के खिलाफ जारी सेना की कार्रवाई पर भी रोक लगा दी।

अमृतसर के हरिमंदिर साहिब में ऑपरेशन ब्लू स्टार हेतु क्षमा–याचना के लिए उनकी यात्रा, और उसके बाद के घटनाक्रमों ने पंजाब में तनाव को लगभग पूरी तरह शांत कर दिया था। परंतु अयोध्या में कारसेवा के लिए जा रहे लालकृष्ण आडवाणी के रथ यात्रा को रोक, आडवाणी की गिरफ्तारी के बाद, भाजपा ने सरकार से अपना समर्थन वापस ले लिया। वी.पी.सिंह ने 7 नवंबर 1990 को अपना त्यागपत्र राष्ट्रपति को सौंप दिया।

.सिंह के इस्तीफे के बाद, उनके पुर्व साथी, चंद्रशेखर ने 64 सांसदों के साथ समाजवादी जनता पार्टी गठित की ओ र कांग्रेस के समर्थन के साथ, लोकसभा में बहुमत सिद्ध किया। परंतु उनका प्रधानमन्त्री काल अधिक समय तक टिक नहीं सका। कांग्रेस की समर्थन वापसी के कारण, नवंबर 1991 को चंद्रशेखर का एक वर्ष से भी कम का कार्यकाल समाप्त हुआ, और नए चुनाव घोषित किये गए।

प्रधानमन्त्री चंद्रशेखर के 6 महीनों के शासनकाल के पश्चात्, कांग्रेस पुनः सत्ता में आई, इस बार, पमुलापति वेंकट नरसिंह राव के नेतृत्व मे। नरसिंह राव, दक्षिण भारतीय मूल के पहले प्रधानमन्त्री थे। साथ ही वे न केवल नेहरू–गांधी परिवार से बहार के पहले कांग्रेसी प्रधानमन्त्री था, बल्कि वे नेहरू–गांधी परिवार के बहार के पहले ऐसे

प्रधानमन्त्री थे, जिन्होंने अपना पूरे पाँच वर्षों का कार्यकाल पूरा किया था। नरसिंह राव जी का कार्यकाल, भारतीय अर्थव्यवस्था के लिए निर्णायक एवं ऐतिहासिक परिवर्तन का समय था। अपने वित्तमंत्री, मनमोहन सिंह के जरिये, नरसिंह राव ने भारतीय अर्थव्यवस्था की उदारीकरण की शुरुआत की, जिसके कारण, भारत की अबतक सुस्त पड़ी, खतरों से जूझती अर्थव्यवस्था को पूरी तरह बदल दिया।

इन उदारीकरण के निर्णयों से भारत को एक दृढतः नियंत्रित, कृषि–उद्योग मिश्रित अर्थव्यवस्था से एक बाजार–निर्धारित अर्थव्यवस्था में तबदील कर दिया गया। इन आर्थिक नीतियों को, आगामी सरकारों ने जारी रखा, और भारतीय अर्थव्यवस्था को विश्व की सबसे गतिशील अर्थव्यवस्थाओं में से एक बनाया।

इन आर्थिक परिवर्तनों के आलावा, नरसिंह राव के कार्यकाल ने अयोध्या की बाबरी मस्जिद–रामजन्मभूमि के विवादित ढांचे का विध्वंस और भारतीय जनता पार्टी का एक राष्ट्रीय स्तर की दल के रूप में उदय भी देखा। नरसिंह राव जी का कार्यकाल, मई 1996 को समाप्त हुआ, जिसके बाद, देश ने अगले तीन वर्षों में चार, लघुकालीन प्रधानमन्त्री को देखा पहले अटल बिहारी वाजपेयी की १३ दिवसीय शासनकाल, तत्पश्चात्, प्रधानमन्त्री एच डी देवगौड़ा (1 जून, 1996 से 21 अप्रेल, 1997) और इंद्रकुमार गुजराल(21 अप्रेल, 1997 से 19 मार्च, 1998), दोनों की एक वर्ष से कम समय का कार्यकाल एवं तत्पश्चात्, पुनः प्रधानमन्त्री अटल बिहारी वाजपेयी की 19 माह की सरकार।

1998 में निर्वाचित हुए प्रधानमन्त्री अटल बिहारी वाजपेयी की सरकार ने कुछ अत्यंत ठोस और चुनौती पूर्ण कदम उठाए। मई 1998 में सरकार के गठन के एक महीने के बाद, सरकार ने पोखरण में पाँच भूतालिया परमाणु विस्फोट करने की घोषणा की। इन विस्फोटों के विरोध में अमरीका समेत कई पश्चिमी देशों ने भारत पर आर्थिक प्रतिबंध लगा दिए, परंतु रूस, फ्रांस, खाड़ी देशों और कुछ अन्य के समर्थन के कारण, पश्चिमी देशों का यह प्रतिबंध, पूर्णतः विफल रहा। इस आर्थिक प्रतिबंध

की परिस्थिति को बखूबी संभालने को अटल सरकार की बेहतरीन कूटनीतिक जीत के रूप में देखा गया। भारतीय परमाणु परीक्षण के जवाब में कुछ महीने बाद, पाकिस्तान ने भी परमाणु परीक्षण किया। दोनों देशों के बीच बिगड़ते हालातों को देखते हुए, सरकार ने रिश्ते बेहतर करने की कोशिश की। फरवरी 1999 में दोनों देशों ने लाहौर घोषणा पर हस्ताक्षर किये, जिसमें दोनों देशों ने आपसी रंजिश खत्म करने, व्यापार बढ़ाने और अपनी परमाणु क्षमता को शांतिपूर्ण कार्यों के लिए इस्तेमाल करने की घोषणा की।

2000–वर्त्‌मान

17 अप्रैल 1999 को जयललिता की पार्टी आइएदमक ने सरकार से अपना समर्थन है दिया, और नए चुनावों की घोषणा करनी पड़ी तथा अटल सरकार को चुनाव तक, सामायिक शासन के स्तर पर घटा दिया गया। इस बीच, कारगिल में पाकिस्तानी घुसपैठ की खबर आई, और अटलजी की सरकार ने सैन्य कार्रवाई के आदेश दे दिए। यह कार्रवाई सफल रही और करीब 2 महीनों के भीतर, भारतीय सैना ने पाकिस्तान पर विजय प्राप्त कर ली।

1999 के चुनाव में भाजपा के नेतृत्व की राष्ट्रीय जनतांत्रिक गठबंधन ने बहुमत प्राप्त की, और प्रधानमन्त्री अटल बिहारी वाजपेयी अपनी कुर्सी पर बरकरार रहै। अटल ने आर्थिक उदारीकरण की प्रक्रिया को बरकरार रखा और उनके शासनकाल में भारत ने अभूतपूर्व आर्थिक विकास दर प्राप्त किया। साथ ही इंफ्रास्ट्रक्चर और बुनियादी सहूलियतों के विकास के लिए सरकार ने कई निर्णायक कदम उठाए, जिनमें राजमार्गों और सडकों के विकास के लिए राष्ट्रीय राजमार्ग विकास परियोजना और प्रधानमन्त्रीं ग्राम सड़क योजना जैसी योजनाएँ शामिल है। परंतु, उनके शासनकाल के दौरान, वर्ष 2002 में, गुजरात में गोधरा कांड के बाद भड़के हिन्दू–मुस्लिम दंगों ने विशेष कर गुजरात एवं देश के अन्य कई हिस्सों में, स्वतंत्रता–पश्चात् भारत के सबसे हिंसक और दर्दनाक सामुदायिक दंगों को भड़का दिया। सरकार पर और गुजरात के

तत्कालीन मुख्यमंत्री, नरेंद्र मोदी, पर उस समय, दंगो के दौरान रोक–थाम के उचित कदम नहीं उठाने का आरोप लगाया गया था। प्रधानमन्त्री वाजपेयी का कार्यकाल मई 2004 को समाप्त हुआ। वे देश के पहले ऐसे गैर–कांग्रेसी प्रधानमन्त्री थे, जिन्होंने अपना पूरे पाँच वर्षों का कार्यकाल पूर्ण किया था।

2004 के चुनाव में राष्ट्रीय जनतांत्रिक गठबंधन, लोकसभा में बहुमत प्राप्त करने में अक्षम रहा, और कांग्रेस सदन में सबसे बड़ी दल बन कर उभरी। वामपंथी पार्टियों और कुछ अन्य दलों के समर्थन के साथ, कांग्रेस के नेतृत्व में यूपीए (संयुक्त विकासवादी गठबंधन) की सरकार स्थापित हुई, और प्रधानमन्त्री बने मनमोहन सिंह। वे देश के पहले सिख प्रधानमन्त्री थे। उन्होंने दो पूर्ण कार्यकालों तक इस पद पर अपनी सेवा दी थी। उनके कार्यकाल में, देश ने प्रधानमन्त्री वाजपेयी के समय हासिल की गयी आर्थिक गति को बरकरार रखा।

इसके अलावा, सरकार ने आधार (विशिष्ट पहचान पत्र) और सूचना अधिकार जैसी सुविधाएँ पारित की। इसके अलावा, मनमोहन सिंह के कार्यकाल में अनेक सामरिक और सुरक्षा–संबंधित चुनौतियों का सामना करना पड़ा। 26 नवंबर 2008 को मुम्बई पर हुए आतंकवादी हमले के बाद, देश में कई सुरक्षा सुधार कार्यान्वित किये गए। उनके पहले कार्यकाल के अंत में अमेरिका के साथ, नागरिक परमाणु समझौते के मुद्दे पर, लेफ्ट फ्रंट के समर्थन–वापसी से सरकार लगभग गिरने के कागार पर पहुँच चुकी थी, परंतु सरकार बहुमत सिद्ध करने में सक्षम रही।

2009 के चुनाव में कांग्रेस और भी मजबूत जनादेश के साथ सदन में आई और प्रधानमन्त्री मनमोहन सिंह प्रधानमन्त्री के आसन पर विद्यमान रहै। प्रधानमन्त्री मनमोहन सिंह का दूसरा कार्यकाल, अनेक उच्चस्तरीय घोटालों और भ्रष्टाचार के आरोपों से घिरा रहा। साथ ही आर्थिक उदारीकरण के बाद आई प्रशंसनीय आर्थिक गति भी सुस्त पड़ गयी और अनेक महत्वपूर्ण परिस्थितियों में ठोस व निर्णायक कदम न उठा पाने के कारण सरकार सरकार की छवि काफी खराब हुई थी। प्रधानमन्त्री

मनमोहन सिंह का कार्यकाल, 2014 में समाप्त हो गया। 2014 के चुनाव में भारतीय जनता पार्टी, जिसने भ्रष्टाचार और आर्थिक विकास के मुद्दे पर चुनाव लड़ा था, ने अभूतपूर्व बहुमत प्राप्त किया, और नरेंद्र मोदी को प्रधानमन्त्री नियुक्त किया गया।

वे पहले ऐसे गैर–कांग्रेसी प्रधानमन्त्री हैं, जोकि पूर्ण बहुमत के साथ सत्ता पर विद्यमान हुए हैं। साथ ही वे पहले ऐसे प्रधानमन्त्री हैं, जो कि आजाद भारत में जन्मे हैं।

अध्याय–5

भारतीय न्यायपालिका एवं कार्यपालिका

हमारे संविधान में राज्य की शक्तियों को तीन अंगों में विभाजित किया गया है ताकि तीनों प्रकार के कार्य सुचारू किए जा सकें। ये तीन अंग है।– कार्यपालिका, विधायिका तथा न्यायपालिका। इसके अनुसार विधानपालिका का काम विधि निर्माण करना, कार्यपालिका का काम विधियों का कार्यान्वयन तथा न्यायपालिका को प्रशासन की देख– रेख, विवादों का फैसला और विधियों की व्याख्या करने का काम सौंपा गया।

भारत की न्यायपालिका के बारे में कहा जा सकता है कि जैसा इसका नाम है वैसा ही इसका काम है।

इस न्यायपालिका का मूल काम हमारे संविधान में लिखे कानून का पालन करना और करवाना है तथा कानून का पालन न करने वालों को दंडित करने का अधिकार भी इसे प्राप्त है।

भारतीय न्यायिक प्रणाली को अंग्रेजों ने औपनिवेशिक शासन के दौरान बनाया था और उसी के अनुसार ये आज भी राज्य में कानून व्यवस्था बनाए रखने में कार्यरत है।

न्यायाधीश अपने आदेश और फैसले संविधान में लिखे कानून के अनुसार लेते है। और देश का विकास करते हैं।

देश में कई स्तर की न्यायपालिका बनाई गई है। न्यायपालिका के अंतर्गत कोई एक सर्वोच्च न्यायालय होता है एवं उसके अधीन विभिन्न न्यायालय (कोर्ट) होते हैं। उदाहरण के लिए विभिन्न राज्यों में हाई कोर्ट दिल्ली स्थित सुप्रीम कोर्ट के अंतर्गत आते है। सर्वोच्च न्यायालय अपने अंतर्गत आने वाले मामलो को देखने के अलावा उच्च न्यायालयों के विवादों को भी सुलझाता है। इसके इलावा न्याय पंचायत, ग्राम कचहरी, पंचायत अदालत, इत्यादि का कार्यक्षे त्र थोड़ा संकरा कहा जा सकता है।

भारत का सर्वाच्च न्यायालय (सुप्रीम कोर्ट)

भारत के सर्वाच्च न्यायालय की स्थापना 28 जनवरी 1950 को की गई थी जिसमें मुख्य न्यायाधीश की नियुक्ति राष्ट्रपति द्वारा की जाती है। इसके अलावा सुप्रीम कोर्ट में 30 अन्य न्यायाधीश होते हैं। जो 65 साल की उम्र तक अपनी सेवाएं देते हैं। किसी भी विवाद का अंतिम निर्णायक होने के साथ साथ उच्चतम न्यायालय भारत के संविधान का रक्षक भी है और इसके उल्लंघन को रोकता हैं।

भारत में उच्च न्यायालय (हाई कोर्ट)

उच्च न्यायालय में जिसे अंग्रेज़ी में हाई कोर्ट कहा जाता है का कार्य क्षेत्र राज्य स्तरीय होता है। भारत देश में कुल 24 उच्च न्यायालय है। जिनमें से कोलकाता हाई कोर्ट जिसकी स्थापना सन् 1862 में हुई देश का सबसे पुराना न्यायालय है। सिविल और आपराधिक निचली अदालतें और ट्रिब्यूनल हाई कोर्ट के अंतर्गत कार्य करते है। तथा सभी हाई कोर्ट भारत की सुप्रीम कोर्ट के अंतर्गत आते है।

जिलो तथा अधीनस्थ न्यायालय

जिला स्तरीय अधिकार क्षेत्र वाली अदालतें उच्च न्यायालय के तहत आती है। जिला अदालत का दर्जा अधीनस्थ अदालतों के उपर होता है। जिला न्यायाधीश की उपाधि हाई कोर्ट के न्यायाधीश के बाद

सबसे बड़ी होती है। अधीनस्थ अदालतों पर जिला अदालतों का भी अधिकार रहता है।

ट्रिब्यूनल

इसका निर्माण सामान्यतः एक व्यक्ति या संस्था से किया जाता है जैसे की एक न्यायाधीश वाली अदालत को भी ट्रिब्यूनल कहा जा सकता है।

भारतीय न्यायपालिका के मुख्य कार्य निम्नलिखित प्रकार हैंः–

१. संविधान को सर्वोच्च मानना और उसकी सुरक्षा सुनिश्चित करना।

२. लिखित संविधान की व्याख्या करना।

३. महत्वपूर्ण राजनैतिक कार्यो को अंजाम देना।

४. विवादों को कानून के अनुसार सुलझाना।

५. नागरिकों के मौलिक अधिकारों की रक्षा करना।

भारत में स्वतंत्र न्यायपालिका की स्थापना

कारण– भारत की न्यायपालिका को स्वतंत्र अधिकार देने का प्रमुख कारण यह था कि न्यायपालिका सरकार के किसी भी अंग के प्रति जवाबदेह न हो और अपना न्याय किसी बाधा के दे सके। इसके अलावा केन्द्र तथा राज्यों के मध्य विवादों को न्यायिक ढंग से निपटाने के लिए भी स्वतंत्र न्यायपालिका की आवश्यकता थी।

न्यायपालिका की स्वतंत्रता को सुनिश्चित करना

भारतीय संविधान द्वारा न्यायपालिका की स्वतंत्रता सुनिश्चित करने के लिए अनेक उपाए किये गए हैं। जो कि निम्नलिखित अनुसार हैं।–

1. न्यायधीशों के निर्णयों की व्यक्तिगत आलोचना एक प्रकार से न्यायालय की अवमानना है जिसके लिए दंड का प्रावधान है।

2. न्यायपालिका वित्तीय रूप से किसी पर भी निर्भर नहीं है और न्यायधीशों के वेतन और भथ्थो के लिए इसे किसी से स्वीकृति नहीं लेनी पड़ती।

3. न्यायाधीशों का कार्यकाल निश्चित होता है जिसे की कम नहीं किया जा सकता ताकि वो बिना किसी भय के सही निर्णय ले सकें। केवल कुछ विशेष स्थितियों में ही न्यायधीशों को उनके पद से हटाया जा सकता है।

4. न्यायाधीशों की नियुक्ति में किसी अवांछित राजनीति को दूर रखने के लिए इसमें विधायिका को शामिल नहीं किया गया है।

अतः हम कह सकते हैं। कि न्यायपालिका सुनिश्चित करती है कि देश की जनता को किसी प्रकार की तकलीफ न हो, धर्म–जाति के नाम पर विवाद न हों, शासन सुचारु रूप से चले तथा सबके मौलिक अधिकार सुरक्षित रहै।

न्यायपालिका की प्रमुख विशेषताएँ

किसी भी देश की शासन–व्यवस्था को सुचारू रूप से चलाने में वहाँ की न्यायपालिका की प्रमुख भुमिका होती है। न्यायपालिका के संगठन के अनुसार ही इस बात का पता चलता है कि उस देश में जनता को कितनी अधिक स्वतंत्रता प्राप्त है।

भारत के न्यायपालिका का संगठन इंग्लैंड की न्यापालिका के अनुसार किया गया है परन्तु इसके साथ ही अन्य प्रमुख देशों की अच्छी बातों को भी यहाँ अपनाया गया है. आज इस पोस्ट के जरिये हम भारतीय न्यायपालिका की प्रमुख विशेषताओं का संक्षेप में वर्णन करने जा रहे हैं।

स्वतंत्र न्यायपालिका

भारत एक प्रजातंत्रात्मक देश है। प्रजातंत्रात्मक देश में स्वतंत्र

न्यायपालिका का होना आवश्यक है। भारत की न्यायपालिका व्यवस्थापिका और कार्यपालिका के प्रभाव से पूर्णतया स्वतंत्र है। यह जरुर है कि न्यायधीशों की नियुक्ति राष्ट्रपति या राज्यपाल द्वारा की जाती है पर एक बार निर्वाचित होने के बाद न्यायाधीश बिना महाभियोग लगाए अपने पद से हटाये नहीं जा सकते।

उनके कार्यकाल में उनका वेतन भी कम नहीं किया जा सकता और इस प्रकार वे व्यवस्थापिका एवं कार्यपालिका के प्रभाव से पूर्णतया मुक्त रहते है।

एक संगठित न्यायपालिका

भारत की न्यायपालिका अत्यंत सुगठित एवं संगठित है. ऊपर से लेकर नीचे तक के न्यायालय एक दूसरे से पूर्णतया सम्बंधित हैं।. अमेरिका में न्यायपालिका के दो पृथक अंग हैं। अर्थात् वहाँ न्यायालयों की दोहरी व्यवस्था के दर्शन होते हैं। अमेरिका में संघीय कानून लागू करने के लिए संघीय न्यायालय होते हैं। और राज्यों के कानूनों को लागू करने के लिए राज्यों के अलग न्यायालय होते हैं, और उसके नीचे अन्य प्रादेशिक एवं जिला न्यायलाय भी होते हैं।

संघीय न्यायालयों में चोटी पर एक सर्वोच्च न्यायालय होता है और उसके नीचे अन्य प्रादेशिक एवं जिला न्यायालय भी होते हैं। संयुक्त राज्य अमेरिका के योग्य वकील यह जानते हैं, कि कौन–सा मुकदमा संघीय न्यायालय में निर्णीत होगा और कौन–सा राज्य के न्यायालय में भारत भी संयुक्त राज्य अमेरिका की तरह एक संघात्मक राज्य है परन्तु यहाँ दोहरी न्याय–व्यवस्था को न अपनाकर इकहरी न्याय–व्यवस्था को अपनाया गया है. यहाँ शीर्ष पर एक सर्वोच्च न्यायालय है. इसके नीचे प्रत्येक राज्य में एक उच्च न्यायालय है और उसके नीचे अनेक जिला एवं अधीन न्यायालय हैं। देश की सभी न्यायालय एक कड़ी के रूप में एक दूसरे से जुड़े हुए हैं। सभी न्यायालयों को संघीय एवं राज्य विधान मंडलों द्वारा बनाए गए कानूनों के अनुसार न्याय–कार्य सम्पन्न करना होता हैं।

ब्रिटिश आधारित न्याय–व्यवस्था

भारत की संघीय व्यवस्था ब्रिटेन से बहुत हद तक मिलती–जुलती हैं। हमारे देश में एक ही प्रकार के कानून और एक ही प्रकार के न्यायालय हैं। इस दृष्टि से देखें तो भारत में भी इंग्लैंड की भाँति "विधि के शासन" को मान्यता प्रदान की गई है। भारत की यह पद्धति फ्रांस की पद्धति से पूरी तरह से अलग है. फ्रांस में प्रशासनिक अधिकारियों के लिए अलग कानून और न्यायालय है। परन्तु भारत में प्रधानमंत्री से लेकर साधारण व्यक्ति तक के लिए एक ही प्रकार के कानून और न्यायालय है।

न्यायालय के प्रकार

भारतीय न्याय–व्यवस्था की एक अन्य विशेषता यह है कि यहाँ विभिन्न प्रकार के न्यायालयों के अलग–अलग दर्शन नहीं होते. यहाँ प्रमुख रूप से दो प्रकार के न्यायालय हैं। दीवानी और फौजदारी इसके अतिरिक्त भूमि–कर से सम्बंधित मामलों के लिए त्मअमदनम ब्वनतजे की व्यवस्था अवश्य ही अलग की गई है. पर कुछ अन्य देशों की तरह भारत में विशिष्ट न्यायालयों जैसे सैनिक, तलाक, वसीयत से सम्बंधित न्यायालयों आदि का अभाव है।

न्यायपालिका की सर्वोच्चता

भारत में व्यवस्थापिका, कार्यपालिका और न्यायपालिका सभी का अपना अलग–अलग महत्त्व है परन्तु कुछ क्षेत्रों में न्यायपालिका अन्य दो की अपेक्षा विशिष्ट महत्त्व रखता है। भारत में संविधान को ही सर्वोपरि माना गया है. संविधान के उल्लंघन का अधिकार किसी को भी नहीं है। यहाँ की न्यायपालिका ही संविधान की संरक्षक है। न्यायालय व्यवस्थापिका द्वारा पारित किए गए किसी भी कानून को संविधान विरोधी कहकर अवैध कर सकते हैं। इस प्रकार व्यवस्थापिका और कार्यपालिका न्यायपालिका की इच्छा के विरुद्ध कोई भी कार्य नहीं कर सकती।

इस प्रकार हम देखते हैं। कि भारेत में न्यायपालिका को अत्यंत

गौरवपूर्ण स्थान देकर नागरिकों की स्वतंत्रता की रक्षा का ध्यान रखा गया है। संविधान ने न्यायपालिका को कार्यपालिका के प्रभाव से पूर्णतः स्वतंत्र रखा है। परन्तु बड़े खेद का विषय है कि भारत के नीचे के न्यायालय अब भी कार्यपालिका के प्रभाव में रहते हैं।

कार्यपालिका

कार्यकारिणी सरकार का वह अंग होती हैं जो राज्य के शासन का अधिकार रखती है, और उसकी जिम्मेदारी उठाती है। कार्यकारिणी कानून को कार्यान्वित करती हैं और उसे लागू करती है।

अध्यक्षीय प्रणाली में, कार्यकारिणी का प्रमुख दोनों, राज्य का प्रमुख और सरकार का प्रमुख होता हैं। संसदीय प्रणाली में, एक कैबिनेट मंत्री जो विधायिका को उत्तरदायी होता है।, वह सरकार का प्रमुख होता है जबकि राज्य का प्रमुख आम तौर पर एक औपचारिक राजा अथवा राष्ट्रपति होता है।

कार्यपालिका

संघीय कार्यपालिका में राष्ट्रपति, उप राष्ट्रपति और राष्ट्रपति को सहायता करने एवं सलाह देने के लिए अध्यक्ष के रूप में प्रधानमंत्री के साथ मंत्रिपरिषद एवं महान्यायवादी शामिल हैं।

राष्ट्रपति

राष्ट्रपति का चुनाव निर्वाचिका के सदस्यों द्वारा किया जाता है जिसमें संसद के दोनों सदनों के चयनित सदस्य, समानुपातिक प्रतिनिधित्व प्रणाली के अनुसार राज्यों में विधान सभा के सदस्यों के द्वारा एकल अंतरणीय मत में द्वारा होता है। राज्यों के बीच परस्पर एकरूपता लाने के लिए तथा सम्पूर्ण रूप से राज्यों और केंद्र के बीच संगतता लाने के लिए प्रत्येक मत को उचित महत्व दिया जाता है। राष्ट्रपति को भारत का नागरिक होना आवश्यक है, उनकी आयु 35 वर्ष से कम न हो और वह लोक सभा के सदस्य के रूप में चुने जाने के योग्य हो। उनके कार्य की

अवधि पांच वर्ष की होती है और वह पुनर्निवाचन के लिए पात्र होता है। उन्हें पद से हटाने की प्रक्रिया संविधान की धारा 61 में निर्धारित प्रक्रिया के अनुसार होती है। वह अपने हाथ से उप–राष्ट्रपति को अपने पद से इस्तीफा देने के लिए संबोधन करते हुए पत्र लिख सकते हैं।

केंद्र की कार्यपालिका शक्ति राष्ट्रपति को प्राप्त है और उसके द्वारा प्रत्यक्ष रूप से या उसके अधीन अधिकारियों के जरिए संविधान के अनुसार अधिकार का प्रयोग किया। संघ के रक्ष बलों का सर्वोच्च शासन भी उसी का होता है। राष्ट्रपति सत्रावसान का आहवान करता, संबोधित करता है, संसद को संदेश भेजता और लोकसभा भंग करता है, किसी भी समय अध्यादेश जारी करता जैसे समय को छोड़कर जब संसद के दोनों सदनों में सत्र चल रहा हो, वित्तीय और धन विधेयक लाने की सिफारिश करने, प्राणदंड स्थगित करने, सजा को कम करने या क्षमा करने या निलम्बित करने एवं कुछ मामलों में सजाओं को माफ करने या रूपातंरण का कार्य करता है।

जब राज्य में संवैधानिक मशीनरी विफल हो जाती है वह राज्य सरकार के सभी या कुछ कार्यों को अपने ऊपर ले लेता है। यदि उसे लगता है कि गंभीर एमर्जेन्सी उत्पन्न हुई है तो वह देश में एमर्जेन्सी की घोषणा कर सकता है जिसके द्वारा भारत या इसके किसी किसी क्षेत्र की सुरक्षा को खतरा होता है यह या तो युद्ध के द्वारा या बाह्य आक्रमण या हथियारबंद विद्रोह के द्वारा होता है।

उप राष्ट्रपति

उप राष्ट्रपति का चुनाव निर्वाचिका के सदस्यों द्वारा होता है जिसमें एकल हस्तांतरीय मत द्वारा समानुपातिक प्रतिनिधित्व प्रणाली के अनुसार संसद के दोनों सदनों के सदस्य होते हैं। वह भारत का नागरिक हो उसकी आयु 35 वर्ष से कम न हो और राज्य सभा के सदस्य के रूप में चुनाव के लिए पात्रता रखता हो। उसके पद की अवधि पांच वर्ष की होती है और वह पुनर्निवाचन का पात्र होता है। अनुच्छेद 67 ख में

निर्धारित प्रक्रिया के अनुसार इसे पद से हटाया जाता है।

उप राष्ट्रपति राज्य सभा का पदेन सभापति होता है और जब बीमारी या किसी अन्य कारण से या नए राष्ट्रपति के चुनाव होने तक यह छः माह के भीतर किया जाता है यदि यह रिक्ति मृत्यु के कारण होती है, राष्ट्रपति के इस्तीफा देने या अन्यथा पद से हटाए जाने के कारण होती है। राष्ट्रपति के अनुपस्थित रहने के कारण अपने कार्यों का निष्पादन करने में असमर्थ होता है तब राष्ट्रपति के रूप में कार्य करता है।

मंत्री परिषद

राष्ट्रपति को उनके कार्यों में सहायता करने और सलाह देने के लिए प्रधानमंत्री के नेतृत्व में मंत्री परिषद होती है। प्रधानमंत्री की नियुक्ति राष्ट्रपति द्वारा की जाती है वह मंत्री की सलाह पर अन्य मंत्रियों की भी नियुक्ति करता है। परिषद सामूहिक रूप से लोक सभा के प्रति उत्तरदायी होती है। संघ के प्रशासन या कार्य और उनसे संबंधित विधानों और सूचनाओं के प्रस्तावों से संबंधित मंत्रिपरिषद के सभी निर्णयों की सूचना राष्ट्रपति को देना प्रधानमंत्री का कर्तव्य है।

मंत्रि परिषद में मंत्रिपरिषद के मंत्री, राज्य मंत्री (स्वतंत्र प्रभार), राज्य मंत्री और उप मंत्री होते है।

राज्य की कार्यपालिका

संविधान के भाग 6 में राज्य शासन के लिए कुछ प्रावधान किए गए है। यह प्रावधान जम्मू कश्मीर राज्य को छोड़कर शेष सभी राज्यों में लागू है।

राज्यपाल

राज्य की कार्यपालिका का प्रधान राज्यपाल होता है, प्रत्येक राज्य मैं एक राज्यपाल होता है लेकिन एक ही राज्यपाल दो या अधिक राज्यौं का राज्यपाल भी नियुक्त हो सकता है।

राज्यपाल की नियुक्ति राष्ट्रपति करता है। राज्यपाल पद के लिए

निम्नलिखित योग्यताएं होनी चाहिए–

वह भारत का नागरिक हो

वह 35 वर्ष की आयु पूरी कर चुका हो

किसी प्रकार के लाभ के पद पर न हो

वह राज्य विधानसभा का सदस्य चुने जाने योग्य हो

राज्यपाल का कार्यकाल 5 वर्ष निर्धारित होता है।

राज्यपाल का वेतन एक लाख रुपए मासिक होता है, यदि दो या दो से अधिक राज्यौं का एक ही राज्यपाल हो तब उसे दोनो राज्यपालौं के वेतन उसी अनुपात मैं दिया जायेगा, जैसा की राष्ट्रपति निर्धारित करे।

राज्यपाल का पद ग्रहण करने से पूर्व उच्च न्यायालय के मुख्य न्यायाधीश अथवा वरिष्ठतम् न्यायाधीश के सम्मुख अपने पद की शपथ लेता है।

राज्यपाल अपने पद की शक्तियों के प्रयोग तथा कर्तव्यों के पालन के लिए किसी न्यायालय के प्रति उत्तरदायी नहीं है।

राज्यपाल की पदावधि के दौरान उसके विरुद्ध किसी भी न्यायालय मैं किसी प्रकार की आपराधिक कार्यवाही प्रारंभ नहीं की जा सकती है।

राज्यपाल के पद ग्रहण करने से पूर्व या पश्चात् उसके द्वारा किए गए कार्य के संबंध में कोई सिविल कार्यवाही करने से पूर्व उसे दो मास पूर्व सूचना देनी पडती है।

राज्य के समस्त कार्य पालिका कार्य राज्यपाल के नाम से किए जाते हैं।

राज्यपाल मुख्यमंत्री को तथा मुख्यमंत्री की सलाह से उसकी मंत्रिपरिषद के सदस्यों को पद एवं गोपनीयता की शपथ दिलाता है।

राज्यपाल राज्य के उच्च अधिकारियों जैसे– महाधिवक्ता, राज्य

लोक सेवा आयोग के अध्यक्ष तथा सदस्यो की नियुक्ति करता है तथा राज्यों के उच्च न्यायालय मे न्यायधीशों की नियुक्ति के संबंध में राष्ट्रपति को परामर्श देता है।

राज्यपाल को अधिकार है कि वह राज्य प्रशासन के संबंध मैं मुख्यमंत्री से सूचना प्राप्त करे।

राज्यपाल को राजनयिक तथा सैन्य शक्ति प्राप्त नहीं है।

राज्यपाल को राज्य लोक सेवा आयोग के सदस्यों को हटाने का अधिकार नहीं है।

राष्ट्रपति शासन के समय राज्यपाल केंद्र सरकार के अभिकर्ता के रुप मैं राज्य का प्रशासन चलाता है।

राज्यपाल इस आशय का प्रतिवेदन राष्ट्रपति को दे सकता है कि राज्य का शासन संविधान के उपबंधों द्वारा नहीं चलाया जा रहा है अतः यहां राष्ट्रपति शासन लागू कर दिया जाए।

राज्य विधान मंडल का अभिन्न अंग होता है।

राज्यपाल विधानमंडल का सत्रावसान करता है तथा उसका विघटन करता है। राज्यपाल विधानसभा के अधिवेशन अथवा दोनों सदनों के संयुक्त अधिवेशन को संबोधित करता है।

राज्य विधान परिषद की कुल सदस्य संख्या संख्या का 1–6 भाग सदस्यों को नियुक्त करता है, जिनका सम्बन्ध विज्ञान, साहित्य, कला, समाज सेवा और सहकारी आन्दोलन से रहा है।

राज्य विधान मंडल द्वारा पारित विधेयक राज्यपाल के हस्ताक्षर के बाद ही अधिनियम बन पाता है।

जब विधानमंडल का सत्र नहीं चल रहा हो और राज्यपाल को ऐसा लगे कि तत्कालीन कार्यवाही की आवश्यकता है, तो वह अध्यादेश जारी कर सकता है, जिसे वही स्थान प्राप्त है, जो विधान मंडल द्वारा पारित किसी अधिनियम को है। ऐसे अध्यादेश का 6 सप्ताह के भीतर

विधानमंडल द्वारा स्वीकृत होना आवश्यक है। यदि विधानमंडल 6 सप्ताह के भीतर उसे अपनी स्वीकृति नहीं देता है, तो उस अध्यादेश की वैधता समाप्त हो जाती है।

राज्यपाल प्रत्येक वित्तीय वर्ष में वित्त मंत्री को विधानमंडल के सम्मुख वार्षिक वित्तीय विवरण प्रस्तुत करने के लिए कहता है।

ऐसा कोई विधेयक जो राज्य की संचित निधि से खर्च निकालने की व्यवस्था करता है उस समय तक विधानमंडल द्वारा पारित नहीं किया जा सकता जब तक राज्यपाल इसकी संस्तुति न कर दे।

राज्यपाल की संस्तुति के बिना अनुदान की किसी मांग को विधानमंडल के सम्मुख नहीं रखा जा सकता।

राज्यपाल धन विधेयक के अतिरिक्त किसी विधेयक को पुनर्विचार के लिए राज्य विधान मंडल द्वारा पारित किए जाने पर उस पर अपनी सहमति के लिए बाध्य होता है।

कार्यपालिका की किसी विधि के अधीन राज्यपाल दण्डित अपराधी के दंड को क्षमा, निलंबन, परिहार या लघुकरण कर सकता है। मृत्युदंड के संबंध में राज्यपाल को क्षमा का अधिकार नहीं है।

विधान परिषद

किसी भी राज्य का विधान मंडल राज्यपाल तथा राज्य विधान मंडल से मिलकर बनता है।

जम्मू–कश्मीर, बिहार, महाराष्ट्र, कर्नाटक, आंध्र प्रदेश तथा उत्तर प्रदेश में द्विसदनात्मक व्यवस्था है और बाकी राज्यों में एकसदनात्मक व्यवस्था है।

विधान परिषद के कुल सदस्यों कि संख्या उस राज्य की विधानसभा के कुल सदस्यों की संख्या की एक–तिहाई से अधिक नहीं हो सकती है, किंतु किसी भी अवस्था में विधान परिषद् के सदस्यों की संख्या 40 से कम नहीं हो सकती है (अपवाद – जम्मू और कश्मीर

विधान)

विधान परिषद् के प्रत्येक सदस्य का कार्यकाल 6 वर्ष का होता है, किंतु प्रति दूसरे वर्ष 1–3 सदस्य अवकाश ग्रहण कर लेते है। तथा उनके स्थान पर नए सदस्य निर्वाचित होते हैं।

विधान परिषद् के सदस्यों का निर्वाचन आनुपातिक प्रतिनिधित्व की एकल संक्रमणीय मत पद्धति के द्वारा होता है।

विधान परिषद के कुल सदस्यों में एक–तिहाई सदस्य, राज्य की स्थानीय स्वशासी संस्थाओं के एक निर्वाचक मंडल द्वारा निर्वाचित होते हैं। एक–तिहाई सदस्य राज्य की विधान सभा के सदस्यों द्वारा निर्वाचित होते है। 1–12 सदस्य उन निर्वाचकों द्वारा निर्वाचित होते हैं, जिन्होंने कम से कम 3 वर्ष पूर्व स्नातक की उपाधि प्राप्त कर ली हो। 1–12 सदस्य अध्यापकों द्वारा निर्वाचित होते हैं जो कम से कम 3 वर्षों से माध्यमिक पाठशालाओं अथवा उन से ऊँची कक्षाओं में शिक्षण का कार्य कर रहे हों तथा 1–6 राज्यपाल उन सदस्यों को मनोनीत करते हैं। जिन्हें साहित्य, कला, व विज्ञान, सहकारिता आंदोलन या सामाजिक सेवा के संबंध में विशेष ज्ञान हो।

अनुच्छेद 169 के साथ संसद किसी राज्य में विधान परिषद का निर्माण एवं विघटन कर सकती है।

जिस भी राज्य में विधान परिषद का निर्माण करना है तो राज्य की विधान सभा अपने कुल सदस्यों के पूर्ण बहुमत से प्रस्ताव पारित करें तो संसद उस राज्य में विधान परिषद की स्थापना कर सकती है अथवा उसका लोप कर सकती है।

विधान परिषद का सृजन व उत्पादन

विधान परिषद का सृजन या उत्पादन करने का अधिकार है।

जिस राज्य में विधान परिषद का सृजन या उत्पादन किया जाना है, उस राज्य की विधान सभा द्वारा इस आशय के प्रस्ताव को उपस्थित

तथा मतदान करने वाले सदस्यों के कम से कम दो–तिहाई बहुमत से पारित किया जाना आवश्यक है।

इसके बाद, विधेयक संसद की मंजूरी के लिए जाता है। संसद इसे पारित कर भी सकती है और नहीं भी।

संसद में एसा कोई प्रस्ताव साधारण बहुमत से पारित किया जाता है।

विधान सभा

विधान सभा राज्य विधानमंडल का लोकप्रिय सदन है, जिसके सदस्य जनता द्वारा प्रत्यक्ष रुप से चुने जाते हैं।

इस लोकप्रिय सदन की संख्या न 60 से कम होनी चाहिए और न 500 से अधिक (अपवाद अरुणाचल प्रदेश–40, गोवा–40, मिजोरम–40, सिक्किम–32) विधानसभा में राज्यपाल एक सदस्य एंग्लो–इंडियन समुदाय से मनोनीत कर सकता है।

विधानसभा के सत्रावसान के आदेश राज्यपाल द्वारा दिए जाते हैं।

विधानसभा का कार्यकाल 5 वर्ष का है। इसका विघटन राज्यपाल 5 वर्ष से पहले भी कर सकता है।

विधानसभा की अध्यक्षता करने के लिए एक अध्यक्ष का चुनाव करने का अधिकार सदन को प्राप्त है, जो इसकी बैठकों का संचालन करता है।

साधारणतया विधानसभा अध्यक्ष सदन मे मतदान नहीं करता किंतु यदि सदन में मत बराबरी में बंट जाए तो वह निर्णायक मत देता है।

विधानमंडल के किसी सदस्य की योग्यता एवं और अयोग्यता संबंधी विवाद का अंतिम विनिश्चय राज्यपाल चुनाव आयोग के परामर्श से करता है।

किसी विधेयक को धन विधेयक माना जाए अथवा नहीं इसका

निर्णय है विधानसभा अध्यक्ष ही करता है।

किसी विधेयक पर यदि विधान सभा तथा विधान परिषद् में गतिरोध उत्पन्न हो जाए तो दोनों सदनों के संयुक्त अधिवेशन का प्रावधान नहीं है, ऐसी स्थिति में विधान परिषद की इच्छा मान्य नहीं है।

विधानसभा को राज्य सूची से संबंधित विषयों पर विधि निर्माण का अनन्य अधिकार प्राप्त है।

मंत्रिपरिषद सामूहिक रुप से विधानसभा के प्रति उत्तरदायी है। जब कभी मंत्रिपरिषद के विरुद्ध अविश्वास प्रस्ताव पारित होता है, तो आधे से अधिक विधानमंडल के सदस्यों द्वारा उसकी पुष्टि आवश्यक है।

मुख्यमंत्री

मुख्यमंत्री राज्य की कार्यपालिका का वास्तविक अधिकारी होता है।

मुख्यमंत्री की नियुक्ति राज्यपाल द्वारा होती है। साधारणतयः ऐसे व्यक्ति को मुख्यमंत्री नियुक्त किया जाता है जो विधानसभा मैं बहुमत दल का नेता हो।

मुख्यमंत्री मंत्रिपरिषद की बैठकों की अध्यक्षता करता है।

मंत्रिपरिषद के निर्णयों को मुख्यमंत्री राज्यपाल तक पहुंचाता है।

मुख्यमंत्री की सलाह से राज्यपाल अन्य मंत्रियौं की नियुक्ति करता है तथा उन्है। पद एवं गोपनीयता की शपथ दिलाता है।

मंत्रिपरिषद राज्य की विधानसभा के प्रति सामूहिक रुप से उत्तरदायी होगी।

यदि कोई मंत्री 6 मास तक विधानमंडल का सदस्य नहीं है तो उसका अवधि की समाप्ति पर वह मंत्री नहीं रहैगा।

मंत्रियों के वेतन भत्ते आदि का राज्य विधानमंडल विधि द्वारा निर्धारित करेगा।

मुख्यमंत्री का यह कर्तव्य होगा कि वह राज्य के प्रशासनिक कार्य तथा व्यवस्थापनों के संबंध मेँ मंत्रिपरिषद के निर्णयों से राज्यपाल को अवगत कराए।

यदि किसी विषय पर एक मंत्री ने निर्णय दे दिया है, तो राज्यपाल द्वारा अपेक्षा किए जाने पर इसे मंत्रिपरिषद के विचार के लिए रखना चाहिए, अनुच्छेद–167।

महाधिवक्ता

- महाधिवक्ता राज्य का प्रथम विधि अधिकारी होता है।
- उसका पद तथा कार्य भारत के महा न्यायवादी के पद व कार्यों के समतुल्य है।
- उसकी नियुक्ति राज्यपाल द्वारा होती है तथा राज्यपाल के प्रसादपर्यंत अपना पद धारण किया रहता है।
- उसका पारिश्रमिक भी राज्यपाल निर्धारित करता है।
- महाधिवक्ता के पद पर नियुक्त होने के लिए किसी व्यक्ति में उच्च न्यायालय के न्यायाधीश बनने की अर्हता होनी अनिवार्य है।

अध्याय–6

मौलिक अधिकार तथा राज्य के नीति निदेशक तत्व

भारत के नागरिकों के मौलिक अधिकारों से जुड़े तथ्य इस प्रकार हैं:–

1. इसे संयुक्त राज्य अमेरिका के संविधान से लिया गया है.
2. इसका वर्णन संविधान के भाग–3 में (अनुच्छेद 12 से अनुच्छेद 35) हैं।
3. इसमें संशोधन हो सकता है और राष्ट्रीय आपात के दौरान (अनुच्छेद 352) जीवन एवं व्यक्तिगत स्वतंत्रता के अधिकार को छोड़कर अन्य मौलिक अधिकारों को स्थगित किया जा सकता है।
4. मूल संविधान में सात मौलिक अधिकार थे, लेकिन 44वें संविधान संशोधन (1979 ई०) के द्वारा संपत्ति का अधिकार (अनुच्छेद 31 से अनुच्छेद 19) को मौलिक अधिकार की सूची से हटाकर इसे संविधान के अनुच्छेद 300 (a) के अन्तगर्त कानूनी अधिकार के रूप में रखा गया है।

भारतीय नागरिकों को निम्नलिखित मूल अधिकार प्राप्त हैं:–

1. समता या समानता का अधिकार (अनुच्छेद 14 से अनुच्छेद 18)
2. स्वतंत्रता का अधिकार (अनुच्छेद 19 से 22)
3. शोषण के विरुद्ध अधिकार (अनुच्छेद 23 से 24)
4. धार्मिक स्वतंत्रता का अधिकार (अनुच्छेद 25 से 28)
5. संस्कृति और शिक्षा संबंधी अधिकार (अनुच्छेद 29 से 30)
6. संवैधानिक अधिकार (अनुच्छेद 32)

समता या समानता का अधिकार

अनुच्छेद 14– विधि के समक्ष समता– इसका अर्थ यह है कि राज्य सही व्यक्तियों के लिए एक समान कानून बनाएगा तथा उन पर एक समान ढंग से उन्हें लागू करेगा।

अनुच्छेद 15– धर्म, नस्ल, जाति, लिंग या जन्म–स्थान के आधार पर भेद–भाव का निषेद– राज्य के द्वारा धर्म, मूलवंश, जाति, लिंग एवं जन्म–स्थान आदि के आधार पर नागरिकों के प्रति जीवन के किसी भी क्षेत्र में भेदभाव नहीं किया जाएगा।

अनुच्छेद 16– लोक नियोजन के विषय में अवसर की समता– राज्य के अधीन किसी पद पर नियोजन या नियुक्ति से संबंधित विषयों में सभी नागरिकों के लिए अवसर की समानता होगी. अपवाद– अनुसूचित जाति, अनुसूचित जनजाति एवं पिछड़ा वर्ग।

अनुच्छेद 17– अस्पृश्यता का अंत– अस्पृश्यता के उन्मूलन के लिए इससे दंडनीय अपराध घोषित किया गया है।

अनुच्छेद 18– उपाधियों का अंत– सेना या विधा संबंधी सम्मान के सिवाए अन्य कोई भी उपाधि राज्य द्वारा प्रैदान नहीं की जाएगी। भारत का कोई नागरिक किसी अन्य देश से बिना राष्ट्रपति की आज्ञा के कोई उपाधि स्वीकार नहीं कर सकता है।

स्वतंत्रता का अधिकार

अनुच्छेद 19– मूल संविधान में 7 तरह की स्वतंत्रता का उल्लेख था, अब सिर्फ 6 हैं:–

19 (अ) बोलने की स्वतंत्रता।

19 (इ) शांतिपूर्वक बिना हथियारों के एकत्रित होने और सभा करने की स्वतंत्रता.

19 (ब) संघ बनाने की स्वतंत्रता।

19 (क) देश के किसी भी क्षेत्र में आवागमन की स्वतंत्रता।

19 (म) देश के किसी भी क्षेत्र में निवास करने और बसने की स्वतंत्रता. (अपवाद जम्मू–कश्मीर)

19 (फ) संपत्ति का अधिकार।

19 (ह) कोई भी व्यापार एवं जीविका चलाने की स्वतंत्रता।

नोट– प्रेस की स्वतंत्रता का वर्णन अनुच्छेद 19 (a) में ही है।

अनुच्छेद 20– अपराधों के लिए दोष–सिद्धि के संबंध में संरक्षण– इसके तहत तीन प्रकार की स्वतंत्रता का वर्णन है–

(अ) किसी भी व्यक्ति को एक अपराध के लिए सिर्फ एक बार सजा मिलेगी।

(इ) अपराध करने के समय जो कानून है इसी के तहत सजा मिलेगी न कि पहले और और बाद में बनने वाले कानून के तहत।

(ब) किसी भी व्यक्ति को स्वयं के विरुद्ध न्यायालय में गवाही देने के लिय बाध्य नहीं किया जाएगा।

अनुच्छेद 21– प्राण एवं दैहिक स्वतंत्रता का सरंक्षण किसी भी व्यक्ति को विधि द्वारा स्थापित प्रकिया के अतिरिक्त उसके जीवन और वैयक्तिक स्वतंत्रता के अधिकार से वंचित नहीं किया जा सकता है।

अनुच्छेद 21(क) राज्य 6 से 14 वर्ष के आयु के समस्त बच्चों को ऐसे ढंग से जैसा कि राज्य, विधि द्वारा अवधारित करें, निःशुल्क तथा अनिवार्य शिक्षा उपलब्ध कराएगा। (86वां संशोधन 2002 के द्वारा)।

अनुच्छेद 22– कुछ दशाओं में गिरफ्तारी और निरोध में संरक्षण अगर किसी भी व्यक्ति को मनमाने ढंग से हिरासत में ले लिया गया हो, तो उसे तीन प्रकार की स्वतंत्रता प्रदान की गई है–

(1) हिरासत में लेने का कारण बताना होगा।

(2) 24 घंटे के अंदर (आने जाने के समय को छोड़कर) उसे दंडाधिकारी के समक्ष पेश किया जाएगा।

(3) उसे अपने पसंद के वकील से सलाह लेने का अधिकार होगा।

निवारक निरोध– भारतीय संविधान के अनुच्छेद 22 के खंड– 3, 4, 5 तथा 6 में तत्संबंधी प्रावधानों का उल्लेख है। निवारक निरोध कानून के अन्तर्गत किसी व्यक्ति को अपराध करने के पूर्व ही गिरफ्तार किया जाता है. निवारक निरोध का उद्देश्य व्यक्ति को अपराध के लिए दंड देना नहीं, बल्कि उसे अपराध करने से रोकना है. वस्तुतः यह निवारक निरोध राज्य की सुरक्षा, लोक व्यवस्था बनाए रखने या भारत संबंधी कारणों से हो सकता है. जब किसी व्यक्ति निवारक निरोध की किसी विधि के अधीन गिरफ्तार किया जाता है, तबः–

(1) सरकार ऐसे व्यक्ति को केवल 3 महीने तक जेल में रख सकती है. अगर गिरफ्तार व्यक्ति को तीन महीने से अधिक समय के लिए जेल में रखना हो, तो इसके लिए सलाहकार बोर्ड का प्रतिवेदन प्राप्त करना पड़ता है।

(2) इस प्रकार निरुद्ध व्यक्ति को यथाशीघ्र निरोध के आधार पर सूचित किए जाएगा, लेकिन जिन तथ्यों को निरस्त करना लोकहित के विरुद्ध समझा जाएगा उन्है। प्रकट करना आवश्यक नहीं है।

(3) निरुद्ध व्यक्ति को निरोध आदेश के विरुद्ध अभ्यावेदन करने के लिए शीघ्रातिशीघ्र अवसर दिया जाना चाहिए।

निवारक निरोध संबंधी बनाई गई विधियां

1) **निवारक निरोध अधिनियम, 1950–** भारत की संसद ने 26 फरवरी, 1950 को पहला निवारक निरोध अधिनियम पारित किया था. इसका उद्देश्य राष्ट्र विरोधी तत्वों को भारत की प्रतिरक्षा के प्रतिकूल कार्य से रोकना था. इसे 1 अप्रैल, 1951 को समाप्त हो जाना था, किन्तु समय–समय पर इसका जीवनकाल बढ़ाया जाता रहा. अंततः यह 31 दिसंबर, 1971 को समाप्त हुआ।

2) **आंतरिक सुरक्षा व्यवस्था अधिनियम, 1971–** 44वें सवैंधानिक संशोधन (1979) इसके प्रतिकूल था और इस कारण अप्रैल, 1979 में यह समाप्त हो गया।

3) **विदेशी मुद्रा संरक्षण व तस्करी निरोध अधिनियम, 1974–** पहले इसमें तस्करों के लिए नजरबंदी की अवधि 1 वर्ष थी, जिसे 13 जुलाई, 1984 ई० को एक अध्यादेश के द्वारा बढ़ाकर 2 वर्ष कर दिया गया है।

4) **राष्ट्रीय सुरक्षा कानून, 1980–** जम्मू–कश्मीर के अतिरिक्त अन्य सभी राज्यों में लागू किया गया।

5) **आतंकवादी एवं विध्वंसकारी गतिविधियां निरोधक कानून (टाडा)–** निवारक निरोध व्यवस्था के अन्तर्गत अब तक जो कानून बने उन में यह सबसे अधिक प्रभावी और सर्वाधिक कठोर कानून था. 23 मई, 1995 को इसे समाप्त कर दिया गया।

6) **पोटा–** इसे 25 अक्टूबर, 2001 को लागू किया गया. पोटा टाडा का ही एक रूप है. इसके अन्तर्गत कुल 23 आंतकवादी गुटों को प्रतिबंधित किया गया है. आंतकवादी

और आंतकवादियों से संबंधित सूचना को छिपाने वालों को भी दंडित करने का प्रावधान किया गया है। पुलिस शक के आधार पर किसी को भी गिरफ्तार कर सकती है, किन्तु बिना आरोप–पत्र के तीन महीने से अधिक हिरासत में नहीं रख सकती। पोटा के तहत गिरफ्तार व्यक्ति हाईकोर्ट या सुप्रीम कोर्ट में अपील कर सकता है, लेकिन यह अपील भी गिरफ्तारी के तीन महीने बाद ही हो सकती है, 21 सितम्बर, 2004 को इसे अध्यादेश के द्वारा समाप्त कर दिया गया दिया गया।

शोषण के विरुद्ध अधिकार

अनुच्छेद 23– मानव के दुर्व्यापार और बलात श्रम का प्रतिषेध इसके द्वारा किसी व्यक्ति की खरीद–बिक्री, बेगारी तथा इसी प्रकार का अन्य जबरदस्ती लिया हुआ श्रम निषिद्ध ठहराया गया है, जिसका उल्लंघन विधि के अनुसार दंडनीय अपराध है।

नोट– जरूरत पड़ने पर राष्ट्रीय सेवा करने के लिए बाध्य किया जा सकता है।

अनुच्छेद 24– बालकों के नियोजन का प्रतिषेध 14 वर्ष से कम आयु वाले किसी बच्चे को कारखानों, खानों या अन्य किसी जोखिम भरे काम पर नियुक्त नहीं किया जा सकता है।

धार्मिक स्वतंत्रता का अधिकार

अनुच्छेद 25– अंत करण की और धर्म को अबाध रूप से मानने, आचरण और प्रचार करने की स्वतंत्रता कोई भी व्यक्ति किसी भी धर्म को मान सकता है और उसका प्रचार–प्रसार कर सकता है।

अनुच्छेद 26– धार्मिक कार्यों के प्रबंध की स्वतंत्रता व्यक्ति को अपने धर्म के लिए संथाओं की स्थापना व पोषण करने, विधि–सम्मत सम्पत्ति के अर्जन, स्वामित्व व प्रशासन का अधिकार है.

अनुच्छेद 27– राज्य किसी भी व्यक्ति को ऐसे कर देने के लिए बाध्य नहीं कर सकता है, जिसकी आय किसी विशेष धर्म अथवा धार्मिक संप्रदाय की उन्नति या पोषण में व्यय करने के लिए विशेष रूप से निश्चित कर दी गई है।

अनुच्छेद 28– राज्य विधि से पूर्णतः पोषित किसी शिक्षा संस्था में धार्मिक शिक्षा नहीं दी जाएगी. ऐसे शिक्षण संस्थान अपने विद्यार्थियों को किसी धार्मिक अनुष्ठान में भाग लेने या किसी धर्मोपदेश को बलात सुनने हेतु बाध्य नहीं कर सकते।

संस्कृति एवं शिक्षा संबंधित अधिकार

अनुच्छेद 29– अल्पसंख्यक हितों का संरक्षण कोई अल्पसंख्यक वर्ग अपनी भाषा, लिपि और संस्कृति को सुरक्षित रख सकता है और केवल भाषा, जाति, धर्म और संस्कृति के आधार पर उसे किसी भी सरकारी शैक्षिक संस्था में प्रवेश से नहीं रोका जाएगा।

अनुच्छेद 30– शिक्षा संस्थाओं की स्थापना और प्रशासन करने का अल्पसंख्यक वर्गों का अधिकार कोई भी अल्पसंख्यक वर्ग अपनी पसंद की शैक्षणिक संस्था चला सकता है और सरकार उसे अनुदान देने में किसी भी तरह का भेदभाव नहीं करेगी।

संवैधानिक उपचारों का अधिकार

संवैधानिक उपचारों का अधिकार को डॉ. भीमराव अंबेडकर ने संविधान की आत्मा कहा है।

अनुच्छेद 32– इसके तहत मौलिक अधिकारों को प्रवर्तित कराने के लिए समुचित कार्यवाहियों द्वारा उच्चतम न्यायालय में आवेदन करने का अधिकार प्रदान किया गया है. इस सन्दर्भ में सर्वोच्च न्यायालय को पांच तरह के रिट निकालने की शक्ति प्रदान की गई हैं जो निम्न हैं:–

- बंदी प्रत्यक्षीकरण
- परमादेश

- प्रतिषेध लेख
- उत्प्रेषण
- अधिकार पृच्छा लेख

(1) **बंदी प्रत्यक्षीकरण–** यह उस व्यति की प्रार्थना पर जारी किया जाता है जो यह समझता है कि उसे अवैध रूप से बंदी बनाया गया है।

इसके द्वारा न्यायालय बंदीकरण करने वाले अधिकारी को आदेश देता है कि वह बंदी बनाए गए व्यक्ति को निश्चित स्थान और निश्चित समय के अंदर उपस्थित करे जिससे न्यायालय बंदी बनाए जाने के कारणों पर विचार कर सके।

(2) **परमादेश–** परमादेश का लेख उस समय जारी किया जाता है, जब कोई पदाधिकारी अपने सार्वजनिक कर्तव्य का निर्वाह नहीं करता है।

इस प्रकार के आज्ञापत्र के आधार पर पदाधिकारी को उसके कर्तव्य का पालन करने का आदेश जारी किया जाता है।

(3) **प्रतिषेध लेख–** यह आज्ञापत्र सर्वोच्च न्यायालय तथा उच्च न्यायालय द्वारा निम्न न्यायालयों तथा अर्द्ध न्यायिक न्यायाधिकरणों को जारी करते हुए आदेश दिया जाता है कि इस मामले में अपने यहां कार्यवाही न करें क्यूंकि यह मामला उनके अधिकार क्षेत्र के बाहर है।

(4) **उत्प्रेषण–** इसके दवरा अधीनस्थ न्यायालयों को यह निर्देश दिया जाता है कि वे अपने पास लंबित मुकदमों के न्याय निर्णयन के लिए उससे वरिष्ठ न्यायालय को भेजें।

(5) **अधिकार पृच्छा लेख–** जब कोई व्यक्ति ऐसे पदाधिकारी के रूप में कार्य करने लगता है जिसके रूप में कार्य करने का उससे वैधानिक रूप से अधिकार नहीं है।

न्यायालय अधिकार–पृच्छा के आदेश के द्वारा उस व्यक्ति से पूछता है कि वह किस अधिकार से कार्य कर रहा है और जब तक वह इस बात का संतोषजनक उत्तर नहीं देता वह कार्य नहीं कर सकता है।

मौलिक अधिकार में संशोधन

1. गोलकनाथ बनाम पंजाब राज्य (1976) के निर्णय से पूर्व दिए गए निर्णय में यह निर्धारित किया गया था कि संविधान के किसी भी भाग में संशोधन किया जा सकता है, जिसमें अनुच्छेद 368 और मूल अधिकार को शामिल किया गया था।
2. सर्वोच्च न्यायालय ने गोलकनाथ बनाम पंजाब राज्यवाद (1967) के निर्णय में अनुच्छेद 368 में निर्धारित प्रक्रिया के माध्यम से मूल अधिकारों में संशोधन पर रोक लगा दी. यानी कि संसद मूल अधिकारों में संशोधन नहीं कर सकती है।
3. 24वें संविधान संशोधन (1971) द्वारा अनुच्छेद 13 और 368 में संशोधन किया गया तथा यह निर्धारित किया गया की अनुच्छेद 368 में दी गई प्रक्रिया द्वारा मूल अधिकारों में संशोधन किया जा सकता है।
4. केशवानंद भारती बनाम केरल राज्यवाद के निर्णय में इस प्रकार के संशोधन को विधि मान्यता प्रदान की गई यानी कि गोलकनाथ बनाम पंजाब राज्य के निर्णय को निरस्त कर दिया गया।
5. 42वें संविधान संशोधन द्वारा अनुच्छेद 368 में खंड 4 और 5 जोड़े गए तथा यह व्यवस्था की गई कि इस प्रकार किए गए संशोधन को किसी न्यायालय में प्रश्नगत नहीं किया जा सकता है।

6. मिनर्वा मिल्स बनाम भारत संघ (1980) के निर्णय के द्वारा यह निर्धारित किया गया कि संविधान के आधारभूत लक्षणों की रक्षा करने का अधिकार न्यायालय को है और न्यायालय इस आधार पर किसी भी संशोधन का पुनरावलोकन कर सकता है। इसके द्वार 42वें संविधान संशोधन द्वारा की गई व्यवस्था को भी समाप्त कर दिया गया।

राज्य के नीति निदेशक तत्व

सामान्य परिचय

अनुच्छेद 36 से 51 तक राज्य के नीति–निदेशक तत्वों से संबंधित प्रावधान हैं ये अनुच्छेद मिलकर भाग 5 निर्मित करते हैं। संविधान की इस नवीन विशेषता को आयरलैंड के संविधान से लिया गया है।

कल्याणकारी राज्य की बढ़ती हुई स्वीकृति के साथ–साथ नीति निदेशक सिद्धांतों की संकल्पना सारे विश्व के संवैधानिक प्रशासन मैं नवीनतम विकास है।

यदि राज्य इन्है। लागू नहीं करता है, तो कोई व्यक्ति इसके लिए न्यायालय नहीँ जा सकता है।

राज्य के नीति–निदेशक तत्वों को न्यायालय द्वारा अप्रवर्तनीय बनाने का उद्देश्य यही है कि इन्हें लागू करने के लिए राज्य के पास संसाधन हो भी सकते है। और नहीं भी।

नीति निदेशक तत्वों का क्रियान्वयन

- पहला ही संशोधन अधिनियम भूमि सुधारों के क्रियान्वयन के लिए था।
- 4 था, 17वां, 25वां, 42वां तथा 44वें संशोधन अधिनियमों में इसी का अनुगमन किया गया।
- 73वाँ संविधान संशोधन अधिनियम (1992), अनुच्छेद 40 (ग्राम पंचायत) के क्रियान्वयन की दिशा में एक कदम था।

ताज महल जैसे ऐतिहासिक स्मारकों के संरक्षण का कार्य भारतीय पुरातत्व सर्वेक्षण को दिया गया है, जो अनुच्छेद 49 के प्रावधान का अनुपालन है।

भारतीय पुरातत्व सर्वेक्षण ने 1992 के उत्तरार्ध में पुरी मंदिर के क्षय से संरक्षण का कार्य हाथ में लिया।

अनेक योजनायें, जैसे–एकीकृत बाल विकास सेवाएं, मध्यान भोजन योजना तथा मादक पेयों के प्रतिषेध हेतु कुछ राज्यों की नीति (यथा–1993 मैं आंध्र प्रदेश) अनुच्छेद–47 का ही अनुसरण है।

हरित क्रांति तथा जैव–प्रौद्योगिकी मैं शोध का एक लक्ष्य कृषि व पशुपालन का आधुनिकीकरण भी है, जो कि अनुच्छेद 48 का अनुसरण है।

पर्यावरण संरक्षण अधिनियम–1986, वन्य–जीवन अधिनियम, राष्ट्रीय वन नीति–1988 आदि कुछ ऐसे कदम हैं, जो अनुच्छेद 48 (क) के क्रियान्वयन की दिशा में लिए गए हैं।

1995 में केंद्र सरकार ने राष्ट्रीय पर्यावरणमौलिक अधिकार तथा राज्य के नीति निदेशक तत्व न्यायाधिकरण की स्थापना की।

जिला स्तर पर कुछ न्यायिक शक्तियों से कार्यपालिका के कार्य को संपन्न करने के लिए आपराधिक प्रक्रिया संहिता मे किया गया संशोधन अनुच्छेद 50 का अनुसरण है।

अंतर्राष्ट्रीय शांति को सुनिश्चित करने के लिए भारत ने अनेक प्रयास किये है।, यथा–संयुक्त राष्ट्र की शांति स्थापना की कार्यवाहियों मैं भाग लेना (सोमालिया, सिएरा लियोन आदि), गुट निरपेक्ष आंदोलन का प्रारंभ व नेतृत्व करना इत्यादि।

निदेशक तत्वों का महत्व

अनुच्छेद 37 घोषित करता है कि नीति निदेशक तत्व देश के शासन में मूलभूत है।

चूँकि सरकार जनता के प्रति उत्तरदायी है, नीति–निदेशक तत्व सभी आगामी सरकारों के लिए मार्गदर्शक के रुप में कार्य करते हैं।

नीति निदेशक तत्व इन सरकारों की सफलता–विफलता का आकलन करने के लिए मानदंड प्रस्तुत करते हैं।

निदेशक तत्वों की उपलब्धियां

कर्मकारों के लिए कार्यस्थल पर मानवोचित दशाओं को बनाने के लिए कारखानों से संबंधित अनेक कानून है।, अनुच्छेद 42।

कुटीर उद्योगों का संवर्धन सरकार की आर्थिक नीतियों के प्रमुख पक्ष रहा है और इस उद्देश्य के लिए खादी व ग्रामोद्योग आयोग भी है। इसके अतिरिक्त सिल्क बोर्ड, हथकरघा बोर्ड और नाबार्ड आदि का भी सृजन किया गया है।

शिक्षा, प्रशासन तथा अर्थव्यवस्था में महिलाओं, अनुसूचित जाति, और अनुसूचित जनजातियों व अन्य पिछड़े वर्गो सहित कमजोर वर्गो को प्राथमिकता पूर्ण व्यवहार सरकार की कल्याणकारी नीति का समय एक भाग रहा है।

इसमें नवीनतम है – मंडल आयोग की रिपोर्ट का क्रियान्वयन, जिसके लिए 1992 में सर्वोच्च न्यायालय ने न्यायिक अनापत्ति प्रदान की–अनुच्छेद 46।

निदेशक तत्वों की विफलताएं

1990 में काम के अधिकार–अनुच्छेद 41, को मौलिक अधिकार बनाने के लिए विधेयक प्रस्तुत किया गया, लेकिन तत्कालीन सरकार चल नही पाई और विधेयक पारित नहीं हो सका।

देश में समान नागरिक संहिता–अनुच्छेद 44, के एक संवेदनशील विषय होने के कारण सरकार की यह स्थिति है कि जब तक विभिन्न संप्रदाय वर्ग आगे नहीं आते और स्वयं समान नागरिक संहिता के क्रियान्वयन को नहीं चाहते, तब तक इसे लागू करना वांछनीय नहीं है।

1995 में सर्वोच्च यायालय ने या निर्धारित किया कि समान नागरिक संहिता का क्रियान्वयन निश्चित रुप से किया जाना है। उसने समान नागरिक संहिता के क्रियान्वयन के लिए हुई प्रगति पर केंद्र सरकार से रिपोर्ट देने को कहा।

मौलिक अधिकार व निदेशक तत्वों में अंतर

मौलिक अधिकार भारत के राजनीतिक प्रजातंत्र को आधार प्रदान करते हैं, जबकि नीति–निदेशक तत्व भारत के सामाजिक व आर्थिक प्रजातंत्र को।

मौलिक अधिकार राज्य के निषेधात्मक कर्तव्य के रुप में है, अर्थात राज्य की निरंकुश कार्यवाहियों पर प्रतिबंध है। इसके विपरीत नीति–निदेशक सिद्धांत नागरिकों के प्रति राज्य के सकारात्मक कर्तव्य हैं।

जहाँ मौलिक अधिकार न्यायालय द्वारा प्रवर्तनीय हैं, वही नीति–निदेशक सिद्धांत न्यायालय द्वारा अप्रवर्तनीय है।

उत्तरोत्तर जोड़े गए निदेशक सिद्धांत

42वां संशोधन अधिनियम, 1976

- नयाय के लिए समान अवसर तथा निःशुल्क विधिक सहायता।
- पर्यावरण, वन तथा वन्य–जीवन का संरक्षण।
- उद्योग के प्रबंध मैं कर्मकारों के भाग लेने का अधिकार।
- शोषण के विरुद्ध बच्चों के संरक्षण तथा स्वतंत्र व गरिमामय वातावरण में उनके स्वस्थ विकास के अवसर प्रदान करना।

44वां संशोधन अधिनियम, 1978

राज्य व्यक्तियों तथा समूहों के बीच आय, प्रतिष्ठा सुविधाओं और अवसरों की असमानता को कम करने का प्रयास करेंगा।

स्मरणीय तथ्य

चम्पकम बनाम देसाई राजन 1951, कुरैशी बनाम बिहार राज्य बनाम कामेश्वर सिंह केशवानंद भारती केस 1973 केरल एजुकेशन दिलशाद आदि मुकदमों में नीति–निदेशक तत्वों की तुलना में मौलिक अधिकारों को वरीयता दी गई। इन मुकदमौं मैं सर्वोच्च न्यायालय का निष्कर्ष था कि मूल अधिकार किसी भी विधायी या कार्यपालिकीय आदेश से कम नहीं किए जा सकते।

42वें संविधान–संशोधन अधिनियम द्वारा यह स्पष्ट कर दिया गया कि राज्य के नीति–निदेशक तत्वों को मौलिक अधिकारो की तुलना मैं वरीयता दी जाएगी।

मिनर्वा मिल बनाम भारत सरकार–1980, के वाद में सर्वोच्च न्यायालय ने 42वें संशोधन के उक्त प्रावधान को अवैध घोषित कर दिया। इस वाद के निर्णय मैं न्यायालय ने दोनों के विषय मैं संतुलित एवं स्वस्थ दृष्टिकोण अपनाने की सलाह दी।

तेज बहादुर सप्रू समिति भारतीय संविधान निर्माण के संबंध में विचार करने वाली पहली ऐसी समिति थी, जिसने आयरलैंड के अनुकरण पर न्याय योग्य अधिकार तथा न्याय योग्य होने वाले अधिकार होने वाले अधिकार पर विचार व्यक्त किए गए थे।

जहां मौलिक अधिकारों के द्वारा राजनीतिक लोकतंत्र की स्थापना की गई है, वहां नीति–निदेशक सिद्धांतों द्वारा आर्थिक लोकतंत्र की स्थापना की गई है। मौलिक अधिकारों का कानूनी महत्व है, जबकि निदेशक सिद्धांत नैतिक आदेश मात्र है।

संविधान संशोधन 24वीं, 25वीं, 29वीं, 34वां और 42वां द्वारा निदेशक सिद्धांतों को मौलिक अधिकारों पर प्राथमिकता और वरीयता की स्थिति प्रदान की गयी, लेकिन इन संवैधानिक संशोधन के द्वारा भी निदेशक तत्वों को न्याय योग्य स्थिति प्रदान नहीं की गयी।

अनुच्छेद 38 देश की अर्थव्यवस्था का स्वरुप निर्धारित करता है, जिसमें आर्थिक असमानता न्यूनतम करने शोषण से मुक्ति आदि जैसे प्रावधान है। परन्तु इस दिशा में अभी बहुत उल्लेखनीय प्रगति नहीं हुई है।

अनुच्छेद 44, पूरे देश में एक समान नागरिक व्यव्हार संहिता तैयार करने की बात करता है पर अभी मुसलमानों के लिए पृथक उत्तराधिकार, विवाह, तलाक और अभिभावक संबंधी कानून है।

अनुच्छेद 45 में देश में निरक्षरता उन्मूलन के लिए अवस्था की गई थी, कि 10 वर्षों के भीतर 14 वर्ष की आयु तक अनिवार्य एवं निःशुल्क शिक्षा की व्यवस्था की जाएगी पर, 42 वर्षों के बाद भी बहुत बड़ी आबादी निरक्षर है।

राज्य के नीति–निदेशक तत्वों का उद्देश्य आर्थिक स्वतंत्रता प्राप्त कर आर्थिक लोकतंत्र की स्थापना करना है।

भारतीय संविधान में नीति–निदेशक तत्व समाजवादी व्यवस्था स्थापित करने की प्रेरणा देते है।

नीति–निदेशक तत्व भारतीय संविधान के निर्माताओं के मस्तिष्क और उद्देश्यों का प्रतिनिधित्व करते है।

अनुच्छेद 42, नागरिकों के नैतिक विकास के लिए मादक वस्तुओं के प्रयोग पर प्रतिबंध लगाने का निर्देश देता है, पर इस विषय में सरकार का पक्ष बहुत ही अशोभनीय रहा है।

अनुच्छेद 51 में कहा गया है कि राज्य लोक सेवाओं में न्यायपालिका के बीच पूर्ण पृथक्करण करेगा यह अब तक संभव नहीं हो सका है। आज भी विभिन्न राज्यों में कार्यकारिणी के पदाधिकारी न्याय संबंधी कार्य संपादित करते है।

अध्याय–7

भारत में चुनावी राजनीति

समकालीन भारत की राजनीति में जाति की भूमिका

समकालीन भारत की राजनीति में जाति की महत्वपूर्ण भूमिका रही है। मौरिस जोन्स का कथन सत्य है कि "जातियों की राजनीति अधिक महत्वपूर्ण है तथा राजनीति में जातियां पहले की अपेक्षा कहीं अधिक महत्वपूर्ण है।" स्वतंत्र भारत में चुनाव आदि सभी राजनीतिक गतिविधियों में जाति का प्रभाव बढ़ रहा है। भारत की राजनीति में जाति की भूमिका की चर्चा निम्नलिखित भागों में की जा सकती है–

1 **चुनाव में उम्मीदवारों का चयन–** 1952 के आम चुनाव से लेकर वर्तमान लोकसभा के चुनाव तथा राज्यों की विध ानसभा चुनावों में सभी राजनीतिक दल उसी जाति के उम्मीदवार को चुनाव के लिए टिकट देते है। जिस जाति का उस चुनाव क्षेत्र में बहुमत है।

2 **चुनाव प्रचार** – भारत में स्थानीय चुनावों से लेकर लोकसभा के चुनाव तक चुनाव–प्रचार में जाति का सहारा लिया जाता है–प्रथम, उनसे चन्दा लेकर और दूसरे, चुनाव में समर्थन लेकर।

3 **मतदान व्यवहार** – भारत में मतदाता अपने जाति के

उम्मीदवार को मत तो देते ही हैं।, अन्य जाति के लोगों को भी ऐसा करने को बाध्य करते हैं।

4. **मन्त्रि–परिषद का गठन–** कुछ राज्यों में विशेष जाति के व्यक्ति को ही मुख्यमंत्री बनाया जाता है। मंत्री – परिषद में जाति के आधार पर प्रतिनिधित्व दिया जाता है।

5. **निर्णय प्रक्रिया में जाति की भूमिका–** भारत में जाति राजनीति और प्रशासनिक निर्णय प्रक्रिया को भी प्रभावित करती है। उदाहरण के लिए, अनुसूचित जातियों और जन–जातियों के लिए आरक्षण की व्यवस्था पहले दस वर्ष के लिए की गई थी। परन्तु लगातार 10–10 वर्ष बाद बढ़ाकर अब यह 2010 ईस्वी तक के लिए कर दी गई तथा फिर आगे के लिए भी इसे बढ़ा दिया गया है।

6. **पंचायती राज और जातिवाद** – समकालीन भारत में पंचायती राज–व्यवस्था में जाति की भूमिका का नकारात्मक स्वरूप बहुत ही घिनौना है। पंचायती राज–व्यवस्था के तीन संगठनों–ग्राम पंचायत सीमित तथा जिला–परिषद में चुनाव की व्यवस्था है। इनमें चुनाव का आधार जाति –व्यवस्था है। इन सभी चुनावों में पंचायत के सदस्यों पर अनुचित प्रभाव डालकर अपनी जाति के उम्मीदवार का समर्थन करने के लिए बाध्य किया जाता है।

7. **जातिवाद नेतृत्व में वृद्धि** – वर्तमान समय में भारतीय लोकतंत्र में जातिवाद के कारण जाति आधारित नेतृत्व में वृद्धि हो रही है। शिक्षा प्रसार के कारण अनुसूचित जातियों, अनुसूचित जनजातियों और पिछड़े, वर्गों में नया नेतृत्व पैदा हो रहा है। इससे नये दल भी गठित हो रहे है।, चुनाव प्रक्रिया भी दूषित हो रही है और जातिवाद तनाव भी बढ़ रहा है।

जनमत निर्माण

चुनाव और उनके परिणामों को सामान्यत नए लोकतांत्रिक अनुभव के रूप में देखा जाता है, परन्तु गत वर्षों में इस व्यवस्था की अनेक कमियां भी उजागर हुई है। ये कमियां हैं। निष्पक्ष व स्वतंत्र चुनाव करवाने में कठिनाईयां, उनकी विश्वसनीयता के प्रति आंशकाएं एवं चुनावी व्यवस्था तथा कार्यविधि से समाहित विसंगतिया। इस प्रकार यह तथ्य महत्वपूर्ण है कि लोकतांत्रिक व्यवस्था को मजबूत करने के लिए चुनाव व्यवस्था में सुधार लाए जाए। वर्तमान में चुनाव व्यवस्था में सुधार का प्रश्न सभी राजनेताओं, मीडिया, नागरिक, राजनीतिक पर्यवेक्षकों और सबसे अधिक, चुनाव करवाने वालों के लिए चिंतन का विषय बना हुआ है। इस संदर्भ में सबसे पहले हम यह जानेंगे कि इस व्यवस्था के समक्ष कौन–सी कमियां और समस्या है।

1. व्यवस्था की त्रुटियां

1. **दलों एवं प्रत्याशियों का बाहुल्य**–राजनीतिक दलों को नियमित करने हेतु कोई कानून नहीं है। बहुल व्यवस्था में कोई भी दल जिसका सीमित भौगोलिक क्षेत्र में प्रभाव है कुछ सीट जीतने की संभावना रखता है। इसका परिणाम यह है कि देश राजनीतिक दलों की लगातार बढ़ती हुई संख्या की समस्या से जूझ रहा है। यह अनुमान है कि देश में 700 से ज्यादा राजनीतिक दल है। दलों की बहुतायत न सिर्फ मतदाताओं में भ्रम पैदा करती है बल्कि चुनाव में उम्मीदवारों की अत्यधिक संख्या प्रशासनिक समस्याएं भी उत्पन्न करती है। स्वतंत्र उम्मीदवारों की भी बड़ी संख्या ऐसी समस्या में और अधिक बाधा उत्पन्न करती है, क्योंकि उनके नामंकन एवं चुनाव में उतरने पर कोई नहीं है। ऐसे सिद्धान्त विहीन, व्यक्ति–आधारित दल एवं स्वतंत्र उम्मीदवार चुनाव के बाद के परिदृश्य में अवसरवादी गठबंधन एवं अस्थिर सरकार की समस्या उत्पन्न करते हैं।

2 **अप्रतिनिध्यात्मक** – भारतीय निर्वाचन व्यवस्था में एक मुख्य कमी है कि बहुल मतदान या 'फास्ट पास्ट दी पोस्ट' व्यवस्था में प्राप्त मतों की संख्या तथा जीती गई सीटों की संख्या में कोई प्रत्यक्ष सम्बन्ध नहीं है। अधिकतर चुनावी परिणाम यह दर्शाते हैं। कि चुनाव में वोट का प्रतिशत एवं जीती गई सीटों की संख्या से असंतुलन होता है। यह भी देखा गया है कि किसी भी लोक सभा के चुनाव में सत्ता प्राप्त करने वाले दल या गठबंधन को 50 प्रतिशत मत भी प्राप्त नहीं होते। एक पर्यवेक्षक ने यह भी दर्शाया है कि कुल मतदान 60 प्रतिशत से अधिक नहीं होता। सामान्यतः कोई भी दल जो 30 से 35 प्रतिशत तक मत प्राप्त कर लेता है उसे सरकार बनाने का अवसर मिल जाता है। दूसरे शब्दों में कुल मतदाताओं में 18 से 21 प्रतिशत मतदाताओं के समर्थन के आधार पर ही सरकार का गठन हो जाता है। प्रारम्भिक वर्षों के दौरान विरोधी दल लोकमत के एक बड़े भाग का प्रतिनिधित्व करते थे, परन्तु विधायिकाओं के संगठन में एक दल की प्रधानता थी।

छोटे–छोटे अनेक दल अल्प प्रतिनिधित्व की स्थिति में रहते हैं। इसी कारण विभिन्न सामाजिक समूह अपनी संख्या के अनुपात में समुचित प्रतिनिधित्व प्राप्त नहीं कर पाते। इस तथ्य का दूसरा पहलू यह है कि किसी न किसी प्रत्याशी को चुनाव में विजयी होना ही है। इसलिए राजनैतिक दल प्रत्याशियों को निर्धारित करते समय धर्म, जाति आदि प्रभावों से अछूते नहीं रहते। फलस्वरूप, प्रत्याशियों के चयन मे प्रतिभा पिछड़ कर रह जाती है।

3. **बढ़ते खर्च एवं धन का प्रभाव** – भारत में चुनाव लड़ने वाले तथा इसे सम्पन्न कराने वाले, दोनों के लिए यह एक खर्चीली व्यवस्था है। बड़े–बड़े संख्या, राजनीतिक दल एवं

उम्मीदवारों को व्यवहार एवं अन्य ऐसे तत्व चुनाव को शांतिपूर्ण एवं व्यवस्थित ढंग से कराने में राज्य के ऊपर खर्चे का बड़ा बोझ डाल देते हैं। अस्थिर सरकारों के कारण लोक सभा के चुनाव 5 वर्षों में एक बार ही सीमित नहीं रहे हैं। इसी प्रकार राज्यों के विधान सभा चुनावों में भी भारी खर्च के किए जाते हैं।

4. **राजनीतिक का अपराधीकरण** – चुनाव में बाहुबल की शक्ति के प्रयोग का सबसे महत्वपूर्ण परिणाम यह हुआ है, कि स्थानीय बाहुबली एवं अपरापधी जिनकी सेवाएं पहले उगाही के लिए या जुटाने के लिए ली जाती थीं, अब वो चुनाव में सीधे हिस्सा लेने लगे हैं। एवं प्रक्रिया में चुने भी जाते हैं। पूर्व निर्वाचन आयुक्त जी.वी.जी. कृष्णामूर्ति ने 1996 के लोक सभा चुनाव का एक नमूना उदाहरण के तौर पर 1997 में जारी किया जा राजनीति के अपराधीकरण को दर्शाता है। उन्होंने यह पाया कि लोक सभा के 13,952 उम्मीदवारों में से लगभग 1,500 उम्मीदवारों की आपराधिक पृष्ठभूमि रही है। उनकी आपराधिक गतिविधियों में हत्या, डकैती, बालात्कार, गबन एवं जबरन वसूली के मामले सम्मिलित थे। उन्होंने यह भी दर्शाया कि ऐसे कम से कम 40 उम्मीदवारों ने चुनाव जीत भी लिया।

यहां यह जानना आवश्यक है कि जन प्रतिनिधित्व कानून 1951 की धारा (क) के अनुसार जिस किसी भी व्यक्ति को कुछ विशेष मामलों में दोषी करार दिया गया हो तो वह उम्मीदवार नहीं बन सकता, परन्तु जो दोषी करार नहीं दिए गए हैं। उन पर ऐसा कोई प्रतिबंध नहीं है। इसलिए ऐसे व्यक्ति जिनके विरूद्ध मामले दर्ज तो है।, परन्तु उन्हें। दोषी करार नहीं दिया गया है, वे चुनाव लड़ सकते हैं। ऐसे व्यक्तियों का राजनीति में महत्वपूर्ण हो

जाना प्रशासन एव सामान्य व्यक्ति के जीवन तथा सम्पत्ति को खतरा उत्पन्न करता है।

जाति व्यवस्था को भड़काना एवं सांप्रदायिक पूर्वाग्रह

हमारी चुनावी व्यवस्था में एक अन्य प्रमुख बुराई जाति एवं संप्रदाय जैसे कारकों का बढ़ता प्रयोग है। चुनाव के समय जाति एवं संप्रदाय के पूर्वाग्रह का प्रयोग कोई नई बात नहीं है, तथा यह सिर्फ चुनाव तक सीमित भी नहीं है। परन्तु हाल के वर्षों मे इसमें बढोत्तरी हुई है। सभी राजनीतिक दल उम्मीदवारों के चयन के समय गुणों के बजाय जाति एवं संप्रदाय जैसे तत्वों पर ध्यान देते हैं। उन प्रतिनिधित्व कानून की धारा 123 (3) (क) धर्म के नाम पर वोट मांगने वाले उम्मीदवार पर प्रतिबंध लगाता है। परन्तु वास्तव में उम्मीदवार न सिर्फ जाति एवं धर्म के नाम पर वोट मांगते हैं। बल्कि इस आधार पर राजनीतिक दलों का गठन भी हो चुके हैं। ऐसी परिस्थिति मे वोट एक सूत्र में बांधन वाला, समता स्थापित करने वाला हथियार न बनकर एक विनाशकारी शक्ति के रूप में उभरा है। यहां यह कहना यथेष्ट है कि जाति एवं संप्रदाय की भावनाओं को भड़काना प्रजातंत्र की भावना के विरूद्ध है।

सुधारों की आवश्यकता

पर्यवेक्षकों और लोकतंत्र में रूचि रखने वाले व्यक्तियों का यह दृढ़ विचार है कि लोकतंत्र को सशक्त करने के लिए चुनावी प्रक्रिया में लोगों की बढ़ती उदासीनता को रोकने तथा चुनाव को सार्थक बनाने के लिए चुनावों में सुधार की नितांत आवश्यकता है। वास्तव में प्रथम आम चुनाव के समय से ही चुनाव में सुधार की आवश्यकता वाद–विवाद का विषय रहा है। चुनाव आयोग की सभी रिपोर्टो मे सुधार के प्रस्ताव शामिल रहे हैं। कुछ सुधार लागू भी हो चुके हैं, परन्तु ये यथेष्ट नहीं है। यह अनुभव किया जा रहा है कि इसे प्रभावशाली बनाने के लिए सभी स्तरों पर सुधार की आवश्यकता है। अस्थायी या छोटे–छोटे सुधारों में इस समस्या का समाधान नहीं हो सकता।

चुनाव सुधार का इतिहास

प्रत्येक आम चुनाव के पश्चात् आयोग द्वारा जारी रिपोर्ट के माध्यम से चुनावी प्रक्रिया में सुधारों की आवश्यकता पर बल दिया जा रहा था। 1967 के चौथे आम चुनाव के बाद चुनाव व्यवस्था की अनेक कमियां उभर कर सामने आने लगी।

जहां एक और चुनावों के कारण मतदाताओं में परिक्वता आई है, प्रभावशाली राजनीतिक दलों का उदय हुआ है, उम्मीदवारों एवं नागरिकों में अपने अधिकारों के प्रति सजगता आई है, सामाजिक एवं आर्थिक व्यवस्था में उचित परिवर्तन आया है, वहीं राजनीतिज्ञों का एक नया वर्ग उभरा है जिनके कारण नैतिक मूल्यों तथा राजनीतिक संस्थाओं का हास हुआ है। ये तथ्य विचलित करने वाले हैं। इस पृष्ठभूमि में चुनावों में सुधार के विषय ने राष्ट्रीय कार्य सूची में महत्वपूर्ण स्थान बना लिया है।

1970 में निर्वाचन आयोग ने विधि मंत्रालय को चुनाव सुधार से सम्बन्धित एक विधेयक का प्रस्ताव भेजा। उसके बाद केन्द्र सरकार ने जन प्रतिनिधित्व कानून 1950 एवं 1951 में संशोधन के लिए विधेयक तैयार किया।

इस लोक सभा में दिसंबर 1973 में पेश किया गया। जनवरी 1977 में लोक सभा भंग होने के साथ ही यह स्वंयमेव समाप्त हो गया। यह ध्यान देने योग्य है कि इस विधेयक में निर्वाचन आयोग द्वारा सुझाए गए महत्वपूर्ण सुधार प्रस्तावों को सम्मिलित नहीं किया गया था। नवम्बर 1983 में निर्वाचन आयोग के साथ राजनीतिक दलों के प्रतिनिधियों की बैठक हुई जिसमें कुछ मुद्दों पर आम सहमति बनी। इनमें से कुछ महत्वपूर्ण विषय इस प्रकार है।–

1. एक से अधिक चुनाव क्षेत्रों से चुनाव लड़के पर रोक।
2. चुनाव लड़ने वाले उम्मीदवारों की न्यूनतम आयु सीमा को घटाना।

3. राजनीतिक दलों का अनिवार्य पंजीकरण तथा बही–खातों को नियमित रखना।
4. सुरक्षा राशि की बचत के लिए चुनाव में न्यूनतम मतों की संख्या में वृद्धि।
5. वर्तमान चुनावी व्यवस्था को बहुमतीय सूची व्यवस्था में परिवर्तित करना।
6. चुनाव खर्चो का सरकार द्वारा वहन किया जाना।
7. आरक्षित सीटों का चक्रीय परिवर्तन।
8. निर्वाचन आयोग द्वारा भ्रष्ट आचरण के आधार पर किसी भी व्यक्ति को चुनाव में उम्मीदवार बनने से रोक लगाने की शक्ति।
9. चुनाव पर्यवेक्षकों की सिफारिशों के आधार पर चुनाव आयोग द्वारा चुनाव को रोकने की शक्ति।
10. वैधानिक आचार सहिता।
11. मुख्य निर्वाचन आयुक्त एवं अन्य निर्वाचन आयुक्तों की नियुक्ति की प्रक्रिया का निर्धारण।

ये सारे प्रस्ताव कागजी बन कर रह गए। दिसंबर 1988 में निर्वाचन आयोग की सिफारिश पर मतदान केन्द्रों पर कब्जा करने वाले व्यक्ति को सजा देने के लिए कानून में एक महत्वपूर्ण संशोधन किया गया।

चुनाव आयोग को यह शक्ति प्रदान की गई कि निर्वाचन क्षेत्र में विशेष में यदि मतदान केन्द्रों पर कब्जा जैसी घटनाएं व्यापक रूप में घंटे, तो वह चुनाव पर रोक लगा दे। 1988 में मत देने की आयु 21 वर्ष से घटाकर 18 वर्ष कर दी गई।

1996 के सुधार

1989 में राष्ट्रीय मोर्चे की सरकार ने सुधार के लिए एक अन्य

प्रयास किया। 1990 में इस विषय पर आम राय बनाने के लिए विधि एवं न्याय मंत्री दिनेश गोस्वामी की अध्यक्षता में एक सर्वदलीय समिति का गठन किया गया। मई 1990 में इस कमेटी ने लगभग आम राम से अपनी सिफारिशें पेश की। परन्तु राष्ट्रीय मोर्चे की सरकार गिर जाने के कारण इस विषय पर व्यावहारिक स्तर पर कुछ नहीं हुआ। उसके पश्चात् राजनीतिक दल एवं निर्वाचन आयोग इस बारे में अनेक संशोधन किए गए जिनमें से कुछ प्रमुख है–

1. उम्मीदवारों की बहुतायत को रोकने के लिए सामान्य श्रेणी के संसदीय उम्मीदवारों के लिए सुरक्षित जमा राशि 500 से बढ़ाकर 10,000 तथा अनुसूचित जाति एवं अनुसूचित जनजाति के उम्मीदवारों के लिए यह राशि 250 से बढ़ाकर 5,000 कर दी गई। इसी प्रकार राज्य विधान सभा के चुनाव के लिए इसे 250 से 5000 सामान्य श्रेणी के लिए तथा 125 से बढ़ाकर 2500 अनुसूचित जाति एवं अनुसूचित जनजाति के उम्मीद्वारों के लिए कर दिया गया। इसके साथ ही यह भी प्रावधान किया गया कि संसदीय या विधान सभा के उम्मीदवार के नामांकन पत्र पर यदि वह उम्मीदवार किसी राष्ट्र या राज्य स्तरीय दल का नहीं है।, तो उसे क्षेत्र के कम से कम दस मतदाताओं को समर्थन हो। नामांकन करने के दिन में मतदान होने के दिन तक के बीच की अवधि को 20 दिनों से घटाकर 14 दिन कर दिया गया।

2. राष्ट्रीय ध्वज, राष्ट्रगान या भारत के संविधान के अपमान के दोषी व्यक्ति को सजा होने की तिथि से 6 वर्षों तक चुनाव लड़ने पर रोक।

3. पहले चुनाव क्षेत्र में किसी उम्मीदवार की मृत्यु हो जाने पर चुनाव रोक दिया जाता था, परन्तु अब चुनाव नहीं रोका जाता। यदि उम्मीदवार किसी राष्ट्रीय या राज्य स्तरीय दल का है तो उस दल को दूसरे उम्मीदवार को खड़ा करने का

विकल्प दिया जाता है।

4. मतदान केन्द्र पर या उसके समीप किसी भी तरह का हथियार ले जाने पर दो साल तक की सजा या जुर्माना या केन्द्र और जुर्माना दोनों हो सकते हैं।
5. एक उम्मीदवार दो या दो से अधिक संसदीय या विधान सभा क्षेत्र से चुनाव नहीं लड़ सकता।

अध्याय–8

भारत में जाति प्रथा

जाति प्रथा का उदय

जाति प्रथा का उदय प्राचीनकाल की 'वर्ण व्यवस्था' से माना जा सकता है। पहले चार ही वर्ण हुआ करते थे। इन वर्णों के नाम और कार्य निम्नवत् हैं–

1. ब्राह्मण – वे लोग ब्राह्मण कहलाए जो शास्त्रों में पारंगत होते थे और धार्मिक एवं विद्यार्जन के कार्यों के प्रति समर्पित रहते थे।

2. क्षत्रिय–वे लोग क्षत्रिय कहलाए जो भू–प्रदेश की रक्षा का भार रहता था।

3 वैश्य – वे लोग वैश्य कहलाए जिन पर व्यापार और वाणिज्य का कार्य करते थे।

4 शूद्र – उपर्युक्त कार्यो को छोड़कर शेष कार्य करने वाले लोग शूद्र कहलाए। उनका कार्य वस्तुओं को निर्माण करना एवं ब्राह्मण, क्षत्रिय एवं वैश्य वर्गों की सेवा करना था।

धीरे–धीरे ये वर्ण विभिन्न जातियों और उप जातियों में बंट गए।

कालांतर में जाति–व्यवस्था वंशानुगत हो गई अर्थात् ब्राह्मण कुल में जन्म लेने वाले स्वतः ब्राह्मण हो जाता था। और यही बात अन्य तीन वर्गों पर भी लागू होती थी। इस प्रकार व्यक्ति की जाति उसके जन्म से निश्चित होने लगी।

जाति प्रथा के प्रमुख दोष

जाति प्रथा के दोष निम्न प्रकार है।:

जाति व्यवस्था का सबसे बड़ा दोष कुछ जातियों को उच्च और कुछ को निम्न कोटि में रख कर समाज को उच्च एवं निम्न जाति में विभाजित करना था। जिसका दुष्परिणाम यह हुआ कि उच्च वर्ग ने निम्न वर्ग का शोषण करना प्रारंभ कर दिया।

शोषण इतना बढ़ गया कि शूद्रों के साथ बुरा व्यवहार होने लगा उन्हें, सभी प्रकार के नीच कार्य करने पड़े। वे निम्न स्तर के समझे जाने लगे। उनमें से कुछ अछुत कहलाने लगे और पीढ़ी दर पीढ़ी यही सिलसिला चलता रहा।

जातिगत भेदभाव इतने कठोर हो गए कि समाज पूर्णतया पृथक खण्डों में विभाजित हो गया, जो देश के आर्थिक विकास में अत्यधिक बाधक सिद्ध हुआ, क्योंकि जो व्यक्ति जिस परिवार में जन्म लेता था उसे उस परिवार का जातिगत व्यवसाय अपनाना पड़ता था। यह उसके जन्म के समय से ही निश्चित हो जाता था चाहे उसकी योग्यता, रूचि और देश की अर्थव्यवस्था की मांग कुछ भी रही हो। अतः जाति व्यवस्था में व्यक्ति का अपनी पसंद का व्यवसाय चुनने की स्वतंत्रता नहीं रही।

जातिगत असमानताएं

लिंग और धर्म पर आधारित विभाजन तो दुनिया भर में है। पर जाति पर आधारित विभाजन सिर्फ भारतीय समाज में ही देखने को मिलता है। सभी समाजों में कुछ सामाजिक असमानताएं हैं और एक न एक तरह का श्रम का विभाजन मोजूद होता है। अधिकतर समाजों में पेशा

परिवार की एक पीढ़ी से दूसरी पीढ़ी में जाता है, लेकिन जाति व्यवस्था इसका एक अतिवादी और स्थायी रूप है।

अन्य समाजों में मौजूद असमानताओं से यह एक खास अर्थ में भिन्न है। इसमें पेशा के वंशानुगत विभाजन को रीति रिवाजों की मान्यता प्राप्त है। एक जाति समूह के लोग एक या मिलते–जुलते पेशों के तो होते ही हैं। साथ ही उन्हें, एक अलग सामाजिक समुदाय के रूप में भी देखा जाता है। उनमें आपस में ही बेटी–रोटी अर्थात् शादी और खानपान का सम्बन्ध रहता है। अन्य जाति समूहों में उनके बच्चों की न तो शादी हो सकती है और न ही महत्वपूर्ण पारिवारिक और सामुदायिक आयोजनों में उनके पांत में बैठकर दूसरी जाति के लोग भोजन कर सकते हैं।

वर्ण व्यवस्था अन्य जाति समूहों से भेदभाव और उन्है। अपने से अलग मानने की धारणा पर आधारित है। इसमें अत्यज जातियों के साथ छुआछूत का व्यवहार किया जाता था। यही कारण है कि ज्योतिबा फुले, महात्मा गांधी, डॉ. अम्बेडकर और पेरियार रामास्वामी नायकर जैसे राजनेताओं और समाज सुधारकों ने जातिगत भेदभाव से मुक्त समाज व्यवस्था बनाने की बात की और उसके लिए काम किया। इन महापुरूषों के प्रयासों और समाजों मे आर्थिक बदलावों के चलते आधुनिक भारत में जाति की संरचना और जाति व्यवस्था में भारी बदलाव आया है।

आर्थिक विकास शहरीकरण, साक्षरता और शिक्षा के विकास पेशा चुनने की आजादी और गांवों में जमींदारी व्यवस्था के कमजोर पड़ने से जाति व्यवस्था के पुराने स्वरूप और पूर्ण व्यवस्था पर टिकी मानसिकता में बदलाव आ रहा है।

शहरी इलाकों में तो अब ज्यादातर इस बात का कोई हिसाब नहीं रखा जाता कि ट्रेन या बस में आपके साथ कौन बैठा है या रेस्तंरा में आपकी मेज पर बैठकर खाना खा रहे आदमी की जाति क्या है?

संविधान में किसी भी तरह के जातिगत भेदभाव का निषेध किया गया है। संविधान ने जाति व्यवस्था से पैदा हुए अन्याय को समाप्त करने

वाली नीतियों का आधार तय किया है। अगर 50 साल पहले का कोई व्यक्ति एक बार फिर भारत लौटकर आए, तो यहां हुए बदलावों को देखकर हैरान रह जाएगा।

बहरहाल, समकालीन भारत से जाति प्रथा विदा नहीं हुई है। जाति व्यवस्था के कुछ पुराने पहलू अभी भी बरकरार है। अभी भी ज्यादातर लोग अपनी जाति या कबीले में ही शादी करते है। स्पष्ट संवैधानिक प्रावधान के बावजूद छुआछूत की प्रथा अभी पूरी तरह समाप्त नहीं हुई।

जाति व्यवस्था के अंतर्गत सदियों से कुछ समूहों को लाभ की स्थिति में, तो कुछ समूहों को दबाकर रखा गया है। इसका प्रभाव सदियों बाद आज तक नजर आता है। जिन जातियों में पहले से ही पढ़ाई लिखाई का चलन मौजूद था और जिनकी शिक्षा पर पकड़ थी, आधुनिक शिक्षा व्यवस्था में भी उन्हीं का बोलबाला है।

जिन जातियों को पहले शिक्षा से वंचित रखा जाता था, उनके सदस्य अभी भी स्वाभाविक तौर पर पिछड़े हुए हैं। यही कारण है कि शहरी मध्यम वर्ग में अगड़ी जाति के लोगों का अनुपात असामान्य रूप से काफी ज्यादा है। जाति और आर्थिक हैसियत में काफी निकट का सम्बन्ध है।

राजनीति में जाति

सांप्रदायिकता की तरह जातिवाद भी इस मान्यता पर आधारित है कि जाति ही सामाजिक समुदाय के गठन का एकमात्र आधार है। इस चिंतन पद्धति के अनुसार एक जाति के लोग एक स्वाभाविक सामाजिक समुदाय का निर्माण करते हैं, और उनके हित एक जैसे होते हैं, तथा दूसरी जाति के लोगों से उनके हितों का कोई मेल नहीं होता।

जैसा कि हमने सांप्रदायिकता के मामले में देखा है, यह मान्यता हमारे अनुभव से पृष्ठ नहीं होती। हमारे अनुभव बताते हैं, कि जाति हमारे जीवन का एक पहलू जरूर है लेकिन यही एकमात्र या सबसे ज्यादा महत्वपूर्ण पहलू नहीं है। राजनीति में जाति अनेक रूप ले सकती है।

जब पार्टियां चुनाव के लिए उम्मीदवारों के नाम तय करती है। तो चुनाव क्षेत्र के मतदाताओं की जातियों का हिसाब ध्यान में रखती है। ताकि उन्हें चुनाव जीतने के लिए जरूरी वोट मिल जाए। जब सरकार का गठन किया जाता है, तो राजनीतिक दल इस बात का ध्यान रखते हैं, कि उसमें विभिन्न जातियों और कबीलों के लोगों को उचित जगह दी जाए।

राजनीतिक पार्टियां और उम्मीदवार समर्थन हासिल करने के लिए जातिगत भावनाओं को उकसाते हैं। कुछ दलों को कुछ जातियों के मदद्गार और प्रतिनिधि के रूप में देखा जाता है।

सार्वभौम वयस्क मताधिकार और एक व्यक्ति एक वोट की व्यवस्था में राजनीतिक दलों को विवश किया कि वे राजनीतिक समर्थन पाने और लोगों को गोलबंद करने के लिए सक्रिय हो। इससे उन जातियों के लोगों में नयी चेतना पैदा हुई जिन्हें। अभी एक तक छोटा और नीच माना जाता था।

राजनीति में जाति पर जोर देने के कारण कई बार यह धारण बन सकती है कि चुनाव जातियों का खेल है, कुछ और नही। यह बात सच नहीं है। जरा इन चीजों पर गौर कीजिए।

देश के किसी भी एक संसदीय चुनाव क्षेत्र में किसी एक जाति के लोगों का बहुमत नहीं है, इसलिए हर पार्टी और उम्मीदवार को चुनाव जीतने के लिए एक जाति और एक समुदाय से ज्यादा लोगों को भरोसा हासिल करना पड़ता है।

कोई पार्टी किसी एक जाति या समुदाय के सभी लोगों का वोट हासिल नहीं कर सकती। जब लोग किसी जाति विशेष को किसी पार्टी का वोट बैंक कहते हैं, तो इसका मतलब यह होता है, कि उस जाति के ज्यादातर लोग उस पार्टी को वोट देते हैं।

अगर किसी चुनाव क्षेत्र में एक जाति के लोगों का प्रभुत्व माना जा रहा हो अनेक पार्टियों को उसी जाति का उम्मीदवार खड़ा करने से कोई

रोक नहीं सकता। ऐसे में कुछ मतदाताओं के सामने उनकी जाति के एक से ज्यादा उम्मीदवार होते हैं, तो किसी–किसी जाति के मतदाताओं के सामने उनकी जाति का एक भी उम्मीदवार नहीं होता।

हमारे देश में सत्तारूढ़ दल, वर्तमान सांसदों और विधायकों को अक्सर हार का सामना करना पड़ता है। अगर जातियों और समुदायों की राजनीतिक पसंद एक ही होती, तो संभव नहीं हो पाता।

स्पष्ट है कि चुनाव में जाति की भूमिका महत्वपूर्ण होती है किन्तु, दूसरे कारक भी इतने ही असरदार होते हैं। मतदाता अपना जातियों से जितना जुड़ाव रखते हैं, अक्सर उससे ज्यादा गहरा जुड़ाव रखते हैं, अक्सर उससे ज्यादा गहरा जुड़ाव राजनीतिक दलों से रखते हैं। एक जाति या समुदाय के भीतर भी अमीर और गरीब लोगों के हित अलग–अलग होते है। एक ही समुदाय के अमीर और गरीब लोग अक्सर अलग–अलग पार्टियों को वोट देते हैं। सरकार के कामकाज के बारे में लागों की राय और नेताओं की लोकप्रियता का चुनावों पर अक्सर निर्णायक असर होता है।

जाति भेदभाव के विरूद्ध आन्दोलन

कबीर, श्री चैतन्य, रामानन्द, राजा राममोहन राय आदि समाज सुधारकों ने जातिय भेदभाव मिटाने के लिए आंदोलन किए। महात्मा गांधी ने शूद्रों के प्रति होने वाले अमानवीय व्यवहारों के विरूद्ध आवाज उठाई।

जाति प्रथा को दूर करने में सहायक तत्व

शिक्षा का प्रसार, सामाजिक सुधार के कार्य, विज्ञान व औद्योगिक विकास तथा औद्योगिक प्रगति आदि कारणों ने जाति–व्यवस्था के बंधन को थोड़ा ढीला किया है। साथ ही यातायात तथा संचार के साधनों में वृद्धि विभिन्न जातियों को एक दूसरे के अधिक निकट लाने में महत्वपूर्ण भूमिका अदा कर रही है।

सविधान में, अस्पृश्यता और जातिगत भेदभाव रखना गैर–कानूनी घोषित कर दिया है अर्थात् राज्य की और से जाति या घर्म के आधार पर किसी के साथ भेदभाव का बर्ताव नहीं किया जाए, शिक्षा एवं सार्वजनिक रोजगार आदि में सबको समान अवसर दिए जाए तथा यह भी सुनिश्चित किया गया कि जाति व धर्म के आधार पर किसी को सार्वजनिक कुओं तथा तालाबों का प्रयोग करने और मंदिरों, सार्वजनिक जलपान गृहों, होटलों सिनेमाघरों आदि सार्वजनिक स्थानों में जाने से रोका न जाए।

इन कानूनों के बावजूद विभिन्न स्थानों पर संकीर्ण जातिगत भेदभाव का बर्ताव किया जाता है। इस कुप्रथा को जड़ से समाप्त करने के लिए यह आवश्यक है कि शिक्षा का अधिक प्रसार हो और लोगों में जागृति बढ़े। उत्तम शिक्षा व्यक्ति को जाति प्रथा के दुष्परिणामों से अवगत कराने और उन्है। समझने होती है। समुचित शिक्षा व्यक्ति की मनोवृत्ति को उदार बनाती है और वह व्यक्ति जीवन के प्रति एक व्यापक एवं वैज्ञानिक दृष्टिकोण विकसित कर लेता है। इस प्रकार शिक्षा जाति व्यवस्था और जातीय भेदभाव के उन्मूलन में सहायक होती है।

अनुसूचित जातियों और जनजातियों का कल्याण

अनुसूचित जातियां

भारत जैसे लोकतान्त्रिक देश में सभी नागरिकों को समान रूप से अधिकार सुनिश्चित किए गए है।, परन्तु भारत में कुछ जातियां ऐसी भी हैं, जो सामाजिक रूप से पिछड़ी हुई और आर्थिक रूप से निर्बल है। उन्है। भारतीय संविधान द्वारा कुछ विशेष अधिकार एवं सुविधाएं दी गई हैं।, ताकि वे समाज के शेष वर्गों के समान पर आ सके। ऐसी जातियों की सूची देश के राष्ट्रपति के आदेश पर तैयार की जाती है।

1. **दशा सुधारने के उपाय और संरक्षण** – संविधान के निर्माता अनुसूचित जातियों के लोगों पर युगों से चले आ रहे अन्यायों के प्रति जागरूक थे। अतः संविधान बनाते

समय इस बात का विशेष ध्यान रखा गया कि हमारी जनसंख्या के इस मुख्य भाग को भारत के शेष लोगों के समान स्तर पर लाने के लिए उनको समुचित और व्यापक संरक्षण प्रदान किया जाए, जो निम्नवत् हैं।–

क) भारत का संविधान अनुसूचित जातियों के हितों और अधिकारों की रक्षा करता है और संरक्षण प्रदान करता है।

ख) संविधान द्वारा अस्पृश्यता गैर कानूनी कर दी गई है।

ग) अनुसूचित जातियों के शैक्षणिक और आर्थिक हितों को बढ़ावा दिया जाना।

घ) किसी प्रकार के सामाजिक अन्याय अथवा शोषण के विरूद्ध सुरक्षा प्रदान की जाती है।

ड़) लोक सभा और राज्य की विधान सभाओं में अनुसूचित जातियों के लिए कुछ स्थान आरक्षित रखे जाते हैं। साथ ही कुछ निर्वाचन क्षेत्रों को उनके लिए आरक्षित घोषित कर दिया जाता है।

च) सरकारी नौकरियों का कुछ प्रतिशत इस श्रेणी के लिए आरक्षित रहता है। इसके अतिरिक्त सरकार ने सरल शर्तों पर ऋण तथा भूमिहीनों के लिए मुफ्त जमीनों के पट्टे प्रदान किए हैं।

2. **सामाजिक एवं आर्थिक दशा** – भारत में जाति व्यवस्था की कट्टरता के कारण समाज को उच्च और निम्न जातियों में विभाजित कर दिया गया। उच्च जातियों ने निम्न जातियों के लोगों का उत्पीड़न एवं शोषण किया। यहां तक निम्न जातियों के एक बड़े भाग को सही अर्थों में समाज का अंग कभी नहीं माना गया। उन्हें गांव के अन्दर रहने तक की अनुमति नहीं थी अर्थात् उनके प्रति समाज बहुत ही अन्यायी रहा। आर्थिक रूप से वे सदा पिछड़े ही रहे जिसके कारण

वे सदैव धनी वर्गों पर निर्भर रहै। चूंकि वे निर्धनता में ही रह रहे हैं, इसलिए उनका शोषण अभी भी जारी है। इनमें से अधिकांश लोग बहुत अधिक गरीब है। अनुसूचित जाति का बहुसंख्या आज भी निरक्षर है मुख्य रूप से स्त्रियों में साक्षरता का प्रतिशत बहुत निम्न है।

अनुसूचित जनजातियां

भारत में मुख्यतः उत्तर–पूर्वी राज्य में, पश्चिमी बंगाल, बिहार, मध्य प्रदेश, उड़ीसा, राजस्थान और महाराष्ट्र में विभिन्न जनजातियां निवास करती हैं। उनमें से प्रत्येक की अपनी अलग संस्कृति एवं जीवन पद्धति है। भारत की बड़ी–बड़ी जनजातियों में मुख्य रूप से गोंड, भील और संथाल की गणना होती है, वैसे देश के विभिन्न भागों में छोटी–छोटी अन्य जनजातियों भी पाई जाती है।

1. **दशा सुधारने के उपाय और संरक्षण**–जनजातिय लोग हमारे देश की अमूल्य निधि है। उन्हें उनकी विशिष्ट पहचान से अलग नहीं किया जाना चाहिए, बल्कि ऐसी परिस्थितियां उत्पन्न की जानी चाहिए, जिससे वे अपनी विशिष्टता भी बनाएं रखें और साथ ही आधुनिक भारत के अंग बन सके। इसके लिए निम्न उपाय किए जा रहे हैं–

क) शिक्षा की व्यवस्था तथा जीवन स्तर उठाने के लिए विशेष सुविधाएं दी जा रही हैं।

ख) संविधान में जनजातियों की रक्षा और संरक्षण की व्यवस्था है, साथ ही स्कूलों और कॉलेजों में उनके लिए स्थान आरक्षित है।

ग) सरकार तथा स्वयं सेवी संस्थाओं की ओर से उन्हें स्वास्थ्य सेवाएं उपलब्ध कराई जा रही है।

घ) लोक सभा और राज्य की विधानसभाओं में उनके लिए स्थान आरक्षित है।

2) **सामाजिक एवं आर्थिक दशा**–जनजाति के लोग प्रकृति की गोद प्रकृति की गोद में सरल जीवन व्यतीत करते हैं। वे सामान्यतः वनों और पर्वतों के सहाचर्य में रहते हैं। जनजातियों की सरल जीवन शैली में रीति रिवाजों की महत्वपूर्ण भूमिका रहती है। संगीत और नृत्य उनके दैनिक जीवन के अभिन्न अंग होते हैं। आर्थिक दृष्टि से जनजातियां मुख्य रूप से कृषि एवं उससे सम्बन्धित अन्य कार्य मे संलग्न रहते हैं। वे लोग बहुत ही गरीब हैं, और अधिकतर लोग निरक्षर हैं।, ऐसी परिस्थितियों में दूसरों द्वारा उनका शोषण सरलता से किया जा सकता है।

अस्पृश्यता–भारतीय समाज का कलंक

अस्पृश्यता का अर्थ

अस्पृश्यता शब्द की कोई निश्चित देना कठिन है अतः हम उन स्थितियों की कल्पना कर सकते है। इन स्थितियों में से कुछ इस प्रकार हैं–

- हरिजनों को मंदिरों या अन्य पूजा स्थलों में प्रवेश करने में रोका जाए।
- दुकान, होटल, सार्वजनिक जलपान गृह, सार्वजनिक मनोरंजन स्थल, सार्वजनिक यातायात के साधन, अस्पताल, औषधालय अथवा शैक्षणिक संस्थानों में पहुँचने या प्रयोग करने से हरिजनों को वंचित रखा जाए।
- उपरोक्त स्थितियां अस्पृश्यता की स्थिति को दर्शाती है। इस कलंक को मिटाने के लिए महात्मा गांधी ने अथक प्रयास किए। उनका मत था कि– 'अस्पृश्यता या छुआछूत जिस रूप में आज हिंदू धर्म में पंचलित है वह भगवान और मनुष्य दोनों के विरूद्ध है। अतः यह एक विष की तरह है जो हिंदू धर्म को खाए जा रहा है। मेरी राय मं हिंदू शास्त्रों में इसकी स्वीकृति नहीं है।

- गांधी जी ने इस अमानवीय कुरीति के विरूद्ध अपनी पहली आवाज "अछूत" शब्द के विरूद्ध उठाई और इस शब्द के प्रयोग को बंद कर उसके स्थान पर इन्हें 'हरिजन' कह कर पुकारा।
- इस प्रकार महात्मा गांधी तथा अन्य महान संतों और समाज सुधारकों के प्रयास से जातियों और उपजातियों के बंधन शिथिल पड़ने लगे, जिसका परिणाम यह हुआ कि अछूतों के प्रति लोगों का दृष्टिकोण उदार होता गया।

भारत का संविधान और अस्पृश्यता

- संविधान ने सभी नागरिकों को छः मौलिक अधिकार सुनिश्चित किए हैं।, जिसमें से एक अधिकार, समानता का अधिकार है। इस अधिकार के अंतर्गत जाति या लिंग के आधार पर राज्य द्वारा भेदभाव किया जाना वर्जित है, साथ ही संविधान में यह भी व्यवस्था की गई है, कि अनुसूचित जातियों और अनुसूचित जनजातियों के उत्थान के लिए उन्हें विशेषाधिकार और सुविधाएं दी जाएगी।
- एक महत्वपूर्ण कदम के रूप में 1955 के कानून के अन्तर्गत अस्पृश्यता के व्यवहार को एक दंडनीय अपराध घोषित कर दिया गया है।

अस्पृश्यता उन्मूलन हेतु प्रयास

अस्पृश्यता के व्यवहार से हरिजनों में निराश और घृणा की भावना उत्पन्न होती है। यह भावना कभी–कभी हिंसक रूप धारण कर लेती है। यह भावना कभी–कभी हिंसक रूप धारण कर लेती है। जाति–दंगें और उसके फलस्वरूप होने वाली बर्बर हत्याएं और आगजनी की घटनाएं इसी को परिणाम हैं।

अतः अस्पृश्यता निवारण तथा रंग, रूप या जाति के आधार पर किसी प्रकार के भेदभाव में नागरिकों की रक्षा हेतु सरकार ने कानून

बनाने के अलावा अन्य कदम भी उठाए हैं, जो निम्नवत हैं–

- अस्पृश्यता के दोषी को व्यक्त करने के लिए फिल्में तथा नाटक दिखाए जाते हैं।
- अनेक राज्यों में हरिजन सप्ताह या हरिजन दिवस आयोजित किए जाते है। जिसमें हरिजन बस्तियों में सफाई करना, अर्न्तसमूह सहभोग, हरिजनों द्वारा अन्य जाति वालों को पाने के लिए पानी देना, उनका मंदिरों में स्वागत करना आदि कार्यक्रम सम्पन्न किए जाते हैं।
- अस्पृश्यता के विरूद्ध लेख एवं संवाद विभिन्न पत्र–पत्रिकाओं मे प्रकाशित किए जाते हैं।
- चलती–फिरती गड़ियों, नुक्कड नाटकों वाद–विवादों, गोष्ठियों आदि द्वारा अस्पृश्यता के विरोध में प्रचार किया जाता है।
- कुछ राज्य उन गांवों को पुरस्कृत करते हैं, जो अस्पृश्यता निवारण में अपेक्षाकृत अधिक प्रगति दिखलाते हैं।
- सरकार ने पंचवर्षीय योजनाओं में हरिजन–उत्थान के लिए काफी बड़ी मात्रा में धनराशि व्यय की है।

अस्पृश्यता का उन्मूलन कैसे हो

'अस्पृश्यता अज्ञानता तथा रूढ़ीवाद पर आधारित है। शिक्षा के अभाव में तरह–तरह की रूढ़ियां और अंधविश्वास जन्म लेते हैं। जैसे देवी–देवता, भूत–प्रेत या जिन्न आदि को खुश करने के लिए बच्चों या पशुओं की बलि देना आदि।

अस्पृश्यता भी एक ऐसा ही अंधविश्वासहै जिसका उन्मूलन तभी संभव हो सकता है जब सम्पूर्ण समाज शिक्षित हो। शिक्षा स्वतः इन रूढ़ियों तथा अंधविश्वासों को ज्ञान के प्रकाश में मिला देती है। अतः इसका एक मात्र उपाय शिक्षा ही है।

अध्याय–9

धर्मनिरपेक्षता

भारतीय संविधान में धर्मनिरपेक्षता

भारत के संविधान में धर्मनिरपेक्ष राज्य के दो आधार है, सर्वप्रथम, संविधान की उद्देशिका में न सिर्फ भारतीय गणतन्त्र के आधारभूत सिद्धान्तों का जैसे–न्याय, स्वतन्त्रता, समानता एवं भ्रातृत्व का उल्लेख किया गया है वरन् स्पष्ट रूप से बतलाया गया है कि प्रत्येक नागरिक को अन्य स्वतन्त्रताओं के साथ व्यक्तिगत रूप से मान्य सिद्धान्तों में विश्वास और उपासना करने की भी स्वतन्त्रता सभी नागरिकें को प्राप्त होंगी। 42वें सविधान संशोधन द्वारा सन् 1976 में संविधान की प्रस्तावना में 'पंथनिरपेक्षता' (धर्मनिरपेक्षता) शब्द जोड़कर हमारे सविधान की धर्मनिरपेक्ष धारणा को स्पष्टता प्रदान की गई है। द्वितीय, संविधान में पंथनिरपेक्ष राज्य का दूसरा आधार नागरिकों के धार्मिक स्वतन्त्रता के मूल अधिकार के रूप में है। संविधान के अनुच्छेद 25 से 28 नागरिकों के धार्मिक स्वतन्त्रता के मूल अधिकार का उल्लेख करते हैं।

भारतीय संविधान में धर्मनिरपेक्षता सम्बन्धी प्रमुख प्रावधान निम्न–प्रकार से हैं:

1. अन्तःकरण की और धर्म अबाध रूप से मानने, आचरण और

प्रचार करने की स्वतन्त्रता–अनुच्छेद 25 के अनुसार सार्वजनिक व्यवस्था, सदाचार और स्वास्थ्य के उपबन्धों के अधीन रहते हुए सब व्यक्तियों को अन्तः करण की स्वतन्त्रता धर्म के अबाध रूप से मानने, आचरण करने और प्रचार करने का समान अधिकार है, लेकिन इस अनुच्छेद की कोई बात किसी ऐसी वर्तमान विधि के प्रवर्तन पर प्रभाव अथवा राज्य के लिए किसी ऐसी विधि के बनाने में रूकावट नहीं डाल सकती जो (क) धार्मिक आचरण से सम्बद्ध किसी के लिए किसी आर्थिक, वित्तीय, राजनीतिक अथवा अन्य किसी प्रकार की लौकिक क्रियाओं का विनिमय अथवा निर्बन्धन करती हो, (ख) सामाजिक कल्याण और सुधार उपबन्धित करती हो अथवा हिन्दुओं की सार्वजनिक प्रकार की धर्म संस्थाओं को हिन्दुओं के सब वर्गों और विभागों के लिए खोलती हो।

2. **धार्मिक कार्यों के प्रबन्ध की स्वतन्त्रता–** अनुच्छेद 26 ने व्यवस्था की है कि 'सार्वजनिक व्यवस्था, सदाचार और स्वास्थ्य के अधीन रहते हुए प्रत्येक धार्मिक सम्प्रदाय अथवा उसके किसी विशेष विभाग को– (क) धार्मिक और पर्व प्रायोजनों के लिए संस्थाओं की स्थापना और पोषण का, (ख) अपने धार्मिक कार्यों सम्बन्धी विषयों के प्रबन्ध करने का, (ग) जंगम और स्थावर सम्पत्ति के अर्जन और स्वामित्व का, और (घ) ऐसी सम्पत्ति का विधि के अनुसार प्रशासन करने का अधिकार होगा।

3. **किसी विशिष्ट धर्म की अभिवृद्धि हेतु करों के संदाय के बारे में स्वतन्त्रता–** अनुच्छेद 27 के अनुसार यह स्पष्ट किया गया है कि किसी भी व्यक्ति को किसी धर्म विशेष की बढ़ोतरी के लिए कर देने के लिए बाध्य नहीं किया जा सकता।

4. **कतिपय शिक्षा संस्थाओं में धार्मिक शिक्षा या धार्मिक उपासना में उपस्थित होने संबंधी स्वतन्त्रता–** अनुच्छेद 28 के अनुसार सरकारी शिक्षण संस्थाओं में धार्मिक शिक्षा की मनाही की गई है। राज्य से मान्यता प्राप्त या राज्य निधि से सहायता पाने वाली शिक्षण संस्था में उपस्थित होने वाली किसी ऐसी संस्था में दी जाने वाली धार्मिक शिक्षा में भाग लेने के लिए ऐसी संस्था में या उससे संलग्न स्थान में की जाने वाली धार्मिक उपासना में उपस्थित होने के लिए तब तक बाध्य नहीं किया जाएगा। जब तक कि उस व्यक्ति ने या यदि वह अवयस्क है तो उसके संरक्षक ने इसके लिए अपनी सहमति नहीं दे दी है।

हमारे भारतीय संविधान की प्रस्तावना में भारत को एक पंथनिरपेक्ष राज्य घोषित किया गया है। भारतीय संविधान में धर्म अथवा जाति का भेदभाव किए बगैर प्रत्येक नागरिक को समान अधिकार प्रदान किए गए है। भारत में राज्य का कोई अपनी धर्म नहीं है, इसलिए यह धर्मतन्त्रात्मक राज्य से अलग है। कुछ विद्वानों के अनुसार भारत एक पंथनिरपेक्ष राज्य नहीं है। कारण कि भारत में राजनीति और धर्म को एक–दूसरे से पूर्ण रूप से पृथक् नहीं किया गया है।

धर्मनिरपेक्षता से तात्पर्य

धर्म या पंथनिरपेक्ष राज्य का अर्थ यह है कि राज्य अपने कार्यों के लिए पंथ को आधार नहीं बनाता, राज्य का अपना कोई पंथ नहीं होता तथा धर्म के नाम पर राज्य नागरिकों के बीच किसी प्रकार का भेदभाव नहीं करता। राज्य पंथ को व्यक्ति के आन्तरिक विश्वास की वस्तु समझता है तथा पंथ और राजनीति की पृथक्कता में विश्वास करता है। राजनीतिक क्षेत्र में पंथनिरपेक्षतावाद से अभिप्राय है कि राज्य व शासन के अधिकारियों की नियुक्ति व चुनाव शासन का कार्यक्रम व नीतियां, शासन द्वारा आर्थिक सहायता का वितरण, इत्यादि पंथ के आधार पर न हो। राजनीतिक दलों व अन्य संस्थाओं का संगठन एवं उनकी रचना

धार्मिक आधार पर न की जाए। कोई राजकीय पंथ न हो कानून तथा न्यायालय पंथ के आधार पर पक्षपात न करे। यह ऐसा सिद्धान्त है। जो देश के नागरिकों में धर्म, सम्प्रदाय, लिंग, रंग, राष्ट्रीयता जल आदि पर भेदभाव नहीं करता सभी की अपनी इच्छानुसार किसी पंथ को अपनाने या छोड़ने का अधिकार होता है।

ऑक्सफोर्ड शब्दकोश के अनुसार पंथनिरपेक्षता से तात्पर्य ऐसे सिद्धान्त से है जिसमें नैतिकता, ईश्वर की मान्यता अथवा भावी जीवन की कल्पना पर आधारित होनी चाहिए। वैब्स्टर के तीसरे नवीन विश्वकोश की परिभाषा के अनुसार धर्मनिरपेक्षता जीवन अथवा किसी अन्य विषय से सम्बन्धित वह दृष्टिकोण है जो इस धारणा पर आधारित होता है कि सामाजिक नैतिकता के सिद्धान्तों के निरूपण में पंथ अथवा किसी भी प्रकार के साम्प्रदायिक विचारों को शामिल नहीं किया जाना चाहिए। अतः नैतिक मानदण्डों अथवा आचरण का निर्धारण पंथ से सम्बन्धित न होकर केवल वर्तमान लौकिक जीवन एवं सामाजिक कल्याण से ही सम्बन्धित होना चाहिए। तात्पर्य यह है कि पंथनिरपेक्ष समाज में शिक्षा, सामाजिक जीवन तथा राजनीति से सम्बन्धित सभी प्रश्नों के विषय में निर्णय पंथेत्तर, तार्कित एवं अवैक्तिक आधार पर किया जाना चाहिए। इस प्रकार पंथनिरपेक्षता एक नए प्रकार का स्वतन्त्र विचार है जिसका उद्‌देश्य भक्ति तथा पंथ के स्थान पर भौतिक माध्यम से मानव जीवन का विकास करना है।

पंथनिरपेक्ष राज्य का अर्थ यह है कि राज्य विभिन्न पंथों में से किसी एक के साथ पक्षपात न करे और न किसी पंथ को राजकीय धर्म घोषित किया जाए। पंथनिरपेक्ष राज्य का यह कार्य नहीं है कि राज्य धर्म कर विरोध करता रहे या वह व्यक्तियों को नास्तिक होने के लिए प्रोत्साहित करे। भारतीय संविधान के परिप्रेक्ष्य में टी.के. टोपे ने लिखा है, "भारत के पंथ निरपेक्ष होने का यह अर्थ नहीं है कि ईश्वर के अस्तित्व को नहीं माने जाता। भारतीय संविधान में ईश्वर के नाम पर शपथ लेनी पड़ती है।" पंथनिरपेक्ष राज्य सभी धर्मों के अनुयायियों को समान संरक्षण तथा

स्वतंत्रता देता है। इस प्रकार पंथ के क्षेत्र में राज्य 'लेस फेयर की नीति अपनाता है।

धर्मनिरपेक्ष सिद्वांत : ऐतिहासिक संदर्भ

धर्मनिरपेक्षता संबंधी विचार का प्रांरभ रोमन साम्राज्य के समय से माना जाता है। जब सीजर सभी ईसाई धर्मावलम्बियों से राज्य निष्ठा की अपेक्षा करता था और जो लोग राज्य निष्ठा को स्वीकार करने से मना करते थे उन्है। संत्रस्त किया जाता था। इसी काल में सेण्ट मार्क द्वारा ईसा के जीवन–चरित्र में लिपिबद्ध ईसा के उपदेश पर कि 'जो सीजर का है वह सीजर को दो और जो ईश्वर का है वह ईश्वर को दो', पंथ के राजनीतिक पृथक्करण की नींव पड़ी। उसी समय से लौकिक सत्ता एवं चर्च के प्रभाव क्षेत्रों की सीमाओं का निर्धारण करने का प्रयत्न किया जाता रहा है। पुनर्जागरण और मानववाद के दर्शन और प्रचार में पंथनिरपेक्ष मूल्यों को महत्व दिया गया, जिससे चर्च की शक्ति कम अवश्य हुई, फिर भी चर्च और राज्य के बीच संघर्ष चलता रहा और प्रोटेस्टेण्ट और कैथोलिक राज्यों के अन्तर्गत चर्च–राज्य के सम्बन्धों में कोई विशेष अन्तर न था। मैकियावेली जैसे दार्शनिक ने पंथ और राजनीति को पृथक कर पंथनिरपेक्षता की दिशा में एक महत्वपूर्ण एवं ठोस आधार प्रस्तुत किया। उसने यह स्पष्ट किया कि राज्य और धर्म दो भिन्न चीजें है, और धर्म दो भिन्न चीजें हैं। और राजनीति पर पंथ का कोई प्रभाव नहीं होना चाहिए। 16वीं शताब्दी में मार्टिन लूथर, काल्विन, आदि के नेतृत्व में पोपशाही के विरूद्ध एक क्रान्ति हुई थी जिसे धर्म–सुधार आन्दोलन कहा गया। इस धर्म सुधार आन्दोलन ने व्यक्ति को धर्माधिकारियों के नियन्त्रण और पंथ शास्त्रियों की दासता से छुटकारा दिलाने का प्रयत्न किया। धर्म–सुधार आन्दोलन के फलस्वरूप पंथनिरपेक्ष सिद्धान्त को बल मिला। आगे चलकर धर्म व्यक्ति के निजी क्षेत्र का विषय बन गया, राज्य और पंथ एक–दूसरे से पृथक् हो गए। अमरीकी संविधान के निर्माण के बाद चर्च का राज्य से पृथक अस्तित्व स्वीकार किया गया। इन्य लोकतान्त्रिक देशों के संविधानों में आगे

चलकर इसी आदर्श का अनुसरण किया गया।

इसके अतिरिक्त संविधान में यत्र–तत्र अनेक ऐसा उपबन्ध है। जिनसे पंथनिरपेक्षता की स्थापना होती है। जैसे, संविधान का अनुच्छेद 14 समानता के अधिकार को मान्यता देता है। इसी के अधीन सभी नागरिकों को राजनीतिक क्षेत्र में समान अधिकार दिए गए है। और धर्म, जाति, वंश आदि के आधार पर कोई विभेद नहीं किया गया है। संविधान का अनुच्छेद 15 धर्म, जाति लिंग या जन्म–स्थान के आधार पर विभेद को वर्जित घोषित करता है। संविधान के अनुच्छेद 29 के अनुसार अल्पसंख्यकों को अपनी विशिष्ट भाषा, लिपि या संस्कृति को बनाए रखने का अधिकार दिया गया है। अनुच्छेद 30 में विभिन्न अल्पसंख्यक वर्गों को अपनी रूचि के अनुसार शिक्षा संस्थाओं को स्थापित करने और उनके प्रशासन का अधिकार दिया गया है और यह भी कहा गया है कि आर्थिक सहायता देने के मामले में सरकार इस आधार पर विभेद न करेगी कि वह संस्था किसी अल्पसंख्यक वर्ग के प्रबन्ध में है। संविधान का अनुच्देद 325 यह घोषणा करता है कि धर्म, वंश या जाति के आधार पर किसी भी व्यक्ति को निर्वाचक नामावली में सम्मिलित किए जाने के लिए अपात्र न समझा जाएगा।

भारतीय धर्मनिरपेक्षताः समस्याएं एवं चुनौतियां

धर्मनिरपेक्षता की नीति सदैव विवाद के फेरे में रही है। इसके ऊपर सदैव प्रश्न उठाए जाते रहे हैं। लोक व्यवहार में सामान्यतः यह देखा गया है कि धर्मनिरपेक्षता का उपयोग सिर्फ अल्पसंख्यक वर्ग के हित में किया जा रहा है। जहां कहीं अन्य धर्मावलम्बी अल्पसंख्या में है। वहां उन्हें। लुभाया जाता है, परन्तु बहुसंख्यकों को निरन्तर कोसा जा रहा है। इस व्यवहार के पीछे विचारपूर्ण दृष्टिकोण न होकर राजनीतिक स्वार्थमात्र रहा है। धर्मनिरपेक्षता की दुहाई देने वाले नेता अल्पसंख्यक के नाम पर अपने धर्म की दुहाई देकर चुनाव लड़ते हैं।

भारतीय जनता पार्टी नकली धर्मनिरपेक्षता का विरोध करती है।

उसके अनुसार व्यवहार में वह अल्पसंख्यकों के प्रति तुष्टिकरण की नीति है। राजनीतिक स्वार्थ के लिए देश को अल्पसंख्यक और बहुसंख्यक वर्ग में बांट दिया गया है। इससे अल्पसंख्यक वर्ग में अलगाव की भावनाएं पैदा हुई। विपिनचन्द्र जैसे वामपन्थी चिंतक का भी मानना धर्म है कि 'पंथनिरपेक्ष लोग अल्पसंख्यकों की साम्प्रदायिकता की उतनी तीखी आलोचना नहीं कर पाते जितनी तीखी आलोचना वे बहुसंख्यक साम्प्रदायिकता की करतें है।' शाहबानो के मामले में सरकार ने धर्मांधता तथा कठमुल्लापन के सामने घुटने टेक दिए। तुष्टिकरण और अल्पसंख्यकवाद के पोषण का ही परिणाम है कि कश्मीर घाटी से ढाई लाख हिन्दू पलायन करके अपने देश में ही शरणार्थियों का जीवन व्यतीत करने हेतु बाध्य हुए।

डॉ. पी. बी. गजेन्द्र गडकर ने धर्मनिरपेक्ष राज्य की निम्नलिखित प्रमुख समस्याएं बतलाई है।:

1. साम्प्रदायिकता आज की सर्वाधिक गम्भीर समस्या है। यदि राज्य नागरिकों की सम्पत्ति व जीवन की साम्प्रदायिक हिंसा से रक्षा नहीं कर सकता तो पंथनिरपेक्ष राज्य एक मजाक बनकर रह जाएगा।

2. पंथनिरपेक्ष राज्य के लिए दूसरी बडी समस्या हिन्दू धार्मिक संस्थाओं में राज्य का बहुत अधिक हस्तक्षेप है।

3. वर्तमान भारत में तीसरी बड़ी समस्या कानूनी ढांचे में धार्मिक निजी कानून की स्थिति है।

4. चौथी समस्या पंथनिरपेक्ष राज्य को आधारभूत रूप से परिभाषित करने की है।

5. समान नागरिक संहिता जैसे निदेशक सिद्धान्तों का क्रियान्वयन कठिन हो गया है। उच्चतम न्यायालय ने 'अहमद खान बनाम शाहबानो प्रकरण' में समान नागरिक संहित लागू करने के लिए संविधान निर्माताओं की पवित्र

> इच्छा की तरफ ध्यान आकर्षित किया था, किन्तु सरकार ने अल्पसंख्यक तुष्टिकरण नीति अपनाते हुए संसद में 'मुस्लिम महिला अधिकार कानून' बनाकर मुस्लिम महिलाओं के गुजारे के अधिकार को ही छीन लिया।

भारत में धर्मनिरपेक्षता के जिस आदर्श को अपनाया गया, उसका लक्ष्य है विविध धर्मा के अनुयायियों में धार्मिक विभेद के बावजूद भाईचारे की भावना को जन्म देकर 'भारत के भावात्मक एकीकरण' की स्थिति को प्राप्त करना। हम अब तक इस स्थिति को प्राप्त नहीं कर पाये हैं। और दुखद तथ्य यह है कि हम इस दिशा में आगे नहीं बढ़ रहे हैं। आधारभूत बात यह है कि संविधान ने धर्मनिरपेक्ष राज्य तो स्थापित कर दिया, लेकिन एक ध र्मनिरपेक्ष समाज की स्थापना हम आज तक भी नहीं कर पाये हैं। सभी राजनीतिक दलों ने अपना एक लक्ष्य 'येन केन प्रकारेण' सत्ता प्राप्ति बना लिया है और सत्ता की इस अंधी दौड़ में वे व्यक्तियों की धार्मिक भावनाओं और जातीय भावनाओं के साथ खिलवाड़ कर रहे हैं।

आज धर्मनिरपेक्षता के मार्ग में किसी भी अन्य समय की अपेक्षा अधिक गंभीर चुनौतियां हैं। 'मंन्दिर–मस्जिद विवाद' राष्ट्रीय जीवन पर छा जाये, धर्मनिरपेक्षता के लिए इससे बड़ी विडम्बना और क्या हो सकती है? कुछ संगठनों को अवैध घोषित करना, राजनीतिक दलों के गठन, चुनाव व्यवस्था के संचालन और सामाजिक–सांस्कृतिक जीवन के सम्बन्ध में कुछ कानूनों का निर्माण कर इन चुनौतियों का उत्तर दे पाना संभव नहीं है। इसके लिए तो हम सबको अपने मन–मस्तिष्क में, अपने सोच और विचार में क्रान्तिकारी परिवर्तन लाना होगा। धर्मनिरपेक्षता के लक्ष्य को प्राप्त कर पाना तो तभी संभव है, जब प्रत्येक भारतीय अपने दिल में इस बात का आत्मसात कर लें कि हम पहले तथा अन्तिम रूप में भारतीय है। और हमें अपने भारतीय होने पर गर्व है।''

निष्कर्ष

संविधान द्वारा भारत को एक पंथनिरपेक्ष राज्य घोषित किया गया है फिर भी भारतीय राजनीति में पंथ की एक विशेष भूमिका है। हम

पंथनिरपेक्ष राज्य की स्थापना तो कर पाए हैं।, किन्तु धर्मनिरपेक्ष समाज की नही। धार्मिक विभिन्नता के कारण समाज में विभिन्न प्रकार के तनाव पैदा होते हैं। और इन तनावों को बढ़ाने में राजनीतिज्ञ भी भूमिका अदा करते हैं। इससे उनके स्वार्थ सिद्ध होते हैं। बी.जी.गोखले जैसे अनेक व्यक्तियों ने आशा व्यक्त की थी कि राजनीति से धर्म के अलग हो जाने से हिन्दू और मुसलमानों के पुराने विरोध फिर कभी उत्पन्न नहीं होंगे। किन्तु पिछले 60 वर्षों में गुजरात, बिहार, महाराष्ट्र, उत्तरप्रदेश राज्यों में हुई घटनाएं इस बात का सबल प्रमाण है कि साम्प्रदायिक वैमनस्य अभी भी विद्यमान है, जो छोटी–छोटी घटनाओं से भभक उठता है और भारत की राजनीति एवं शासन उससे आक्रान्त हो उठते हैं।

अध्याय–10

भारत में सांप्रदायिकता

स्वतंत्रता के बाद शुरू हुई चुनावों की राजनीति ने धर्म और सम्प्रदाय के नकारात्मक महत्व को उभारा है। किसी ने लिखा है कि, 'पहले लोग समझते थे कि राजनीतिज्ञ धर्म और सम्प्रदाय का शोषण करते हैं। पर अब हालत यह हो गयी है कि धर्म और सम्प्रदाय राजनीति का शोषण करने लगे हैं। एक तरह से सम्प्रदाय राजनीतिक दलों के लिए वोट बैंक बन गए हैं। राजनीतिक शक्ति के रूप में धर्म और सम्प्रदाय का खूब दुरूपयोग हो रहा है। राजनीतिक दल सम्प्रदाय एवं जाति की घटती–बढ़ती निष्ठा के खिलौने बनकर रह गए हैं।'

साम्प्रदायिकता, एक विशेष स्तर पर पहुंचकर, साम्प्रदायिक हिंसा का रूप ले लेती है। भारत में साम्प्रदायिकता का एक महत्वपूर्ण पक्ष, जिसके विषय में समाजशास्त्री एकमत है।, यह है कि वह शहरों में दिखायी पड़ती है। साम्प्रदायिकता की जड़े निम्न बुर्जुआ वर्ग में होती है। पिछड़े समाज में परम्परागत धर्म के प्रति सबसे अधिक आकर्षण इसी वर्ग में होता है। विश्व हिन्दू परिषद् और जमाइते इस्लाम दोनों का ही आधार निम्न बुर्जुआ वर्ग है। इन समुदायों के उच्च वर्ग में होता है। विश्व हिन्दू परिषद् और जमाइते इस्लाम दोनों का ही आधार निम्न बुर्जुआ वर्ग है। इन समुदायों के उच्च वर्ग अपने–अपने समुदाय के निम्न बुर्जुआ वर्गों की

धार्मिक भावनाओं का सफलतापूर्वक उपयोग कर अपना स्वार्थ साधते हैं। फलस्वरूप भारत के राजनीतिक क्षितिज पर साम्प्रदायिकता का संकट सदैव छाया रहता है।

साम्प्रदायिकता का अर्थ

साम्प्रदायिकता के अन्तर्गत वे सभी भावनाएं व क्रियाकलाप आ जाते हैं। जिनमें किसी धर्म अथवा भाषा के आधार पर किसी समूह विशेष के हितों पर बल दिया जाए और उन हितो को राष्ट्रीय हितों के ऊपर प्राथमिकता दी जाए तथा उस समूह में पृथक्कता की भावना उत्पन्न की जाए या उसको प्रोत्साहन दिया जाए। पारसियों, बौद्धों, जैनों तथा ईसाइयों के अपने–अपने संगठन हैं।, साथ ही वे अपने सदस्यों के हितों की साधना में लिप्त रहते हैं।, परन्तु ऐसे संगठनों को सामान्यतः साम्प्रदायिक नहीं कहा जाएगा क्योंकि वे किसी पृथक्कता की भावना से प्रेरित नहीं है। इसके विपरीत, मुस्लिम लीग, हिन्दू महासभा तथा अन्य कुछ संस्थाओं को साम्प्रदायिक कहा जाएगा क्योंकि वे धार्मिक अथवा भाषा समूहों के अधिकारों तथा हितों को राष्ट्रीय हितों के भी ऊपर रखते है। विंसेंट स्मिथ के शब्दों में, 'एक साम्प्रदायिक व्यक्ति या व्यक्ति समूह वह है जो कि प्रत्येक धार्मिक अथवा भाषायी समूह को एक ऐसी पृथक सामाजिक तथा राजनीतिक इकाई मानता है, जिसके हित अन्य समूहों से पृथक् होते हैं, और उनके विरोधी भी हो सकते हैं। ऐसे ही व्यक्तियों अथवा व्यक्ति समूह की विचारधारा को सम्प्रदायवाद या साम्प्रदायिकता कहा जाएगा।'

सामान्यतः, एक सम्प्रदायवादी का दृष्टिकोण समाज विरोधी होता है। उनको समाज विरोधी इसलिए कहा जा सकता है क्योंकि वह अपने समूह के संकीर्ण हितों को पूरा करने के लिए अन्य समूहों के और सम्पूर्ण देश के भी हितों की अवहेलना करने से पीछे नहीं हटता। साम्प्रदायिक संगठनों का उद्‌देश्य शासकों के ऊपर दबाव डालकर अपने सदस्यों के लिए अधिक सत्ता, प्रतिष्ठा तथा राजनीतिक अधिकार प्राप्त करना होता है।

जब एक समुदाय जान–बुझकर धार्मिक–सांस्कृतिक भेद के आधार पर राजनीतिक मांगें रखने का निर्णय करता है तब सामुदायिक चेतना सम्प्रदायवाद के रूप में एक राजनीतिक सिद्धान्त बन जाती है। राजनीतिक स्वायत्तता को तब सांस्कृति स्वायत्तता सुरक्षित रखने की अनिवार्य शर्त घोषित कर दिया जाता है। बहुसंस्कृतीय समाज में सामाजिक तनाव तथा टकराव वास्तव में विभिन्न समूहों के बीच चल रहे सत्ता द्वन्द्व के लक्षण है। इस पारस्परिक द्वन्द्व को सैद्धान्तिक स्तर पर धर्म की शिला पर खड़ा करना एक राजनीतिक विचारधारा के रूप में सम्प्रदायवाद का मूल सार है।

भारत में साम्प्रदायिकता के उदय और विकास के कारण

1. **औपनिवेशिक विरासत–** स्वतंत्र भारत को साम्प्रदायिकता की समस्या विरासत के रूप में प्राप्त हुई है। ब्रिटिश साम्राज्यवाद ने भारत के हर सम्प्रदाय को अलग–अलग रूप में रखा। इससे विभिन्न सम्प्रदायों में अलगाववाद की भावना पैदा हुई। ब्रिटिश सरकार की 'फूट डालो और शासन करो' की नीति ने साम्प्रदायिकता की भावना को और भी अधिक प्रोत्साहन दिया। सन् 1906 में मुस्लिम लीग की स्थापना कराकर साम्प्रदायिकता के आधार पर ही सन् 1947 में भारत का विभाजन करवाया।

2. **राष्ट्रीय आन्दोलन की नकारात्मक विरासत–** भारत में राष्ट्रवाद के उदय से पहले हिन्दू और मुसलमानों में सुधार आन्दोलन शुरू हुए। इसके प्रभाव से प्रत्येक सम्प्रदाय अपने धर्म को श्रेष्ठ मानने लगा। उग्रवादी काल में उग्रवादी नेताओं ने हिन्दू धर्म के आधार पर अपने को संगठित किया जिसे मुसलमानों ने सन्देह की दृष्टि से देखा। ब्रिटिश सरकार ने इस स्थिति का लाभ उठाकर मुसलमानों में साम्प्रदायिकता को बढ़ावा दिया।

3. **मुसलमानों की अपनी प्रवृत्ति–**प्रथम मुसलमान लोग

आर्थिक दृष्टि से पिछड़े हुए थे। परन्तु उन्होंने इसके लिए हिन्दुओं को जिम्मेदार ठहराया। दूसरे स्वतंत्र भारत में वे अपने को राष्ट्रीय धारा में शामिल न कर सके। तीसरे, पाकिस्तान का दो राष्ट्र का नारा भी उनको राष्ट्रीय धारा से अलग रखने में सफल हुआ। इन कारणों से भारतीय मुसलमानों की साम्प्रदायिक प्रवृत्ति को प्रोत्साहन मिला।

4. **संकुचित हिन्दू राष्ट्रवाद**–इसने भी साम्प्रदायिकता को बढ़ावा दिया। हिन्दू लोग भारत को हिन्दुओं का देश मानते है। ऐसी भावना से हिन्दुओं और मुसलमानों दोनों में ही साम्प्रदायिकता की भावना बढ़ती गई। इससे हिन्दू–मुस्लिम दंगे होते रहते है।

5. **सरकार की उदासीनता**–स्वतन्त्र भारत की सरकार और प्रशासन की उदासीनता के कारण भी साम्प्रदायिकता में वृद्धि हुई। सम्प्रदायों की छोटी–छोटी बातों पर ध्यान नहीं दिया गया जिससे उनमें असन्तोष उत्पन्न हुआ।

6. **साम्प्रदायिक शिक्षा संस्थाएँ**–सम्प्रदाय के नाम पर स्थापित शिक्षा संस्थाओं ने भी साम्प्रदायिकता का प्रचार किया। ऐसी संस्थाएं हिन्दू, स्कूल, कॉलेज, मुस्लिम स्कूल, मुस्लिम कॉलेज आदि है।

7. **अन्य कारण**–प्रथम धार्मिक कट्टरता के कारण भी हिन्दू मुस्लिम दंगे होते है। दूसरे, धर्म–परिवर्तन के कारण सम्प्रदायों में तनाव बढ़ता है। तीसरे, राजनीतिक क्षेत्र में विभिन्न सम्प्रदायों के नेता अपने स्वार्थ के लिए समाज में तनाव पैदा करा देते है।

दंगों के तात्कालिक कारण

साम्प्रदायिक दंगों के भड़कने कई कारण है। जो दंगों की शुरूआत का आधार बनते है।

1. **महिला संबंधी अपराधः** जैसे– छेड़छाड़, उत्पीड़न, बलात्कार, लड़कियों का दूसरे समुदाय के लोगों के साथ भाग जाना। हिंदू संगठन इस तरह भागकर शादी कर लेने की क्रिया को 'लव जेहाद' के तहत एक षड़यंत्र मानते हैं।

2. **भूमि संबंधी झगड़ेः** शमशान घाट की भूमि के मालिकाना हक के ऊपर झगड़े, नए धार्मिक स्थल का निर्माण, गैर–कानूनी निर्माण, पुराने धार्मिक स्थल के ऊपर हक का विवाद तथा इनको ध्वस्त करना।

3. **धार्मिक त्यौहार** : होली, ईद, मुहर्रम इत्यादि के मनाते समय दोनों समुदायों के बीच स्थानीय झगड़े होते हैं। जिसके फैलने का डर बना रहता है।

भारतीय लोकतंत्र पर साम्प्रदायिकता का प्रभाव

भारतीय लोकतंत्र पर साम्प्रदायिकता के दुष्परिणामों या नकारात्मक प्रभाव का उल्लेख निम्न प्रकार है–

1. **साम्प्रदायिक हिंसा**–भारत एक सम्प्रदाय बहुत राष्ट्र है जिसमें हिन्दू, मुसलमान, सिक्ख, ईसाई, जैन, बौद्ध, पारसी आदि लोग रहते हैं। हिन्दुओं को छोड़कर शेष अल्पसंख्यक है। इसी कारण साम्प्रदायिकता एक भयंकर समस्या बन गई है। स्वतंत्रता–प्राप्ति से लेकर अब तक अनेक साम्प्रदायिक घटनाएं घटी जिनमें बहतु से व्यक्ति मारे गए तथा घायल हुए। 1978 में आन्ध्र प्रदेश, कर्नाटक, केरल, तमिलनाडु में 1982 में कन्याकुमारी, हेदराबाद आदि प्रदेशों में झगड़े हुए। 1984 में प्रधानमंत्री इन्दिरा गांधी की हत्या के बाद भी देश में भयंकर दंगे हुए। साम्प्रदायिक दंगे 1984 से 1995 तक विभिन्न स्थानों पर होते रहे हैं। 1992 के अन्त तथा 1993 के आरम्भ में इसने भयंकर रूप धारण कर लिया। 1995 के शुरू में मुरादाबाद (उत्तर प्रदेश) में दंगे हुए। इससे देश का

वातावरण दुषित होता है और देश की एकता और अखण्डता भंग होती है। अतः साम्प्रदायिकता लोकतंत्र के लिए खतरा है।

2. **साम्प्रदायिक आधार पर राजनीतिक दलों का गठन** – साम्प्रदायिक के कारण भारत में साम्प्रदायिक दलों का गठन होता है। वे चुनाव में इसी आधार पर भाग लेते हैं। इससे विभिन्न सम्प्रदायों में झगड़े बढ़ते है। परिणामस्वरूप देश की एकता को खतरा पैदा होता है।

3. **चुनावों में साम्प्रदायिकता का प्रचार**–भारत में साम्प्रदायिक दल चुनावों में अपने दल के उम्मीदवार के समर्थन के लिए सम्प्रदाय के आधार पर प्रचार करते हैं। इसका बुरा प्रभाव पड़ता है तथा जातीय संघर्ष होने लगते हैं। जिसका प्रभाव भारतीय लोकतंत्र पर पड़ता है।

4. **राष्ट्रीय एकता को खतरा**–साम्प्रदायिकता, पृथक्कतावादी विचारधारा है। इस कारण इससे राष्ट्र की एकता को खतरा पैदा होता है।

स्पष्ट है कि साम्प्रदायिकता एक अभिशाप है जो भारतीय लोकतंत्र के लिए एक खतरा बना हुआ है।

साम्प्रदायिकता को दूर करने के सुझाव

भारतीय राजनीतिक व्यवस्था के लिए साम्प्रदायिकता एक अभिशाप है। इसे दूर करने के निम्नलिखित सुझाव दिए गए हैं:

1. **शिक्षा का नैतिक आधार** – शिक्षा का आधार नैतिक मूल्य होना चाहिए। शिक्षा संस्थाओं में धर्म–निरपेक्षता का प्रचार किया जाए तथा विद्यार्थियों में मानवता के गुणों का विकास हो। शिक्षकों को भी धर्म–निरपेक्षता के विषय में प्रचार के साधनों की शिक्षा दी जाए।

2. **साम्प्रदायिक दलों पर प्रतिबन्ध**– साम्प्रदायिक आधार

पर गठित राजनीतिक दल और अन्य संगठनों पर, भले ही वे शिक्षा संस्थाएं हों, प्रतिबन्ध लगाया जाए।

3. **सरकारी अधिकारियों पर नियंत्रण–** सरकारी अधिकारी या पुलिस कर्मचारी यदि साम्प्रदायिक हिंसा पर नियंत्रण करने में असमर्थ रहे हों अथवा साम्प्रदायिकता का प्रचार करते हों तो उन्हें। कठोर–से–कठोर दण्ड देने की व्यवस्था होनी चाहिए।

4. **पाठ्य–पुस्तकों में अध्ययन सामग्री** – विद्यार्थियों के लिए पाठ्य पुस्तकों में इस तरह की सामग्री नहीं होनी चाहिए जिससे साम्प्रदायिकता का प्रचार होता हो। शिक्षा में राष्ट्रीय आदर्शों का प्रचार होना चाहिए।

5. **संचार साधन** – संचार साधन जैसे दूरदर्शन, आकाशवाणी, प्रेस आदि को सरकार द्वारा यह निर्देश होना चाहिए कि वे साम्प्रदायिकता फैलाने वाले समाचारों या विचारों को प्रसारित न करें।

6. **शासन की नीति** – सरकार को अपनी शासकीय नीति का संचालन इस प्रकार से करना चाहिए कि किसी भी रूप में सम्प्रदायवाद की भावना न बढ़े। इसके लिए प्रथम, किसी भी सम्प्रदाय की अनुचित मांग को पूरा नहीं करना चाहिए। दूसरे, साम्प्रदायिक दंगों को रोकने के लिए विशेष पुलिस संगठन बनाए जाने चाहिए। तीसरे जो लोग साम्प्रदायिकता फैलाते हैं।, वे चाहे कितने ही प्रभावशाली क्यों न हों, उन्है। कठोर दण्ड दिया जाए। चौथे, जिन क्षेत्रों में साम्प्रदायिक दंगे होते है। वहां के सभी लोगों पर दण्ड के रूप में जुर्माना किया जाए। पांचवें, जिन क्षेत्रों में दंगे होते हैं। वहां शन्ति बनाए रखने के लिए समिति बनाई जाए और इनमें राजनेताओं को शामिल न किया जाए।

7. **आचार–संहिता** – सभी राजनीतिक दलों के लिए एक आचार–संहिता हो जिसमें इस बात पर बल दिया जाए कि कोई भी दल सम्प्रदायवाद का प्रचार या समर्थन नहीं करेगा न तो चुनाव में और न ही सरकार में सम्प्रदाय के आधार पर प्रतिनिधित्व दिया जाए।

उपर्युक्त सुझाव सम्प्रदायवाद की समस्या का हल करने में सहायक हो सकते हैं।

अध्याय–11

क्षेत्रीय असंतुलन, क्षेत्रवाद, भाषावाद और पृथक्कतावाद

क्षेत्रीय असंतुलन अथवा क्षेत्रीय विषमता का अर्थ है, विभिन्न क्षेत्रों के बीच प्रति व्यक्ति आय, शिक्षा दर, स्वास्थ्य एवं शिक्षा सुविधाओं तथा औद्योगीकरण के पहले स्तर में बहुत बड़ा अंतर व्याप्त होना। जैसाकि पहले उल्लेख किया गया है कि यह क्षेत्र राज्य भी हो सकते हैं या राज्य के भीतर कोई क्षेत्र। इस दृष्टि से भारत में विभिन्न कारकों के परिणामस्वरूप असंतुलन व्याप्त है। पहले तो ब्रिटिश औपनिवेशिक शासक की शोषण प्रवृति के कारण या तो क्षेत्रीय विषमताएं पैदा की गई या उन्हें और अधिक बढ़ा दिया गया। तत्पश्चात् स्वतंत्र भारत द्वारा अपनाई गई योजनाएं भी इन्हें दूर नहीं कर सकी।

क्षेत्र

क्षेत्र एक ऐसा भू भाग है जहां के वासियों का धर्म, भाषा, रीति–रिवाज, सामाजिक–आर्थिक और राजनीतिक विकास की अवस्था, संयुक्त ऐतिहासिक परंपरा, रहन–सहन का ढंग इत्यादि के कारण अपने क्षेत्र से भावात्मक लगाव होता है। इन कारणों में से कोइ एक या कुछ और सबसे अधिक उनमें उपस्थित निकटता की भावना इस जुड़ाव को सशक्त

करती है। यह भू भाग राज्य की सीमाओं में सीमाओं तक या सीमाओं से बाहर एक से अधिक राज्यों में भी हो सकता है। आर्थिक, राजनीतिक, सांस्कृतिक आधार पर विभेद अथवा प्रतिस्पर्धा की भावना तथा न्याय अथवा लोभ की इच्छा क्षेत्रवाद को उभारती है। उपरोक्त कारणों और उनके स्वभाव के आधार पर क्षेत्रवाद की अभिव्यक्ति कई प्रकार से हो सकती है जैसे–राज्य के लिए स्वायतता अथवा शक्तियां मांग कर, नए राज्य की मांग करके, क्षेत्रीय भाषा अथवा संस्कृति को बचाने की मांग द्वारा या फिर देश से पृथक होने की मांग द्वारा।

औपनिवेशिक विरासत

ब्रिटिश औपनिवेशिक प्रशासन मूलतः भारतीय बाजार में अपने उत्पाद बेचने तथा यहां से कच्चा माल ले जाने में रूचि रखता था। कुछ मामलों में वे यहां अपनी अतिरिक्त पूंजी निवेश तथा सस्ती मजदूरी का प्रयोग का लाभ उठाने लिए कुछ उद्योग लगाने में भी रूचि रखते थे। इन आवश्यकताओं की पूर्ति के लिए उन्होंने कुछ क्षेत्रों से अधिकाधिक भू–राजस्व प्राप्त करने के लिए जमींदारी व्यवस्था प्रारम्भ की। अपने उत्पादन के विक्रम हेतु मंडियां पैदा करने के लिए उन्होंने कुछ क्षेत्रों में कृषक स्वामित्व व्यवस्था और कृषि में सुधारों का पक्ष लिया। परिणामस्वरूप विभिन्न राज्यों और क्षेत्रों में कृषि के क्षेत्र में उत्पादन संबंधों और उत्पादन के स्तर में महत्वपूर्ण परिवर्तन दिखने लगे।

शहरीकरण का प्रारूप प्राथमिक उत्पादों का निर्यात और तैयार माल के आयात की नीति पर आधारित था जिसके फलस्वरूप कुछ ऐसे बंदरगाहों की नींव पड़ी जो शहरी औद्योगिक गतिविधियों के मुख्य केंद्र बन गए। इसलिए औपनिवेशिक भारत में व्यापार और वाणिज्य की वृद्धि का अर्थ था विभिन्न समुद्रतटीय केंद्रों जैसे बंबई, कलकत्ता, मद्रास और कुछ देशी रिसायतों की राजधानियों में नौकरियों और शिक्षा संबंधी अवसरों का पैदा होना। इससे कुछ क्षेत्रों में उपभोक्ता उद्योगों का भी उदय हुआ जिससे व्यापरारिक पूंजीवादी वर्ग का विकास हुआ।

शिक्षा का प्रसार असंतुलित क्षेत्रीय विकास का एक अन्य कारण था। ब्रिटिश साम्राज्यवादियों ने भारत और भारत के तटीय क्षेत्रों, विशेषतः बंबई, कलकत्ता और मद्रास बंदरगाहों के निकट के क्षेत्रों को व्यापार के माध्यम द्वारा यूरोप से जोड़ दिया था। इन क्षेत्रों में स्थापित संस्थाओं के प्रबंधन के लिए कर्मचारी तैयारी करने हेतु आधुनिक शिक्षा प्रारंभ की गई। इससे इन क्षेत्रों में एक शिक्षित व्यवसायी वर्ग पनपा जिसमें मुख्यतः कम वेतन वाले सरकारी और व्यापारिक लिपिक थे। इन क्षेत्रों में जागरूक वकीलों तथा दूसरे व्यवसायियों का एक ऐसा प्रबुद्ध वर्ग उदित हुआ जिसने स्वतंत्रता आंदोलन में बढ़ चढ़कर भाग लिया।

क्षेत्रीय असंतुलन तथा क्षेत्रवाद

राज्यों के मध्य तथा राज्यों के भीतर असमानताओं के बने रहने के कारण उपेक्षा वंचित होने और भेदभाव की भावना जन्म लेती है। बहुजातीय और बहुधार्मिक देश में राज्यों और क्षेत्रों में बसे समूहों के बीच ये असमानताएं सामाजिक टकराव का कारण बनती हैं। जिससे राजनैतिक और प्रशासनिक समस्याएं पैदा होती हैं। प्रत्येक दशा में, क्षेत्रीय असंतुलन भाग में क्षेत्रवाद का कई प्रकार से एक मुख्य कारण है। बिहार और पश्चिमी बंगाल के झारखंड क्षेत्र, उत्तर प्रदेश के उत्तरांचल तथा मध्य प्रदेश के छत्तीसगढ़ क्षेत्रों में अलग राज्य बनाने के आंदोलन उनके अल्प विकास तथा लोगों में शोषण एवं वंचित रहने की भावना के कारण हुए।

असंतुलित विकास का एक अन्य पहलू यह है कि सीमित क्षेत्रों में विकास के कारण अन्य राज्यों और क्षेत्रों से मजदूर रोजगार और नौकरी की तलाश में विकसित क्षेत्र की और भागते हैं। उदाहरण के लिए दक्षिण भारत और अन्य भागों से औद्योगिक मजदूरों का बड़ी संख्या में निरन्तर मुंबई में उड़ीसा और बिहार से कोलकाता में, तथा पूर्वी उत्तर प्रदेश और बिहार से खेतीहर मजूदरों का पंजाब में पहुंचना दो प्रकार के तनाव उत्पन्न कर रहा है। प्रथम यह भाषायी और सांस्कृतिक समूहों में अपनी स्थिति को लेकर पैदा हुई चिंताओं से उस क्षेत्र को लेकर पैदा हुई चिंताओं से उस क्षेत्र की सांस्कृतिक समरसता को प्रभावित करता है।

दूसरे यह उन स्थानीय मजदूरों में दुर्भावना पैदा करता है, जो या तो नौकरी पाने में असफल रहते हैं। या फिर बाहर से आए मजदूरों द्वारा कम दर पर कार्य करने की इच्छा के कारण स्थानीय मालिकों से प्रभावशाली ढंग से सौदेबाजी करने में असमर्थ रहते हैं। यह वर्गीय संगठनों तथा भूमि–पत्रों जैसे आंदोलन को जन्म देता है।

इसी तरह पिछड़े क्षेत्रों में शिक्षा विशेषकर उच्च शिक्षा का प्रसार परन्तु औद्योगीकरण तथा अन्य रोजगार पैदा करने वाली संस्थाओं का अप्रसार, शिक्षित बेरोजगार युवकों की फौज को बढ़ा रहा है। ये हताश युवा वर्ग अन्य देशों अथवा राज्यों से लोगों के आगमन के विरूद्ध आंदोलनों की और आकर्षित होते हैं। असम आंदोलन के आधारभूत कारणों में से यह एक प्रमुख कारण है। बिहार और उड़ीसा के भागों में भी इसी प्रकार की स्थिति उभर रही है। इसके अतिरिक्त ये बेरोजगार ये बेरोजगार युवक वर्गीय आधार पर अपने अधिकारों की रक्षा के लिए लड़ने को जातीय, सांप्रदायिक और वर्गीय आंदोलनों की और आकर्षित होते हैं। आधुनिकीकरण और शिक्षा के प्रसाद के बावजूद जातीय आधार पर विवाद, बिहार और गुजरात में नौकारियों के लिए आरक्षण शहरों और कस्बों में जातीय एवं उपजातीय संस्थाओं में वृद्धि तथा साप्रंदायिक झगड़ों में निरतंर बढ़ोत्तरी, एक हद तक इसी कारण से है।

ये क्षेत्रीय असंतुलन काफी सीमा तक राष्ट्रीय अर्थव्यवस्था और राष्ट्रीय राजनीति में अवरोध पैदा करते हैं। ये राजनीति में भिन्न प्रकार के स्तर और स्वरूप बनाते हैं। जिससे अंतराज्यीय, अतंक्षेत्रीय और केंद्र राज्य विवाद उत्पन्न होते हैं। कुछ मामलों में ये सांप्रदायिक और सांस्कृतिक भेदों से जुड़ कर ऐसे विवादों की गहरा देते हैं। इसी संदर्भ में क्षेत्रवाद का एक सबसे महत्वपूर्ण पहलू भाषावाद है।

भाषावाद

भारत जैसे बहुभाषी देश में भाषा के साथ दो समस्याएं जुड़ी हुई हैं। प्रथा, एक आम भाषा राष्ट्रीय जीवन का एक अनिवार्य तत्व प्रतीत होती है। दूसरे भाषा की किसी जातीय समूह की सही पहचान होने के कारण,

वह भाषायी समूह अपने भाषा के संरक्षण और विकास के प्रति चिंतित रहते हैं। अतः मुख्य समस्या विभिन्न भाषाओं और संस्कृतियों के बीच एक समान राष्ट्रीय जीवन को विकसित करना है।

अंग्रेजी औपनिवेशक युग में समान भाषा थी। यह विभिन्न भाषायी समुदायों के विशिष्ट वर्ग के बीच संवाद की भाषा थी। यह केंद्र और प्रांतीय दोनों स्तरों पर प्रशासनिक, न्यायिक तथा शैक्षिक क्षेत्रों में प्रयुक्त होती थी। इसका अर्थ अवश्य ही यह था कि जनसाधारण की उपलब्ध प्रशासनिक, राजनीतिक तथा आर्थिक अवसरों से दूर रखा गया था। इसलिए जहां ब्रिटिश भाषायी नीति उपनिवेशवादी शासकों की आवश्यकताओं को पूरा करती थी, वहीं वह लोकतांत्रिक संस्थाओं वाले स्वतंत्र देश के उद्देश्य को पूरा नहीं कर सकी। राष्ट्रीय गौरव को आघात पहुंचाने वाले भावनात्मक मुद्दे के अतिरिक्त अंग्रेजी भाषा के प्रयोग ने विशिष्ट शिक्षित वर्ग और जनसाधारण तथा शासकों व शक्तियों के बीच की दूरी को बढ़ाया। परिणामस्वरूप जनसंख्या का एक बड़ा भाग देश की राजनीतिक और आर्थिक कार्यक्रमों से अलग, निष्क्रिय और असंबद्ध रहा।

उपरोक्त दृष्टिकोण के अनुसार भाषा का मुद्दा, स्वतंत्रता संघर्ष के दौरान ही एक महत्वपूर्ण मुद्दे के रूप में उभरना शुरू हो गया था। मुख्य रूप से तीन मुद्दे उठाए जा रहे थे।

1. स्वतंत्रता उपरांत भारत की राजकीय सरकारी भाषा
2. भाषायी स्वतंत्रता उपरांत भारत की राज्यों का निर्माण जिनकी सीमाएं ब्रिटिश शासन में भाषायी विभाजन के अनुसार नहीं थी और
3. क्षेत्रीय भाषाओं की स्थिति

राजभाषा

संविधान सभा में राजभाषा घोषित करने के संबंध में बहुत प्रबल विचार थे। एक वर्ग ने हिंदी की राजधानी स्वीकार करने के पक्ष में जोरदार बहस की, परन्तु अहिंदी भाषा क्षेत्रों के प्रतिनिधियों ने इस मांग

का इस आधार पर विरोध किया कि हिंदी को राजभाषा स्वीकार करने के परिणामस्वरूप पूरे भारत पर हिंदी क्षेत्रों का प्रभुत्व बढ़ेगा। प्रतियोगी सरकारी नौकरियों के मामले में हिंदी भाषी लोगों को स्वाभाविक रूप से अतिरिक्त लाभ होगा। उनका यह भी मानना था कि हिंदी को राजभाषा स्वीकार किए जाने से अंतर्राष्ट्रीय जगत में संवाद एवं संचार कठिन हो जाएगा।

हिंदी के समर्थकों ने इन सभी तर्कों को अस्वीकार करते हुए बल दिया कि हिंदी भाषा लोग भारत का सबसे बड़ा भाषायी समूह हैं। अतः हिंदी का राजभाषा के लिए दावा स्वाभाविक है। उनका मानना था कि यदि अंग्रेजी जैसी विदेशी भाषा को राजभाषा मान लिया गया तो सरकार और जनता के बीच निकट संबंध बनाए रखना संभव नहीं होगा। अंत में संविधान सभा ने एक समझौता फार्मूला निकाला। संविधान के अनुच्छेद 343 के अनुसार हिंदी को राजभाषा घोषित किया गया। यद्यपि इसने केंद्र के सभी राजकीय कार्यों के लिए अगले पंद्रह वर्षों तक अंग्रेजी के प्रयोग को जारी रखने का प्रावधान किया गया कि किसी राज्य की विधान सभा कानून द्वारा राज्य में प्रयोग की जा रही किसी एक या अधिक भाषाओं या हिंदी को राज्य के सभी राजकीय कार्यों या किसी एक कार्य के लिए प्रयोग की जाने वाली भाषा अथवा भाषाओं के रूप में अपना सकती है। जबकि संविधान में केंद्र सरकार के लिए अंग्रेजी को राजभाषा के रूप में पद्रंह साल तक प्रयोग करने का प्रावधान किया गया। वहीं 1955 में नियुक्त राजभाषा आयोग ने अंग्रेजी के स्थान पर हिंदी लाने के पक्ष में प्रबल राय दी। इस सिफारिश के साथ ही अहिंदी भाषी लोगों का लंबे समय से चला आ रहा असंतोष और भय फूट पड़ा। दक्षिण के आलोचकों ने इस सिफारिश का कड़ा विरोध किया। व्यापक पैमाने पर प्रदर्शन हुए। एक बार फिर सरकार समझौते पर उतर आई। समझौते के अनुसार हिंदी का औपचारिक बदलाव 1965 में होना था अर्थात् संविधान स्वीकार किए जाने के पंद्रह वर्ष बाद और उसके अंग्रेजी का राजभाषा के रूप में प्रयोग नहीं किया जा सकेगा। अप्रैल 1963 में राजभाषा विधेयक को औपचारिक ढंग से संसद में प्रस्तुत किया गया। विधेयक ने अंग्रेजी को

राजभाषा के रूप में बिना किसी समय सीमा के जारी रखने की अनुमति प्रदान की तथा साथ ही साथ हिंदी राजभाषा के रूप में स्वीकार किए जाने के लिए 1975 में समीक्षा करने का करार भी किया। तत्कालीन प्रधानमंत्राी जवाहरलाल नेहरू ने अहिंदी भाषियों को आश्वस्त किया कि उनकी सहीमति के बिना उन पर नहीं थोपी जाएगी।

अतः यह बिल्कुल स्पष्ट हो गया कि हिंदी को भारत की एक मात्र राजभाषा के रूप में लोग करने का अहिंदी भाषी क्षेत्रों में विशेषकर दक्षिणी राज्यों में उल्टा प्रभाव पड़ा और इसका प्रबल विरोध हुआ।

परिणामस्वरूप शिक्षा, प्रशासन और संचार में भाषा विरोध का प्रयोग एक मुख्य मुद्दा बन गया। सरकारी नौकरियां और सेवाएं इससे जुड़ी हुई हैं। लोगों को एक वर्ग की मातृभाषा को राजभाषा के रूप में अपनाए जाने से उन नागरिकों के अवसर बुरी तरह से प्रभावित होंगे जिनकी इसमें प्रवीणता नहीं है तथा जिनकी मातृभाष इससे अलग है। यह विचार विरोध और हताश पैदा करता है। यही वे आशंकाएं थी जिनकी भय के कारण स्वतंत्रता संघर्ष के दौरान ही भाषायी राज्य बनाने की मांग उठी थी।

भाषायी राज्य

अनेक भाषायी समूह निश्चित क्षेत्रों में जमाव की वजह से अनुभव करते हैं। कि यदि उनका क्षेत्र राज्य बन गया होता तो यह उनकी भाषा और संस्कृति को संरक्षित रखने और बढ़ाने का एक सशक्त साधन होता। यही नहीं, तब उनकी भाषा के राजभाषा होने के कारण, आर्थिक गतिविधियों में उनके बेहद अवसर प्राप्त हो जाते।

स्वतंत्रता के उपरांत प्रांरभ में भाषा के आधार पर राज्य संगठित नहीं था। फलस्वरूप वहां आंदोलन प्रारम्भ हो गए। 1952 में तत्कालीन मद्रास प्रांत के आंध्र क्षेत्र में तेलगू भाषी राज्य बनाने के लिए एक बड़ा आंदोलन हुआ। आंदोलन के दौरान एक सम्मानित नेता पार्टी श्रीरामुलु के निधन ने सरकार को इस मांग को मानने पर विवश किया और

आंध्र राज्य बनाया गयां इसके साथ ही राज्यों के भाषायी आधार पर गठन की मांग के अध्ययन के लिए राज्य पुनर्गठन आयोग भी नियुक्त किया गया। इसके साथ ही राज्यों के भाषायी आधार पर गठन की मांग के अध्ययन के लिए राज्य पुनर्गठन आयोग भी नियुक्त किया गया।

आयोग ने 1995 में दी गई अपनी रिपोर्ट में कहा कि बहुभाषी राज्यों में प्रभावशाली भाषायी समूह का राजनीतिक नेतृत्व तथा प्रशासनिक शक्ति पर एकाधिकार बना रहता है। भाषायी अल्पमत को अपने राज्य के शासन में प्रभावी रूप में हस्तक्षेप करने नहीं दिया जाता। इसी कारण आयोग ने राज्यों के पुनर्गठन के लिए भाषायी एकरूपता के सिद्धांत की सिफारिश की।

इस मुद्दे पर केंद्रीय सरकार ने जनभावना की गहराई को समझते हुए राज्य पुनर्गठन आयोग की सिफारिशें को स्वीकार कर लिया और 1965 में भाषायी आधार पर अधिकांश राज्यों का पुनर्गठन किया। 1960 में विभाषी बंबई को समभाषी गुजरात और महाराष्ट्र में विभाजित किया गया। 1966 में पंजाब हरियाण और पंजाब में बांटा गया।

उसी समय राजभाषा के मुद्दे ने केंद्र राज्य संबंधों में भी तनाव पैदा किया। अतः क्षेत्रीय असंतुलन, स्पष्ट भाषा नीति का अभाव, राजनीतिज्ञों द्वारा जन भावनाओं को वोट बैंक बनाने के लिए प्रयोग करने की इच्छा, विशिष्ट राज्यों में सांस्कृतिक, भाषायी तथा धार्मिक समूहों का जमाव, राजनीतिक एवं आर्थिक शक्तियों का केंद्रीकरण आदि मिलकर भारत में क्षेत्रवाद के उदय एवं विकास का कारण बने।

काफी सीमा तक भारत जैसे बहुलवादी समाज में क्षेत्रवाद को एक स्वाभाविक घटना माना जा सकता है। मूलरूप से यह सौदेबाजी, शिकायतें अभिवयक्त करने अंसतुष्ट इच्छाओं को उजागर करने और केन्द्रीकरण के विरूद्ध प्रतिक्रिया का साधना एवं प्रक्रिया है।

पृथक्कतावाद

पृथक्कतावाद से तात्पर्य है देश से अलग होकर एक स्वतंत्र राज्य

का बनना है। इसे क्षेत्रवाद की अति आक्रामक अभिव्यक्ति भी कहा जा सकता है जो प्रायः सीमावर्ती राज्यों में उभरती है। कुछ विचारकों का कहना है कि पृथक्कतावाद सीमावर्ती क्षेत्रों में धार्मिक भाषायी और जातीय अल्पसंख्यकों के निवास तथा देश के प्रति उनकी निष्ठा में कमी का दुष्परिणाम है। भारत और बाहर के अनेक अध्ययनों ने स्पष्ट रूप से यह सिद्ध कर दिया है कि धार्मिक और जातीय समूहों की उपस्थिति इस विवाद का स्वाभाविक कारण नहीं है। यह विमुख होने की एक भावना है जो किसी समूह में कई कारणों से हो सकती है और जो समूह को देश के भीतरी और बाहरी ताकतों के निहित स्वार्थों से प्रेरित अलगाववादी आंदोलन के लिए प्रेरित करती है। ये कारण है।: (1) भूमि स्वामित्व अथवा पारंपरिक भू–स्वामित्व से मनाही (2) विकास गतिविधियों की कमी और रोजगार के अवसरों की अनुपस्थिति (3) प्रशासन और सार्वजनिक विद्यालयों में अल्पसंख्यकों की भाषा के प्रयोग से इंकार (4) भाषायी अथवा धार्मिक योग्यताओं के कारण रोजगार के अवसरों से वंचित रखना (5) अल्पसंख्यकों के स्थान पर बहुसंख्यकों को लाभ पहुंचाता हो (6) सीमा पार के लोगों के साथ संस्कृति, भाषा, संस्कारों और परम्पराओं की समानता को होना तथा (7) लोकतांत्रिक इच्छाओं और शिकायतों को अभिव्यक्ति करने वाले आंदोलनों को दबाना।

इनमें से कोई भी कारण लोगों में उपेक्षा और वंचित रखने की भावना पैदा कर सकता है। इस भावना को सामाजिक, सैनिक, वैचारिक अथवा आर्थिक कारणों से देश की अस्थिरता में रूचि रखने वाली बाहरी ताकतों द्वारा भड़काया जाता है। आंतरिक निहित स्वार्थ भी इन भावनाओं का प्रयोग, नेता बनने या बने रहने और सरकार से सौदेबाजी करने के लिए करते है। इन समुदायों के छोटे समूह जिन्है। बाह्य ताकतों की सहायता एवं प्रोत्साहन प्राप्त होता है, हिंसक साधनों और आंतकवादी तरीकों तक का प्रयोग करते है। इसी प्रकार बहुसंख्यकों में उग्रराष्ट्रवादी समूह पूरे समुदायों को राष्ट्र विरोधी और कट्टरपंथी होने की दृष्टि से देखते हैं और इस प्रकार अल्पसंख्यकों को और विलग कर देते है। इस वास्तविक या कल्पित अलगाव और भेदभाव की का राजनीतिज्ञों तथा

बांटने वाली ताकतों द्वारा दुरूपयोग किया जाता है। लोग सोचने लगते है। कि तथाकथित उनके अपने नए देश से उनके लिए सब कुछ होगा। वे नहीं समझ पाते कि विशिष्ट वर्ग के लोग अपने निहित स्वार्थों के लिए उनका प्रयोग कर रहे हैं। उदाहरण के लिए जिन्ना जैसे पाकिस्तान के समर्थक भारत के सभी मुसलमानों को प्रतिनिधित्व न करके केवल विशिष्ट वर्ग के मुसलमानों का ही प्रतिनिधित्व करते थे। पाकिस्तान बनने के बाद उस देश में अधिकांश मुसलमान वैसे ही निर्धन, शोषित और विशिष्ट वर्ग द्वारा भेदभाव के शिकार रहे जैसे विभाजन से पहले थे।

सांप्रदायिकता, क्षेत्रवाद, पृथक्कतावाद को बढ़ावा देने वाले लोग शिक्षित मध्यम वर्ग से संबंधित होते है, और इन मध्यम वर्गीय लोगों में से अधिकांश धर्म और पंरपराओं के प्रति इतने उत्साहित नहीं होते हैं। परन्तु उनके पास विरोध करने के कारण होते हैं। क्योंकि वे प्रचलित व्यवस्थाओं को अपने हितों और विकास की संभावनाओं के लिए एक बड़ा बाधक मानते हैं। इसलिए वे अपने लिए स्थान चाहते हैं। और अपने समुदायों से सहयोग की अपेक्षा भी करते हैं। अल्पसंख्यकों के भीतर भी बहुसंख्यकों के कुछ उन वर्गों के व्यवहार के कारण भय व्याप्त होता है जो अपनी धार्मिक और संस्कृति मान्यताओं को पूरे देश और समाज का मानकर राष्ट्रवाद और देश भवित की गलत समझ के कारण थोपने का प्रयास करते है।

पृथक्कतावाद विभिन्न कारणों से उभरता है जिनमें असंतुलित विकास, उच्च वर्गीय प्रतियोगिता निहित स्वार्थी द्वारा धर्म एवं संस्कृति का प्रयोग, पंथ निरपेक्षता को कमजोर करना, अपराध को बढ़ाना, बाहरी ताकतों व शक्तियों द्वारा सहयोग एवं प्रोत्साहन सम्मिलित है। अलगाववाद की प्रक्रिया प्रायः शिकायातों की अभिव्यक्ति, स्वायत्तता अथवा बेहतर व्यवहार के लिए आंदोलन, चरम क्षेत्रवाद अथवा कट्टरवादिता और पृथक्कतावाद की और बढ़ने से प्रारंभ होती है। पूरे विश्व में हुए अध्ययनों ने दो बातें बिल्कुल स्पष्ट कर दी है। एक, अलगाव या देश से अलग होना, अन्याय वंचित रखने और भेदभाव संबंधी शिकायतों को सुलाझने

का सही तरीका नहीं है। वास्तव में अलगाव के अधिकांश मामलों में समस्याएं कई गुणा बढ़ी है। दूसरे क्षेत्रीय और जातीय आंदोलनों को प्रशासनिक सुविधा अथवा कानून और व्यवस्था के नाम पर दबाने के उल्टे परिणाम निकलते हैं। इसके लिए आवश्यक है एक ओर संतुलित विकास के लिए सही दृष्टिकोण सामाजिक न्याय अनेकताएं, विकेंद्रीकरण और समायोजन तो दूसरी और आंतकवादियों कट्टरपंथियों और सांप्रदायिक लोगों के साथ धर्म, जाति, राजनैतिक प्रश्रय अथवा वैचारिक पसंद को भेदभाव किए बिना सख्ती से निपटना परम आवश्यक है।

अध्याय–12

हित समूह एवं दबाव समूह

अर्थ और परिभाषा

हित समूहों को ऐसी स्वैच्छिक संस्थाओं के रूप में परिभाषित किया जा सकता है जो सत्ता संघर्ष में सम्मिलित हुए बिना, समाज में किसी विशेष हित की रक्षा हेतु अथवा किसी उद्देश्य या राजनीति स्थिति को प्रोन्नत करने के लिए बनती है। साधारणतया हित समूह का प्रयोग ऐसे समूहों के लिए किया जाता है। जो किसी सामूहिक हित अथवा किसी एक व्यवसाय से संबंधित लोगों की रक्षा अथवा प्रगति के लिए संगठित किए जाते है। जैसे– वकीलों, व्यापारियों, शिक्षकों तथा कृषकों, डाक्टरों के हितों के समूह लॉबी और लॉबिस्ट की शब्दावली भी उभर कर आई है। वास्तव में, यह उस प्रणाली की और संकेत करती है, जहाँ विशेषतः अमेरिका में, हित समूह नीति निर्धारण करने वालों में मिलने, उनको प्रभवित करने व दबाव डालने के कार्य करते हैं।

हित समूह और दबाव समूह की उपरोक्त परिभाषाओं से ऐसे समूहों के कुछ लक्षण स्पष्ट हो जाते है। ऐसे समूह संगठित समूह होते हैं। अतः वे व्यक्तियों द्वारा किए गए कृत्यों और सहभागिता से भिन्न होते हैं। इसलिए प्रत्येक समूह अपने सदस्यों के सामूहिक के हितों के लिए कार्य करता है दूसरे, दबाव समूह जिन्हें सामूहिक हितों के आधार पर संगठित

किया जाता है, मूलतः बाहर से दबाव डाल कर निर्णयों को प्रभावित करने से संबध है। अतः जहां राजनीतिक दल सरकार बनने की लालसा रखते है। वहीं ये समूह उसे मात्र प्रभावित करना चाहते हैं। उनका उद्देश्य सरकार बनाना नहीं होता बल्कि उसकी दिशा और नीतियों को एक विशेष ढंग से बदलना होता है। हित समूह और दबाव समूह चुनाव में भाग नहीं लेते। वे कुछ दलों की जो उनके हितों की रक्षा करते हैं, सहायता कर सकते है। ये समूह राजनीतिक दलों से अलग है। क्योंकि ये चुनाव जीतने या सरकारी सत्ता का प्रयोग करने के स्थान पर, उस पर बाहर से प्रभाव डालने का प्रयास करते हैं।

दबाव समूह और आंदोलन

बतौर संगठन दबाव समूह सरकार की नीतियों को प्रभावित करने की कोशिश करते हैं। लेकिन राजनीतिक पार्टियों के समान दबाव समूह का लक्ष्य सत्ता पर प्रत्यक्ष नियंत्रण करने अथवा उसमें हिस्सेदारी करने का नहीं होता। दबाव समूह का निर्माण तब होता है जब समान पेशे, हित, आकांक्षा अथवा मत के लोग एक समान उद्देश्य को प्राप्त करने के लिए एकजुट होते हैं।

वर्ग विशेष के हित समूह और जन सामान्य के हित समूह

हित समूह अमूनन समाज के किसी खास हिस्से अथवा समूह के हितों को बढ़ावा देना चाहते हैं। मजदूर संगठन, व्यावसायिक संघ और पेशेवरों के निकाय इस तरह के दबाव समूह के उदाहरण हैं।

ये दबाव समूह वर्ग विशेषी होते है। क्योंकि ये समाज के किसी खास तबके, जैसे—मजदूर, कर्मचारी, व्यवसायी, उद्योगपति, धर्म विशेष के अनुयायी अथवा किसी खास जाति का प्रतिनिधित्व करते हैं। ऐसे दबाव समूह का मुख्य सरोकार पूरे समाज का नहीं बलिक अपने सदस्यों को बेहतरी और कल्याण करना होता है। कुछ संगठन समाज के किसी एक तबके के ही हितों का प्रतिनिधित्व नहीं करते। ये संगठन सर्वसामान्य

हितों की नुमाइंदगी करते हैं। जिनकी रक्षा जरूरी होती है। संभव है कि ऐसा संगठन जिस उद्देश्य को पाना चाहता हो, उससे इसके सदस्यों को कोई लाभ न हो।

भारत के हित समूह

भारत में हित और दबाव समूह कोई नई राजनीतिक घटना नहीं है। वे औपनिवेशिक काल से ही अस्तित्व में रहे हैं। वास्तव में, भारतीय राष्ट्रीय कांग्रेस अपने अवतरण के समय एक दबाव समूह हीं थी जो ब्रिटिश शासन से विशिष्ट मांगें करती थी जैसे– प्रशासनिक सेवाओं में भारतीयों की भर्ती की संख्या में वृद्धि इंग्लैण्ड में भारतीय विद्यार्थियों के लिए अधिक कोटा इत्यादि। कालांतर मजदूर संघ, किसानों, व्यापारियों और युवाओं की संस्थाएं तथा जातीय और धार्मिक समूह भी अपने विशिष्ट हितों की रक्षा की मांग करते हुए उभरे। उनका राष्ट्रीय आंदोलन मै सक्रिय सहयोग देने के लिए प्रयोग किया गया। आज भी वे भारतीय राजनीति में सक्रिय हैं। यद्यपि वे मुद्दे जिनसे दबाव समूह संबद्ध रहे हैं, तथा कई युक्तियों जिन्है। वे अपने उद्देश्यों के लिए प्रयुक्त करते है, निरंतर बदलते है। लेकिन दबाव समूह राजनीति के व्यापक सिद्वांत वही है।

सामाजिक अथवा पहचान आधारित समूह

औपनिवेशिक काल में पाश्चात्य मूल्यों और अंग्रेजी शिक्षा पद्धति पर प्रहार को प्रतिहार करने के लिए, नए व्यवसायों तथा सरकारी नौकरियों में समुचित भाग की मांग करने तथा संख्या आधारित राजनीति में सामाजिक तथा सांस्कृतिक हितों की रक्षा के लिए धर्म, जाति, भाषा जातीयता और क्षेत्रीयता, इत्यादि जैसे सामुदायिक हितों पर आधारित कई समूह सामने आए। कुछ विषयों में ब्रिटिश प्रशासन ने स्वयं ऐसे समूहों के गठन को राष्ट्रीय आंदोलन की कुछ मांगों को प्रतिकार करने के लिए प्रोत्साहित किया। स्वतंत्रता उपरांत लोकतांत्रिक व्यवस्था और सीमित संसाधनों के लिए प्रतियोगिता के संदर्भ में ऐसे समूहों की

महत्वपूर्ण वृद्धि हुई है। सामाजिक अथवा पहचान आधारित समूहों की मुख्य विशेषता यह है कि वे सामाजिक ताने–बाने से बुने जाते हैं।

दूसरे प्रकार के पहचान समूह वे है, जो विशेष स्तर, श्रेष्ठता अथवा दूसरों की तुलना में अपने समुदाय के लिए प्राथमिकता का दावा करने में संलग्न है। मुसलमानों में जमायत–ए–इस्लामी, हिन्दुओं में राष्ट्रीयता स्वयं सेवक संघ और विश्व हिंदू परिषद् और सिक्खों में अखिल भारतीय सिक्ख छात्र परिसंघ ऐसे ही समूह हैं, ये समूह न केवल अपने समुदायों के हित के लिए कार्यरत हैं, अपितु अपनी मूल्य पद्वति के अनुसार राजनीतिक प्रक्रिया के स्थानांतरण के लिए भी कार्य करते हैं। भाषा के विकास को अग्रसर करने वाली कई भाषाई संस्थाएं भी हैं।

सामुदायिक अथवा व्यवसायिक समूह

सामुदायिक अथवा व्यवसायकि समूह वे समूह हैं, जो संयुक्त व्यवसायिक हितों के लिए एकत्रित हुए व्यक्तियों द्वारा गठित किए गए है। उन्हें कभी–कभी सरंक्षक और कार्यात्मक समूह भी कहा जाता है। मजदूर संघ, व्यापार संस्थाएं और मजदूर संस्थाएं व्यवसायिक संगठन आदि इस प्रकार के समूहों के प्रमुख उदाहरण हैं। उनकी महत्वपूर्ण विशेषता इस तथ्य में है, कि वे समाज के एक वर्ग जैस– मजदूर मालिक उपभोक्ता, आदि का प्रतिनिधित्व करते हैं।

व्यापार समूह

किसी भी समाज में व्यापार और उद्योग नीतियों को प्रभावित करने तथा हितों की रक्षा करने की दृष्टि से सबसे बड़ा और सक्रिय वर्ग है। भारत में उन्होंने स्वयं को औपनिवेशिक काल में ही संगठित करना प्रांरभ कर दिया था। उस समय जब वे स्वयं को कांग्रेसी नेतृत्व वाले राष्ट्रीय आंदोलन की विरोध नीति से अलग–अलग रहने के पक्षधर थे, तब भी उन्होंने कांग्रेस की रचनात्मक गतिविधियां और स्वतंत्रता के कार्यक्रमों में कई प्रकार से सहयोग दिया। स्वतंत्र भारत में व्यापार और उद्योगों को विकास की नीतियों और योजनाओं के संदर्भ में कार्य करना था।

जब राष्ट्र द्वारा अर्थव्यवस्था संबंधी नीति बनाई और लागू की जा रही होती है।, तब बड़े–बड़े उद्योगों की इन संस्थाओं के माध्यम से कार्यकारिणी तथा नौकरशाही से लाबिंग करने के लिए निरंतर पहुंच रहती है। उत्पादन के साधनों का स्वामित्व तथा क्रियात्मक नियंत्रण उन्है। सरकारी निर्णयों को प्रभावित करने हेतु सशक्त साधन उपलब्ध कराता है।

मजदूर संघ

पूरे विश्व में मजदूर एक महत्वपूर्ण संगठित वर्ग के रूप में उभरे है। इस संदर्भ में मार्क्सवादी और समाजवादी विचारधाराओं तथा दलों के उदय ने एक महत्त्वपूर्ण भूमिका निभाई है जबकि कुछ देशों में मजदूर संगठनों के विकसित होने में काफी लंबा समय लगा, वहीं भारत में श्रमिक संघ आंदोलन चौंकाने वाली गति से विकसित हुआ। औपनिवेशिक काल में साम्यवादी और कांग्रेस पार्टी दोनों ने औपनिवेशिक दमन के स्वाभाविक विरोधी होने के नाते मजदूरों के संगठनों की सहायता की। मजदूर संघ न केवल फैक्ट्रियों और क्षेत्रिय स्तरों में ही स्थापित हुए अपितु राष्ट्रीय स्तर पर भी इनके गठन के प्रयास किए गए।

किसान एवं कृषक संगठन

यह स्पष्ट है कि भारत की अधिकांश जनसंख्या गांवों में निवास करती है और भारत की अर्थव्यवस्था मूलतः कृषि अर्थव्यवस्था ही है। स्वतंत्रता के समय सरकार के लिए एक और कृषि उत्पादन बढ़ाना आवश्यक था तो दूसरी ओर भूमि–सुधार लागू करना। जमींदारी व्यवस्था को समाप्त करने से लेकर हरित क्रांति, सीमित भूमि–सुधार और चुनावी राजनीति में ग्रामीण लोगों को सक्रिय करने जैसे नीतियों और कार्यक्रमों ने ग्रामीण लोगों में जागरूकता और चेतना पैदा की तथा भिन्न–भिन्न हित वाले नए समूह बने।

खेतीहार संस्थाएं

खेतीहर आंदोलन पिछले कई वर्षों से समाचारों में रहे हैं। 1970 के

दशक के अंतिम वर्षों से कृषक स्वयं को संस्थाओं में संगठित करते हैं। और कृषि उत्पादों के लिए उचित कीमतें, बिजली की दरों में कटौती, कृषि निवेश के लिए सस्ती दरों पर ऋण तथा खाद पर सब्सिडी इत्यादि पर ध्यान केंद्रित कराने में काफी हद तक सफलता प्राप्त करते हैं। उत्तर प्रदेश, हरियाणा और पंजाब में भारतीय किसान यूनियन, महाराष्ट्र में शेतकारी संगठन, कर्नाटक राज्य निर्यात संघ, इनमें महत्वपूर्ण रहे हैं। इन सबके केंद्र में अमीर और मध्यम दर्जे के कृषकों का असंतोष है।

इन कृषक आंदोलनों की जड़ें, अमीर कृषकों द्वारा अपने नेतृत्व में किसानों को सक्रिय कर राजनीतिक शक्ति जमाने और कृषि नीतियों में हरित क्रांति के विस्तार में खोजी जा सकती है। ये आंदोलन नए स्तरों को दर्शाते हैं, जो उचित रियायतों और राजनीतिक पार्टियों में हिस्सेदारी के लिए प्रयास कर रहे हैं।

उद्देश्य समूह

उद्देश्य समूहों का मुख्य उद्देश्य सामान्य सामाजिक विषयों जैसे–पर्यावरण संरक्षण, मानव अधिकार तथा नागरिक स्वतंत्रताओं की रक्षा, मृत्यु दंड की समाप्ति, चुनाव सुधारों का प्रारंभ महिलाओं के विरूद्ध हिंसा को रोकना इत्यादि को आगे बढ़ाना होता है, ऐसे समूह को आगे बढ़ाते हैं, न कि चुने हुए समूहों को हित का जनहित समूह भी कहते है।

ये समूह सुसंगठित भी हो सकते है, और नहीं भी। उनकी सफलता सक्रिय से अधिक जनता और जन संचार साधनों के सहयोग पर निर्भर करती है। आप ने बड़े बांधों के निर्माण का विरोध करने वाले झुग्गियां हटाने, बाल मजदूरी, बंधुओ मजदूरी, दहेज, इत्यादि का विरोध करने वाले समूहों के विषय में अवश्य सुना होगा। यही समूह उद्देश्य समूह है। जो काफी लोकप्रिय हो रहे हैं।

संस्थागत समूह

संस्थागत समूह वे समूह हैं, जो सरकार के भीतर होते है, और

सरकारी मशीनरी के द्वारा दबाव अथवा प्रभाव डालते का प्रयास करते हैं। अफसरशाही और सेना संस्थागत समूह का स्पष्ट उदाहरण हैं। उन समूहों के भीतर हम आई.ए.एस.आई.पी.एस. और आई.एफ.एस. लॉबी के बारे में सुनते हैं। इस प्रकार सेना में प्रायः थल सेना, वायु सेना और नौसेना इत्यादि द्वारा कुछ विषयों पर प्राथमिकता के लिए दबाव की बातें सुनाई पड़ती है। ऐसे समूह अलोकतात्रिक शासनों में विशेषतः महत्वपूर्ण होते हैं, जहां स्वायत समूहों को प्रायः दबा दिया जाता है लेकिन वे लोकतंत्र में अभिजनों के बीच प्रतियोगिता के रूप में सक्रिय रहते हैं।

तदर्थ समूह

अंततः कुछ ऐसे समूह हैं जो किसी उद्देश्य विशेष के लिए किसी समय सरकार पर दबाव डालने के लिए अस्तित्व में आते हैं इसलिए वे उद्देश्य पूरा होने तक ही सक्रिय अथवा संगठित रहते हैं। ऐसे समूहों में एक शहर में रेल सुविधा चाहने वाले, किसी पुस्तक या गतिविधि पर पाबंदी चाहने वाले, कोई स्कूल, कॉलेज अथवा अस्पताल इत्यादि खुलवाने जैसे समूह सम्मिलित होते हैं। ऐसे समूह कुछ समय के लिए बहुत सक्रिय हो सकते हैं। इनमें से कुछ बचे भी रह सकते हैं, और अपनी गतिविधियों का विस्तार उद्देश्य समूह के रूप में कर सकते हैं।

अध्याय—13

स्थानीय शासन संस्थाएं

नगरों की स्थानीय शासन संस्थाएं

हालांकि भारतीय संविधान में राज्य की नीति के एक निर्देशक तत्व में गांवों में ग्राम पंचायत स्थापित करने से संबंधित एक प्रावधान था तथा नगरों में स्थानीय स्वशासी संस्थाएं स्थापित करने के संबंध में कोई प्रावधान नहीं था। इस रिक्तता की पूर्ति 1992 में पारित संविधान के 74वें संशोधन के द्वारा की गयी। इस संशोधन के द्वारा नगरों में स्थानीय स्वशासन संस्थाएं स्थापित करने तथा उनके प्रबंध कें संबंध में व्यवस्था की गयी। पूर्व ऐतिहासिक काल में भारतीय नगरों में स्थापित स्वशासी संस्थाओं का अस्तित्व था। हड़प्पा और मोहजोदड़ो की खुदाई से पता चलता है कि उस काल में नगरों में निर्वाचित परिषदें विद्यमान थी जो अपने कार्यों का प्रबंध स्वयं करती थी। किंतु नगरीय प्रशासन की आधुनिक व्यवस्था की स्थापना ब्रिटिश शासन काल में ही हुई।

1870 के लॉर्ड मेयो के प्रस्ताव में नगर की स्वशासी संस्थाओं को मजबूत बनाने तथा उनमें भारतीयों के सहयोग में वृद्धि करने की व्यवस्था थी। 1882 का लॉर्ड रिपन का प्रस्ताव स्थानीय स्वशासन का मेगनाकार्ट माना जाता है तथा इसी के कारण लॉर्ड रिपन को भारत में स्थानीय स्वशासन के जनक की उपाधि से विभूषित किया गया। उसने स्थानीय

स्वशासी संस्थाओं का जाल बिछाने, वित्तीय विकेन्द्रीकरण करने स्थानीय संस्थाओं के गठन में निर्वाचन व्यवस्था अपनाने तथा उन संस्थाओं में अधिकारिक सदस्यों की संख्या एक तिहाई से अधि न होने का समर्थन किया। 1907 में विकेन्द्रीकरण का संबंध में एक शाही आयोग की नियुक्ति की गई जिसको यह जांच पड़ताल करने का कार्य सौंपा गया कि स्थानीय स्वशासी संस्थाओं की असफलता के पीछे क्या कारण थे? इस आयोग के मतानुसार कड़ा अधिकारिक नियंत्रण अत्यधिक सीमित मताधि ाकार, दुर्बल संसाान, शिक्षा का अभाव तथा प्रतिबद्ध व्यक्तियों की कमी, असफलता के मुख्य कारण थे।

1919 के भारतीय शासन अधिनियम के अनुसार स्थानीय स्वशासन एक हस्तांतरित विषय बन गया तथा वह एक उत्तरदायी मंत्री के अधीन आ गया। इस अधिनियम ने स्थानीय संस्थाओ के करारोपण की शक्ति में वृद्धि की, मताधिकार में वृद्धि की मनोनीत सदस्यों की संख्या में कमी की तथा साम्प्रदायिक निर्वाचक मंडल के सदस्यों की संख्या में अभिवृद्धि की। परिणामस्वरूप स्थानीय स्वशासी संसथाओं को संचालित करने का उत्तरदायित्व जिलाधिकारी के हाथों से निकलकर निर्वाचित सभापतियों के हाथों में आ गया। 1921 से 37 के बीच नगर की स्थानीय स्वशासी संस्थाओं के द्वारा किए गए कार्यो को न तो पूर्णतया असफल कहा जा सकता और न पूर्णतया सफल। साइमन कमीशन का जिसने 1919 के भारतीय शासन अधिनियम के क्रियान्वित स्वरूप की समीक्षा की थी, कहना है कि प्रत्येक प्रांत में .... कुछ स्थानीय संस्थाओं ने अपना कार्य बड़ी सफलता से किया .... कुछ की असफलता प्रत्यक्ष रूप से दृष्टिगोचर होती है।, किंतु अधिकांश का कार्य इन दोनों के बीच का रहा।

1935 के भारतीय शासन अधिनियम के अनुसार द्वैध शासन प्रणाली का अंत कर दिया गया तथा पूर्ण प्रांतीय स्वायत्ता प्रारंभ की गयी। 1935 की पहली अप्रैल को लोकप्रिय मंत्रिमंडलों की स्थापना हुई तथा स्थानीय स्वशासन को नई प्रेरणा प्राप्त हुई किंतु 1939 में लोकप्रिय मंत्रिमंडलों की सलाह लिए बर्गर जब भारत को द्वितीय विश्वयुद्ध में झोंक दिया गया तो

उन्होंने विरोध स्वरूप त्यागपत्र दे दिया। परिणाम–स्वरूप स्थानीय स्वशासन को पुनः एक धक्का लगा। युद्ध की समाप्ति के उपरांत 1946 में प्रांतीय विधान सभाओं का निर्वाचन हुआ। नवगठित मंत्रिमंडलों ने पुनः स्थानीय स्वशासी संस्थाओं के उत्थान का बीड़ा उठाया।

1947 में भारत को स्वतंत्रता प्राप्त हुई और देश में नया उत्साह जगा। परिणामस्वरूप विभिन्न स्थानीय स्वशासी संस्थाओं के निर्वाचन किए गए। पंचवर्षीय योजनाओं में भी समय–समय पर नगरपालिकाओं की समस्याओं पर तथा नगरीकरण की बढ़ती हुई मांगों की पूर्ति करने में इनकी असमर्थता पर प्रकाश डाला गया। केंद्रीय सरकार ने भी समय पर नगरीय संस्थाओं की उन्नति के प्रति अपनी चिंता दिखाई तथा संबंध में विभिन्न आयोगों और समितियों की स्थापना की, जिन्होंने भारतीय नगरों के विकास को नई दिशा देने के लिए कुछ महत्वपूर्ण सुझाव दिए। इन संस्थाओं द्वारा दिए गए सुझावों तथा संस्तुतियों के परिणामस्वरूप 1992 में 74वां संविधान संशोधन अधिनियम पारित किया गया। इसके द्वारा नगरों में स्थानीय स्वशासी संस्थाओं की स्थापना उनकी शक्तियों तथा कार्यों के संबंध में वैधानिक प्रावधान किए गए।

इस अधिनियम के प्रावधानों को हम दो वर्गों अनिवार्य तथा ऐच्छिक में वर्गीकृत कर सकते हैं। अनिवार्य प्रावधान इस प्रकार हैं– नगर पंचायतों, नगर पालिकाओं और नगर महापालिकाओं का गठन, स्थानीय संस्थाओं में अनुसूचित जातियां तथा अनुसूचित जन जातियों के लिए उनकी जनसंख्या के अनुपात में स्थानों का आरक्षण, महिलाओं के लिए एक–तिहाई स्थानों का आरक्षण, पंचायती राज संस्थाओं के निर्वाचनों की व्यवस्था करने के लिए गठित राज्य निर्वाचन आयोग द्वारा नगरों की स्थानीय स्वशासी संस्थाओं के निर्वाचन की व्यवस्था करना, पंचायती राज संस्थाओं के वित्तीय कार्यों के संदर्भ में गठित वित्त आयोग द्वारा नगरों की स्थानीय स्वशासी संस्थाओं की वित्तीय व्यवस्था की भी देख–रेख करना तथा नगरों की स्थानीय स्वशासी संस्थानों का कार्यालय पांच वर्ष निर्धारित करना और इसके पूर्व विघटित किए जाने पर 6 महीनों

के भीतर निर्वाचन करने की व्यवस्था करना आदि।

ऐच्छिक प्रावधान– संघीय संसद और राज्य के विधान मंडलों के सदस्यों को इन संस्थाओं में मताधिकार प्रदान करना, पिछड़े वर्गों के लिए आरक्षण की व्यवस्था करना, इन्हें कर, शुल्क, पथ–कर और फीस लगाने से सम्बद्ध वित्तीय शक्तियां प्रदान करना, इन संस्थाओं को संविधान के 74वं संशोधन द्वारा संविधान में जोड़ी गयी। 12वीं अनुसूची में वर्णित कुछ अथवा समस्त कार्यों को सम्पन्न करने के लिए ऐसी शक्तियां और प्राधिकार प्रदान करना जो उन्हें प्रदत्त उत्तरदायित्वों को निर्वाह करने में समर्थ बनाने के लिए आवश्यक हो तथा आर्थिक विकास के लिए योजना बनना आदि।

स्थानीय स्वशासी संस्थाओं का संगठन

अपने संशोधित स्वरू प में संविधान परिवर्तनोन्मुखी क्षेत्र (अर्थात् ग्रामीण क्षेत्र से नगरीय क्षेत्र में परिवर्तन के इच्छुक क्षेत्र) के लिए नगरपालिका परिषद् का तथा वृहत्तर नगरीय क्षेत्र के लिए नगर निगमों की स्थापना का प्रावधान करता है किंतु किसी ऐसे क्षेत्र में नगरपालिका की स्थापना नहीं हो सकती जो किसी औद्योगिक संस्थान के क्षेत्र में आता हो तथा जहां या तो उस संस्थान ने नगरपालिका सेवाएं उपलब्ध करायी है या उपलब्ध कराने का प्रस्ताव है।

नगर की स्थानीय स्वशासी संस्थाओं में सभी स्थान क्षेत्रीय निर्वाचन क्षेत्रों से प्रत्यक्ष निर्वाचन द्वारा भरे जाएंगे। किंतु राज्य विधानमण्डल उन संस्थाओं में विधि द्वारा, नगर की स्वशासी संस्थाओं के प्रशासन की विरोध जानकारी अथवा रखने वाले व्यक्ति के प्रतिनिधित्व की व्यवस्था कर सकता है। नगर के उन स्वशासी क्षेत्रों में जिनकी जनसंख्या तीन लाख या उससे अधिक हो, एक या अधिक वार्डों को मिलाकर वार्ड समितियां गठित की जानी चाहिए। राज्य का विधानमण्डल विधि द्वारा वार्ड समितियां के संगठन, उनके प्रादेशिक क्षेत्र की तथा जिस विधि द्वारा उनमें स्थान भरे जाने चाहिए, इन सब की व्यवस्था कर सकता है।

विधानमण्डल को यह भी अधिकार है कि वह वार्ड समितियों के अतिरिक्त अन्य समितियों के गठन की व्यवस्था भी कर सकता है।

नगर की प्रत्येक स्वशासी संस्था में अनुसूचित जातियों तथा जन जातियों के उनकी जनस।ख्या के अनुपात में, स्थान आरक्षित रखे जाने चाहिए। अनुसूचित जातियों तथा अनुसूचित जन–जातियों के लिए आरक्षित इन स्थानों में एक तिहाई स्थान इन जातियों की महिलाओं के लिए आरक्षित रखे जाने चाहिए।

इस प्रकार, राज्य विधान मंडल द्वारा निर्धारित प्रक्रिया के अनुसार नगरों की स्वशासी संस्थाओं के अध्यक्षों में से भी अनुसूचित जातियों तथा महिलाओं के लिए स्थान आरक्षित रखे जाने चाहिए। राज्य का विधानमंडल चाहे तो पिछड़े वर्ग के लोगों के लिए भी इन संस्थाओं में (सदस्यता अथवा अध्यक्षता के लिए) स्थान आरक्षित रख सकता है।

कोई भी व्यक्ति जिसने 21 वर्ष की आयु प्राप्त कर ली, इन संस्थाओं के लिए चुनाव लड़ सकता है। इन संस्थाओं के लिए कराए जाने वाले सभी निर्वाचनों के लिए निर्वाचक नामावली तैयार कराने का और उन सभी निर्वाचनों के संचालन का अधीक्षण, निर्देशन और नियंत्रण, पंचायतीराज संस्थाओं के निर्वाचन के संदर्भ में गठित राज्य निर्वाचन आयोग होगा।

इन संस्थाओं का कार्यालय 5 वर्ष होना चाहिए। उनकों इससे पूर्व भी विघाटित किया जा सकता है, किंतु ऐसा करने से पूर्व उन्हें अपनी बात कहने का युक्ति–युक्त अवसर दिया जाना चाहिए। इन संस्थाओं का कार्यकाल समाप्त होने से पूर्व ही नवीन निर्वाचन की व्यवस्था की जानी चाहिए। किसी संस्था के विघटन के उपरांत 6 महीनों की अवधि के भीतर ही नवीन निर्वाचन कर लिए जाने चाहिए।

राज्य विधानमंडल इन संस्थाओं की शक्ति तथा सत्ता में वृद्धि कर सकता है ताकि ये स्वशासी संस्थाओं के रूप में कार्य करने में समर्थ हो सके। वह इन संस्थाओं को ऐसे कर, शुल्क, पथ–कर और फीस आदि निर्धारित करने, संग्रहीत करने और विनियोजित करने के लिए अधिकृत

कर सकता है जिन्है। वह उचित समझे। वह इन्हें राज्य की संचित निधि से अनदान देने की भी व्यवस्था कर सकता है। वह ऐसी निधि के गठन की व्यवस्था भी कर सकता है जिसमें उनके द्वारा प्राप्त सभी धन राशियां जमा हो सके तथा जिसमें आवश्यकतानुसार धन निकाला जा सके।

वित्त आयोग

पंचायती राज संस्थाओं के संदर्भ में गठित वित्त आयोग को नगरों की स्वायत्तशासी संस्थाओं की वित्तीय स्थिति की भी समीक्षा करनी चाहिए तथा उसके राज्यपाल को उन सिद्धांतों के संबंध में संस्तुति करना चाहिए जिनके आधार पर राज्य द्वारा लगाए गए करों, शुल्कों, पथ करों और फीस को राज्य और नगरीय संस्थाओं के बीच वितरित किया जाए। उन करों, शुल्कों, पथ करों और फीस का निर्धारण किया जाए जिन्हें नगरीय संस्थाएं लगा सकें तथा विनियोजित कर सके राज्य की संचित निधि से नगरीय संस्थाएं सहायता अनुदान प्राप्त कर सके तथा इन संस्थाओं की वित्तीय स्थिति को सुधारने के उपाय बता सके।

जिला योजना समिति

प्रत्येक राज्य में जिला स्तर पर एक जिला योजना समिति गठित की जानी चाहिए जो जिले की पंचायतों तथा नगरीय संस्थाओं द्वारा तैयार की गयी योजनाओं को संग्रहीत करके पूरे जिले के लिए एक विकास योजना का प्रारूप तैयार कर सके। योजना समिति को योजना की ऐसी प्रारूप बनाते समय पंचायतों तथा नगरीय संस्थाओं के बीच जो समान हित हो उनका ध्यान रखना चाहिए। प्रत्येक जिला योजना समिति के अध्यक्ष को जिले की योजना को राज्य सरकार के पास अग्रसारित करना चाहिए।

महानगर योजना समिति

10 लाख या उससे अधिक जनसंख्या वाले क्षेत्र को, जिसमें एक या एक अधिक जिले समाविष्ट हों, तथा जो दो या दो से अधिक नगरीय

संस्थाओं अथवा पंचायतों से मिलकर बनता हो, राज्य का राज्यपाल एक महानगर क्षेत्र घोषित कर सकता है। प्रत्येक महानगर क्षेत्र में उन क्षेत्र के लिए विकास योजना तैयार करने के लिए एक महानगर योजना समिति होनी चाहिए। राज्य का विधानमण्डल विधि द्वारा महानगर समिति के गठन तथा उसके सदस्यों की नियुक्ति की प्रक्रिया, समिति में संघ और राज्य सरकारों के प्रतिनिधित्व का निर्धारण तथा समिति के अध्यक्षों के चयन की प्रक्रिया की व्यवस्था करेगा। किंतु ऐसा समितियों में कम–से–कम दो तिहाई सदस्य नगरीय संस्थाओं के निर्वाचित सदस्यों द्वारा तथा महानगर क्षेत्र की पंचायतों के अध्यक्षों द्वारा नगरीय संस्थाओं और पंचायतों की जनसंख्या के अनुपात में, निर्वाचित किए जाने चाहिए। प्रत्येक महानगर योजना समिति को विकास योजना का प्रारूप तैयार करते समय महानगर क्षेत्र में नगरीय संस्थाओं तथा पंचायतों द्वारा तैयार योजनाओं तथा उनके बीच जो समान हित हों उनके ध्यान रखना चाहिए। प्रत्येक महानगर योजना समिति के अध्यक्ष को चाहिए कि वह विकास योजना को राज्य सरकार को अग्रसारित करे।

नगरों की स्थानीय शासकीय संस्थाओं के कार्य

यद्यपि 1992 के 74वें संविधान संशोधन द्वारा स्थानीय स्वशासी संस्थाओं के कार्यो में आने वाली कुछ बाधाओं के दूर दिया गया तथापि यह बड़ी दुख की बात है कि ग्रामीण और नगरीय दोनों स्तरों में लोकतंत्रीय अवधारण की जड़ें मजबूत नहीं हो सकी। प्रशासन के राजनीतिकरण, निर्वाचित संस्थाओं में अपराधिक तत्वों के प्रवेश, अनियन्त्रित भ्रष्टाचार, जातीय एवं समूह के आधार पर समाज के विभाजन, लोक हित की उपेक्षा व्यक्तिगत अभ्युदय का प्राधान्य तथा निर्वाचन में संबंधित भ्रष्टाचार के कारण समूचा वातावरण दूषित एवं विषावत हो गया है।

ग्रामों की स्थानीय शासन संस्थाएं

भारतीय संविधान में प्रारंभ में शासन के केवल दो स्तरों केन्द्रीय तथा राज्जीय की ही व्यवस्था थी। राज्य की नीति के एक निदेशक तत्व

में कहा गया कि राज्य ग्राम पंचायतों का संगठन करने के लिए कदम उठाएगा और उनकों ऐसी शक्तियां और प्राधिकार प्रदान करेगा जो उन्हे स्वायत्त शासन की इकाइयों के रूप में कार्य करने योग्य बनाने के लिए आवश्यक हो। उसमें कहीं भी स्थायी स्वशासी संस्थाओं के संगठन, शक्तियों तथा कार्यों से संबंधित कोई प्रावधान नहीं था। संविधान के दो संशोधनों 1992 के 73वें संविधान तथा 1992 के ही 74वें संविधान संशोधन के द्वारा क्रमशः गांवों की स्थानीय स्वशासी तथा नगरों की स्वशासी संस्थाओं के संगठन से संबंधित प्रावधान किए गए। इस प्रकार, अव संविधान में शासन के एक–तिहाई स्तर, स्थानीय स्वशासन की भी व्यवस्था है।

प्राचीन भारत में प्रत्येक गांव में एक ग्राम पंचायत होती थी जो एक स्वायत्तशासी संस्था के रूप में कार्य करती थी। ये पंचायतें राज्यों के हस्तक्षेप से मुक्त थी। सर चार्ल्स मेटकॉफ के अनुसार जब किसी को स्थायित्व प्राप्त नहीं रहा, तब गांव समाज स्थायी रूप में विद्यमान रहते है, राजकुलों का अन्त हो जाता है क्रांति के बाद क्रांति होती है, हिंदू, पठान, मुगल, मराठा, सिख और अंग्रेज एक के बाद एक सत्तारूढ़ होते हैं, किंतु गांव समाज सदैव एक–सा रहता है। ब्रिटिश शासन के प्रारंभिक काल में ग्राम पंचायतों की जीवन शक्ति तथा महत्ता समाप्त हो गयी। गांवों के झगड़े, सुनवाई तथा निर्णय के लिए, नगर के न्यायालयों के पास लाए जाने लगे। 19वी शताब्दी में बम्बई और मद्रास प्रेसीडेंसियों में उन्हें संगठित करने के कुछ प्रयत्न किए गए, किंतु तत्कालीन जिलाधिकारियों ने उन्है। प्रोत्साहित नहीं किया। लॉर्ड रिपन के शासन काल में सर्वप्रथम स्थानीय संस्थाओं को नई चेतना प्राप्त हुई किंतु लॉर्ड रिपन के उत्तराधिकारी ने उसकी योजना को ठंडे बस्तें में डाल दिया। जब 1919 में द्वैध शासन व्यवस्था प्रारंभ हुई और स्थानीय स्वशासन एक हस्तांतरिक विषय बना दिया गया तो अनेक भारतीय प्रांतों में ग्राम पंचायत अधिनियम परित किए गए और ग्राम पंचायतों की स्थापना तथा उनके कार्यों का एक नया युग आंरभ हुआ। किंतु धन की कमी के कारण ग्राम पंचायतें अपने पूर्णरूप में फल–फूल न सकी। 1935 के भारतीय शासन अधिनियम के

लागू होने के उपरांत जब पूर्ण प्रांतीय स्वायत्तता स्थापित हुई तो ग्राम पंचायतों को पुनः एक नई चेतना प्राप्त हुई। द्वितीय विश्व युद्ध के आंरभ होते ही उत्तरदायी सरकारों ने त्यागपत्र दे दिए। परिणामस्वरूप ग्राम पंचायत को पुनः एक धक्का लगा। युद्ध की समाप्ति के उपरांत 1946 में प्रांतीय विधान सभाओं के चुनाव हुए तथा उत्तरदायी सरकारें सत्तारूढ हुई तो ग्राम पंचायतों को पुनः एक नया युग आरंभ हुआ।

जब भारत 1947 में स्वतंत्रता प्राप्त हुई तब कई प्रांतों ने नवीन ग्राम पंचायत अधिनियम पारित किए जिनमें ग्राम पंचायतों को स्वशासन की एक इकाई के रूप में विकसित करने के प्रयत्न किए गए। राज्यों के स्थानीय स्वशासन विभाग कें मंत्रियों के एक सम्मेलन द्वारा 1947 का संयुक्त प्रांतीय ग्राम पंचायत अधिनियम एक आदर्श अधिनियम माना गया तथा अन्य राज्यों से अनुरोध किया गया कि वे उसी के अनुरूप अपने अधिनियमों को पुनरचित करें। इसी बीच 1952 में सामुदायिक विकास योजना तथा 1953 में राष्ट्रीय विस्तार सेवा योजना देश में प्रारंभ की गयी। इन दोनों योजनाओं का उद्देश्य ग्रामों में सामाजिक एवं आर्थिक उत्थाना करना था। किंतु इन योजनाओं को आशातीय सफलता प्राप्त नहीं हुई। ऐसा लगा कि नौकरशाही जनता का सहयोगप्राप्त करने में समर्थ नहीं रही। परिणामस्वरूप 1957 में बलवंत राय मेहता की अध्यक्षता में एक समिति नियुक्त की गयी। इस समिति को यह काम सौंपा गया कि वह सामुदायिक विकास योजना तथा राष्ट्रीय विस्तार सेवा के कार्यों की जांच पड़ताल करे तथा ऐसी संस्थाओं के संबंध में सुझाव दे जिनसे गांवों की जनता का सहयोग प्राप्त करने में सफलता मिल सके।

एक त्रिस्तरीय व्यवसथा

समिति ने 24 नंबर 1957 को राष्ट्रीय विकास परिषद् को अपनी रिपोर्ट सौंपी। समिति की मुख्य संस्तुतियां इस प्रकार थी– पंचायती राज व्यवस्था स्थापित की जाए इसमें जिला स्तर पर जिला परिषद् खण्ड स्तर पर पंचायत समिति तथा ग्राम स्तर पर ग्राम पंचायत की कल्पना

की गई, इन संस्थाओं को सत्ता पर ग्राम पंचायत की कल्पना की गई इन संस्थाओं को सत्ता का वास्तविक हस्तांतरण होना चाहिए उन्हें पर्याप्त संसाधन उपलब्ध कराए जाने चाहिए तथा विकास की समस्त योजनाओं को इन्हीं संस्थाओं के माध्यम से आगे बढ़ाया जाना चाहिए।

इस समिति की संस्तुतियां, पंचायतीराज व्यवस्था, त्रि–स्तरीय व्यवस्था, विकेन्द्रीकरण योजना इत्यादि को भिन्न–भिन्न नामों से पुकारा जाता है। इन संस्तुतियों का केन्द्रीय तथा राज्य सरकारों ने स्वागत किया तथा उन्है। कार्यान्वित करने के लिए अधिनियम बनाने के कदम उठाए गए। तदनुसार अधिकांश राज्यों ने त्रि–स्तरीय पंचायती राज संस्थाएं स्थापित की, किंतु कुछ राज्यों में द्वि–स्तरीय संस्थाएं ही स्थापित की गई। प्रारंभ में इन संस्थाओं का उत्साहपूर्वक स्वागत किया गया। किंतु 1960 के दशक में मध्यकाल के आते–आते इनके संबंध में उत्साह में कमी आने लगी। इसके मुख्य कारण थे– केन्द्रीकरण की और बढ़ती प्रवृत्तियां, संसाधनों की कमी, भ्रष्टाचार, अकुशलता तथा बार–बार इन संस्थाओं के चुनावों को स्थगित किया जाना। परिणामस्वरूप 1977 में जनता सरकार ने पंचायती राज संस्थाओं को पुर्नजीवित करने की संभावनाओं का पता लगाने तथा दृढ़ता प्रदान करने हेतु उपर्युक्त सुझाव देने के लिए अशोक मेहता की अध्यक्षता में एक समिति नियुक्त की। इन समिति ने 1978 में अपनी रिपोर्ट पेश की। इस समिति की मुख्य संस्तुतियां इस प्रकार थी– द्विस्तरीय पंचायतीराज व्यवस्था की स्थाना, जिसमें जिला स्तर पर जिला परिषद् तथा इसके नीचे 15000 से 20000 तक की जनसंख्या वाले गांवों के समूह के लिए मंडल पंचायत हो न्याय पंचायत एक अलग संस्था हो जिसकी अध्यक्षता एक योग्य न्यायधीश करे, पंचायतीराज संस्थााओं के र्निवाचन की व्यवस्था, मुख्य निर्वाचन आयुक्त की सलाह से, राज्य का मुख्य निर्वाचन अधिकारी, जिला स्तर पर योजना के लिए जिला परिषद् को उत्तरदायी बनाया जाए, इन संस्थाओं की राज्य निधि पर निर्भरता में कमी की जाए तथा विकास कार्य जिला परिषद को हस्तान्तिरित किया जाए। 1980 में जनता सरकार के पतन के कारण अशोक मेहता समिति की रिपोर्ट को कार्यान्वित नहीं किया जा सका।

सी.एच.हनुमंत राव की अध्यक्षता में 1984 जिला योजना के संबंध में एक कार्यकारी समूह की स्थापना की गयी। इस समूह ने यह संस्तुति की कि किसी मंत्री अथवा कलेक्टर के अंतर्गत अलग से एक जिला योजना संस्था बनायी जाए। विकेन्द्रित योजना में कलेक्टर की महत्वपूर्ण भूमिका होनी चाहिए। इस प्रक्रिया में पंचायती राज संस्था का भी सहयोग लेना चाहिए।

1992 में 73वां संविधान संशोधन अधिनियम पारित किया गया जिसमें पंचायती राज संस्थाओं की स्थापना अधिकारी तथा कार्यों के संबंध में वैधानिक प्रावधान किए गए। इस अधिनियम के मुख्य प्रावधानों को हम दो वार्गों में वर्गीकृत कर सकते हैं– अनिवार्य कार्यों से संबंध प्रावधान तथा एंच्छिकद कार्यों से संबंध प्रावधान।

अनिवार्य कार्यों से संबंध कुछ प्रावधान इस प्रकार हैं– जिला खण्ड तथा गांव स्तर पर त्रि–स्तरीय राज संस्थाओं का गठन, सभी स्तरों पर, सभी पदों का निर्वाचन प्रत्यक्ष प्रणाली द्वारा किया जाए। पंचायती राज सरंस्थाओं के निर्वाचन में निर्वाचित होने के लिए न्यूनतम आयु 21 वर्ष रखी जाए जिला और खण्ड स्तरों पर सभापति के निर्वाचन परोक्ष रूप से किए जाएं, पंचायतों में अनुसूचित जाति तथा अनुसूचित जनजातियों के लिए उनकी जनसंख्या के अनुपात में स्थान आरक्षित रखे जाएं, पंचायतों में महिलाओं के लिए एक तिहाई स्थान आरक्षित रखे जाएं, पंचायतीराज संस्थाओं के निर्वाचन के संचालन के लिए प्रत्येक राज्य में एक राज्य निर्वाचन आयोग होना चाहिए, पंचायती राज संस्थाओं का कार्यकाल 5 वर्ष होना चाहिए, किंतु इससे पूर्व इन्हें विघटित कर दिया जाए तो 6 महीनों के भीतर एक निर्वाचन किया जाए, प्रत्येक राज्य में प्रति 5 वर्ष एक राज्य वित्त आयोग स्थापित किया जाए।

ऐच्छिक कार्यो से संबंधित कुछ प्रावधान इस प्रकार है– इस संस्थाओं में संसद तथा राज्य विधान मण्डलों के सदस्यों को मताधिकार प्रदान करना, पिछड़े वर्गों के लिए आरक्षण की व्यवस्था करना, पंचायतीराज संस्थाओं को कर शुल्क, पथ–कर और फीस इत्यादि लागने से संबंध

वित्तीय अधिकार देने तथा पंचायतों को स्वशासी संस्थाएं बनाने के लिए प्रयत्न करे। गांवों की स्थानीय स्वशासी संस्थानों की संरचना संविधान का संशोधित स्वरूप गांव, खण्ड तथा जिला स्तर पर पंचायती की स्थापना की व्यवस्था करता है। किंतु जिस राज्य की जनसंख्या बीस लाख से अधिक न हो, वहां खण्ड स्तर पर पंचायतों का गठन आवश्यक नहीं है।

पंचायतों का संगठन

राज्य का विधानमण्डल पंचायतों के गठन से संबंधित व्यवस्था करता है। पंचायत में सभी स्थान क्षेत्रीय निर्वाचन क्षेत्रों में प्रत्यक्ष निर्वाचन द्वारा भरे जाने चाहिए। खण्ड और जिला स्तर की पंचायतों में ग्राम पंचायतों के प्रतिनिधित्व की व्यवस्था की गई है। उसे क्षेत्र का प्रतिनिधित्व करने वाले राज्य सभा, लोक सभा तथा विधान सभा के सदस्य भी खण्ड पंचायत तथा जिला पंचायत के सदस्य होते हैं। प्रत्येक पंचायत में अनुसूचित जातियों तथा अनुसूचित जन–जातियों के लिए स्थान आरक्षित रखे जाने चाहिए। इन आरक्षित स्थानों में एक तिहाई स्थान इन समुदायों से संबंध महिलाओं के लिए आरक्षित रखे जाने चाहिए। इसी प्रकार प्रत्येक पंचायत में कुल सदस्यों की संख्या का एक तिहाई भाग महिलाओं के लिए आरक्षित रखा जाना चाहिए इन एक तिहाई आरक्षित स्थानों में वे स्थान भी सम्मिलित हैं जो अनुसूचित जातियां तथा अनुसूचित जनजातियों से संबद्ध महिलाओं के लिए आरक्षित हैं। पंचायत में निर्वाचित होने के लिए न्यूनतम आयु 21 वर्ष निर्धारित की गयी है।

प्रत्येक पंचायत का कार्यकाल पांच वर्ष होना चाहिए। वे इससे पूर्व भी विघटित की जा सकती है। किंतु उनका निर्वाचन 6 माह के भीतर हो जाना चाहिए। पंचायत का कार्यकाल समाप्त होने से पूर्व नवीन पंचायत का निर्वाचन हो जाना चाहिए।

राज्य का विधानमंडल पंचायतीराज संस्थाओं के अधिकारों और

सत्ता में वृद्धि कर सकता है। किसी भी पंचायत को आवश्यकतानुसार कर, शुल्क, पथ–कर और फीस लागू करने उन्हें उगाहने तथा उनका विनियोग करने का अधिकार है। उस राज्य सरकार द्वारा लागू किए गए तथा उगाहे गए कर, शुल्क, पथ–कर और फीस में भी हिस्सा दिया जा सकता है। राज्य उसे सहायता अनुदान देने की भी व्यवस्था करता है। प्रत्येक 5 वर्ष के पश्चात् एक वित्त आयोग गठित किया जाता है जो पंचायतों की वित्ती स्थिति की समीक्षा करने और इनकी उन्नति के लिए किए जोने वाले उपायों के सम्बन्ध में राज्यपाल को संस्तुति करता है।

राज का निर्वाचन आयोग पंचायतों के समस्त निर्वाचनों का संचालन, अधीक्षण, निर्देशन तथा नियन्त्रण करता है। राज्य के निवाचन आयुक्त की नियुक्ति राज्यपाल के द्वारा होती है तथा उसे उसी प्रकार उच्च न्यायालय का कोई न्यायाधीश अपयस्थ किया जाता है।

गावों के स्थानीय शासन के कार्य

पंचायती राज संस्थाओं के पश्चात् तथा 1992 के 73वें संविधान संशोधन के लागूहोने के उपरान्त यह आशा की जाती थी कि ग्रामीण में स्थानीय स्वशामी संस्थाएं सुचारूतापूर्वक कार्य सम्पन्न कर सकेंगी किन्तु दुर्भाग्यवश यह केवल एक स्वप्न ही रह गया। जातिगत झगड़े समूहगत संघर्ष, चुनावी हिंसा, अपराधियों की भागीदारी, राजनैतिक इच्छा शक्ति की कमी, सपरंच द्वारा पंचायती धन का दुरूपयोग तथा नौकरशाही का असहयोगात्मक रूख, ऐसे कुछ कारण है। उन्होंने पंचायतीराज संस्थाओं के कार्यों को पटरी से उतार दिया।

समकालीन मुद्दे

मीडिया के प्रकार

मीडिया के अंतर्गत हम निम्नलिखित को शामिल कर सकते है।:

1. प्रसारण मीडिया– दूरदर्शनः राष्ट्रीय नेटवर्क एवं चैनल II, III, स्टार टी. वी., बी. सी., प्राइम स्पोर्ट्स, जी. टी. वी.,

सोनी टी. वी. आदि तथा उपग्रह चैनल, रेडिया, मुख्य चैनल, विविध भारती तथा एफ. एम. चैनल।

सुचना प्रदान करने की जिम्मेदारी मीडिया ने अपने कंधों पर उठा रखी है, इसी कारणवश मीडिया को लोकतंत्र का चौथा स्तंभ कहा जाता है।

वर्तमान सूचना तकनीकी युग में किसी भी राष्ट्र का स्तर इस आधार परं अंकित होने लगा है कि उस राष्ट्र की सूचना तकनीकी कितनी मजबूत है।

पांच दशक पहले सूचना प्राप्ति का एक सबल माध्यम समाचार पत्र–पत्रिकाएं हुआ करती थीं जो तकनीकी रूप से तो पिछड़ी हुई किन्तु तात्कालिक सामाजिक परिस्थितियों के अनुकूल थीं......... आगे चलकर सूचना बाजार में इलेक्ट्रानिक चैनलों ने अपनी जगह बनायी.......दृश्य संचार माध्यम के रूप में टेलीविजन प्रसारण इलेक्ट्रानिक मीडिया का एक सशक्त साधन है। आज का मीडिया जिस तकनीक के सहारे फलफूल रहा है उसमें सबसे बड़ा योगदान आधुनिक मल्टीमीडया से युक्त कम्प्यूटरों का है। मल्टीमीडिया युक्त कम्प्यूटरों के अंतर्गत एक ही कम्प्यूटर पर टेक्स्ट, ग्राफिक्स, एनीमेशन, ऑडिया–वीडियो आदि की सुविधाएं उपलब्ध हो जाने से सूचना प्रौद्योगिकी (मीडिया) के क्षेत्र में आमूलचूल विकास हुआ।

ग्रमीण विकास में मीडिया बहुत कारगर हथियार बन सकता है। मीडिया प्रशासन पर पैनी दृष्टि रखता है–चौकसी करता है जिससे प्रशासन सतर्क हो जाता है।

2. गैर प्रसारण मीडिया– वीडियो एवं केबिल/क्लोज्ड सर्किट टेलीविजन, सिनेमा इण्टरनेट आदि।

3. प्रिंट मीडिया– सामाचार पत्रः दैनिक साप्ताहिक, पाक्षिक

आदि। मैगजीनः सामान्य अभिरूचि की मैगजीन, शैक्षणिक मैगजीन तथा प्रतियोगी मैगजीन।

4. बाह्य मीडिया– पोस्टर, होर्डिग, स्टीकर, आकाशीय लेख आदि।
5. यातायात मीडिया– रेलगाड़ियां बसें एवं ट्राम, टैक्सी एवं आटो रिक्शा, प्राइवेट वाहन।
6. विशिष्टता मीडिया– टी–शर्ट, बटन, कैप, स्टीकर्स, बैडेज आदि।
7. दुकानों के अंदर या क्रम की दृष्टि से मीडिया– बैनर, टेगे पर्दे, स्टीकर, पैकेजिंग आदि।
8. विविध मीडिया– ट्राली–अन्तर्राष्ट्रीय एवं घरेलू हवाई अड्डों पर।

मीडिया की भूमिका

पिछले कुछ समय में जिस तरह मीडिया का सर्वव्यापी और सर्वग्राही विस्तार हुआ है उससे समाज और मानस स्तंभित है। सर्वव्यापी शब्द से एक तरह प्रसन्नता के भाव उपजेंगे उसी तरह सर्वग्राही शब्द पर चिंता भी उठना स्वाभाविक है। लेकिन इस बात से कौन इंकार कर सकता है कि इधर कुछ वर्षों में मीडिया ने हमारे जीवन को काफी हद तक प्रभावित किया है। हमारा चिन्तन, हमारा रहन–सहन, हमारे विचार, हमारी संस्कृति यहां तक कि हमारी निहायत व्यक्तिगत जिन्दगी को भी मीडिया ने बदलने की भरपूर कोशिश की है। बहुत हद तक मीडिया की भूमिका सूचनाओं और समाचारों के संप्रषण मात्र के हुआ करती थी।

उसके दायित्वों में ज्ञान का प्रसार करना और समाज को मनोरंजन प्रदान करना भी शुमार था। आज स्थिति इससे बिल्कुल अलग है। आज वह सुचनाओं और समाचारों के संप्रेषण तक सीमित नही। मीडिया आज भागीदार भी है और कारक भी। प्रतिस्पर्धा के इस दौर में उसके भटकने

की भी संभावना पर्याप्त नजर आती है। मीडिया सिर्फ ज्ञान के प्रसार तक ही सीमित नहीं है, बल्कि ज्ञान की खोज और ज्ञान के भंडार के रूप में मीडिया आज हमारे सामने है। मनोरंजन का तो पूरा उद्योग ही मीडिया के जरिए स्थापित है, जिसे आज सिर्फ मन बदलने के माध्यम मानकर नहीं किया जा सकता। इस माध्यम में सब कुछ बुरा–बुरा है, ऐसा कोई कहता नही। बावजूद इसके मुख्य धारा की मीडिया निश्चय ही सामाजिक उत्थान को भूल रहा है। शायद इसी के चलते उसकी आलोचना का स्वर इतना प्रबल है। आलोचना उसी की होती है जिससे उम्मीद होती है। आज जब भारत जैसे देश में हम तीनों संवैधानिक तंत्रों से निराश हो चले हैं। वह भी जब वह अपनी भूमिका को पूरा करता नहीं दिखता या अपने सामाजिक उत्तरदायित्व से विमुख हो रहा है तो आलोचना स्वाभाविक है।

पिछले 20 वर्षों में मीडिया के स्वरूप में बहुत तेज बदलाव देखने को मिला है। सूचना क्रांति एवं तकनीकी विस्तार के चलते मीडिया की पहुंच व्यापक हुई है। इसके समानांतर भूमंडलीकरण, उदारीकरण एवं बाजारीकरण की प्रक्रिया भी तेज हुई है, जिससे मीडिया अछूता नहीं है। नए–नए चैनल खुल रहे है।, नए–नए अखबार एवं पत्रिकाएं निकाली जा रही हैं, और उनके स्थानीय एवं भाषायाी संस्करणों में भी विस्तार हो रहा है। मीडिया के इस विस्तार के साथ चिंतनीय पहलू यह जूड़ गया है कि यह सामाजिक सरोकारों से दूर होता जा रहा है मीडिया के इस बदले रूख से उन पत्रकारों के मूल में सामाजिक सरोकार होना चाहिए।

भारत मे मीडिया की भूमिका विकास एवं सामाजिक मुद्दों से अलग हटकर हो ही नहीं सकती पर यहां मीडिया इसके विपरीत भूमिका में आ चुकी है। मीडिया की प्राथमिकताओं में अब शिक्षा, स्वास्थ्य, गरीबी, विस्थापन जैसे मूद्दे रह ही नहीं गए हैं। उत्पादक, उत्पाद और उपभोक्ता के इस दौर में खबरों को भी उत्पाद बना दिया गया है, अर्थात जो बिक सकेगा, बही खबर है।

दुर्भाग्य की बात यह है कि बिकाऊ खबरें भी इतनी सड़ी हुई है।

कि उसका वास्तविक खरीदार कोई है भी या नहीं, पता करने की कोशिश नहीं की जा रही। बिना किसी विकल्प के उन तथा कथित बिकाऊ खबरों के खरीदने (देखने, सूनने, पढ़ने) के लिए लक्ष्य समूह को मजबूर किया जा रहा है। खबरों में उत्पादकों के पास इस बात का भी तर्क है कि यदि उनकी 'बिकाऊ' खबरों के दम नहीं होता, तो चैनलों की टी. आर. पी और अखबारों की रीडरशिप कैसे बढ़ती?

प्रेस की भूमिका

समाचार–पत्र विचारों को अभिव्यक्त करने का एक महत्त्वपूर्ण साधन है। राजनीतिक स्वतंत्रता ता प्रजातंत्र की सफलता के लिए प्रेस की स्वतंत्रता अपरिहार्य है। अमेरिका के प्रेस कमीशन ने प्रेस की स्वतंत्रता के महत्त्व के बारे में कहा हैः "प्रेस की स्वतंत्रता राजनीतिक स्वतंत्रता के लिए आवश्यक है। जिस समाज में मनुष्य को अपने विचारों को एक–दूसरे तक पहुंचाने की स्वतंत्रता नहीं है वहां अन्य स्वतंत्रताएं भी सुरक्षित नहीं रह सकती हैं।" भारतीय प्रेस ने भी इसी तरह के विचार व्यक्त किये हैं– 'प्रजातन्त्र केवल विधानमण्डल के सचेत देखभाल में ही नहीं वरन् लोकमत की देखभाल और मार्गदर्शन के अंतर्गत ही फलता–फूलता है। प्रेस की यह सबसे बड़ी विशिष्टता है कि उसके ही माध्यम से लोकमत स्पष्ट होता है' अमेरिकन संविधान की भांति भारतीय संविधान में प्रेस की स्वतंत्रता के लिए कोई स्पष्ट उपबंध नहीं है। डॉ. अम्बेडकर ने संविधान सभा में इसके कारणों पर प्रकाश डालते हुए कहा था कि प्रेस को कोई ऐसे विशिष्ट अधिकार नहीं प्राप्त है जो एक साधारण नागरिक को नहीं प्रदान किये जा सकते हैं। उनके संपादक या प्रबंधक समाचार–पत्रों द्वारा ही अपने अभिव्यक्ति के अधिकार का प्रयोग करते है। इसलिए इसके लिए संविधान में विशेष उपबंध की कोई आवश्यकता नहीं है। न्यायिक निर्णयों में भी इस मत की पुष्टि हो चुकी है। सर्वोच्च न्यायालय ने साकल पेपर्स लिमिटेड बनाम भारत संघ के मामले में यह अभिनिर्धारित किया है कि वाक् और अभिव्यक्ति की स्वतंत्रता एक साधारण नागरि की स्वतंत्रता से बढ़कर नही है और यह उन निर्बन्धों के अधीन है जो

अनुच्छेद 19(2) द्वारा नागरिकों के वाक् और अभिव्यक्ति की स्वतंत्रता पर लगाये गये हैं।

लार्ड मेन्सफील्ड के अनुसार, प्रेस की स्वतंत्रता का अर्थ है बिना सरकारी अनुज्ञा के विचारों को प्रकाशित करना बशर्ते कि देश की साधारण विधि का उल्लंघन न किया गया हो। प्रेस की स्वतंत्रता केवल दैनिक समाचार और साप्ताहिक पत्रों तक ही सीमित नहीं है। इसके अर्न्तगत सभी प्रकार के प्रकाशन सम्मिलित हैं। जिनके द्वारा व्यक्ति अपने विचारों को एक–दूसरों तक पहुंचा सकता है, जैसे पत्रिका, पत्रक, परिपत्र, आदि।

प्रभुत्त भारत संघ के मामले में यह अभिनिर्धारित किया गया है कि प्रेस की स्वतंत्रता में सूचनाओं तथा समाचारों को जानने का अधिकार भी शामिल है। प्रेस को व्यक्तियों के साक्षात्कार के माध्यम से सूचनाएं जानने की स्वतंत्रता है। किंतु जानने की स्वतंत्रता अधिक नहीं है और उसके ऊपर युक्तियुक्त निर्बन्धन अधिरोपित किये जा सकते हैं। प्रेस की जानने की स्वतंत्रता किसी व्यक्ति पर प्रेस को सूचना अथवा समाचार देने की कोई विधिक कर्तव्य अधिरोपित नहीं करती है।

प्रेस की स्वतंत्रता का अर्थ है सरकार की बिना पूर्वअनुमति के अपने विचारों को प्रकाशित करना। अतः यदि कोई विधि विचारों के प्रकाशन पर पूर्व– अवरोध का प्रावधान है तो वह अनुच्छेद 19(1) द्वारा प्रदत्त स्वतंत्रता का अतिक्रमण करती है।

विज्ञापन भी विचारों की अभिव्यक्ति का एक साधन है। किन्तु यदि विज्ञापन न्यायपारिक प्रकृति का है। तो उन्हें देश की सामान्य कर विधि से विमुक्ति नहीं मिलेगी और सरकार उन पर यथोचित कर लगा सकती है। प्रदर्शन या धरना भी अभिव्यक्ति के साधन हैं। किन्तु अनुच्छेद 19(1) (क) उन्हीं प्रदर्शनों या धरनों को संरक्षण प्रदान करता है जो हिंसात्मक और उज्छृंखल नहीं है। चलचित्र प्रदर्शन भी वाक् और अभिव्यक्ति का एक माध्यम है।

वाक् और अभिव्यक्ति की स्वतंत्रता पर निर्बन्धन–भारतीय संविधान के अनुच्छेद 19(2) के आधार पर नागरिकों की वाक् और अभिव्यक्ति की स्वतंत्रता पर निम्नलिखित निर्बन्धन लगाये जासकते है।: (1) राज्य की सुरक्षा (2) विदेशी राज्यों के साथ मैत्रीपूर्ण संबंधों के हित में, (3) लोक व्यवस्था (4) शिष्टाचार या सदाचार के हित में (5) न्यायालय अवमान (6) मानहानि (7) अपराध उद्दीपन के मामले में तथा (8) भारत की प्रभुत्ता एवं अखंडता।

रेडियो की भूमिका

रेडियो मीडिया का एक ऐसा माध्यम है जिसका सही उपयोग और सही मूल्यांकन अभी तक बहुत से कारणों से नहीं हो पाया है जबकि एक आदर्श मीडिया की विशेषताओं और आवश्यकताओं को रेडियो अपने वृहद प्रसार के कारण बखूबी पूरा करता है। आज जब एक बार फिर सेरेडियो की वापसी होती दिखाई दे रही है तो माध्यम पर चर्चा समसामयिक और आवश्यक है। रेडियो अन्य माध्यमों की तुलना में शुरूआती खर्च और बार–बार होनेवाले खर्च दोनों ही मामलों में ज्यादा किफायती है। और इसलिए ऐसे आम आदमी का माध्यम बनने की तुलनात्मक रूप से बहुत बेहतर संभावनाएं हैं।

अन्य माध्यमों की तुलना में रेडियो की पहुंच भी बहुत ज्यादा है। रेडियो का एक और सबसे बड़ा गुण यह है कि अपनी विश्वसनीयता खो चुके टी.वी. जैसे माध्यमों की बजाय रेडियो की विश्वसनीयता लोगों के बीच अभी भी कायम है। चाहे हिन्दी फिल्म संगीत की लोकप्रियता और उसे जन–जन तक पहुंचाने में विविध भारती और रेडियो सीलोन की भूमिका पर चर्चा करे या मीडिया के विश्वसनीयता के संकट के दौर में भी लोगों के बीच रेडियो के समाचारों की व्याकुलता से प्रतीक्षा की बात हो, रेडियो ने अपनी पहुंच और विश्वसनीयता को बार–बार साबित किया है। रेडियो पत्रकारिता का अन्य माध्यमों के मुकाबले में ज्यादा निरपेक्ष और वस्तुनिष्ठ साबित होना भी रेडियो का एक महत्त्वपूर्ण गुण है।

इलेक्ट्रॉनिक मीडिया की भूमिका

आज इलेक्ट्रॉनिक मीडिया की भूमिका बढ़ती जा रही है। सामाचार चैनलों के उदय लाइव प्रसारण के माध्यम से आम व्यक्ति तक प्रभावोत्पादक पहुंच बनायी है। विभिन्न महाविनाशकारी दृश्यों, तथा अनेक राजनीतीक गतिविधियों संसद हमलों का सीधा प्रसारण कर टी.वी. चैनलों की टीमों ने इलेक्ट्रॉनिक पत्रकारिता में एक नया अध्याय जोड़ा है। नई आर्थिक नीति 1991, जिसमें उदारीकरण, निजीकरण, वैश्वीकरण ने तो मीडिया ने आज स्त्री की उपभोगवादी छवि की स्थापनी की है, वह विज्ञापनों, टी.वी. सीरियलों, फिल्मों में एक नये अन्दाज में दिखायी देती है। यह मीडिया का ही कमाल है कि विज्ञापन की महिलाएं स्वयं में एक ब्राण्ड बन गई है।

भ्रष्टाचार रोकने में मीडिया की भूमिका

एक स्वतंत्र मीडिया की भ्रष्टाचार रोकने, अनुवीक्षण करने और नियंत्रण करने में महत्त्वपूर्ण भूमिका होती है। ऐसा मीडिया जनता को भ्रष्टाचार पर सूचना और शिक्षा दे सकता है, सरकार में निजी क्षेत्र में और सिविल सोसायटी संगठनों में भ्रष्टाचार का पर्दाफाश करता है और भ्रष्टाचार के विरुद्ध अपने को नीतिबद्ध करते हुए आचार संहिता पर निगरानी में सहायता करता है।

मीडिया द्वारा जांच की रिपोर्ट देना और भ्रष्टाचार की घटनाओं की वेसी ही सूचना देना जैसी वे घटी हों तो वह भ्रष्टाचार पर सूचना का एक महत्त्वपूर्ण स्रोत हो सकती है। भ्रष्टाचार की घटनाओं की ठीक वैसी ही दैनिक सूचना देना दूसरा योगदान है।

ऐसी रिपोर्टो का उत्तर देने के लिए प्राधिकारियों के समय पर कार्यवाही कर लेनी चाहिए, सही तथ्यों से अवगत करा देना चाहिए, दोषियों को पकड़ने के लिए कदम उठाने चाहिए और प्रेस तथा जनता को समय–समय पर ऐसी कार्यवाही की प्रगति की सूचना देते रहना चाहिए। यह आम अनुभव रहा है कि अक्सर ऐसे आरोपों पर ध्यान देकर

उनका अनुसरण करने के कई व्यवस्थित प्रबन्ध नहीं किए जाते।

मीडिया के विभिन्न क्षेत्रों में आने वाले रिपोर्टों का मिलान करना और उनका अनुसरण करना सभी सार्वजनिक कार्यालयों में शिकायतों के अनुवीक्षण करने वाली व्यवस्थाओं का एक अभिन्न हिस्सा होना चाहिए।

यह देखा गया है कि कभी–कभी प्रतिस्पर्द्धा के दबाव में मीडिया आरोपों और सूचनाओं को जनता के सामने रखने से पहले उनका सत्यापन नहीं करता है। कभी–कभी ऐसे आरोप/शिकायतों की उचित छानबीन की जाएगी और वह व्यक्ति जिसके विरुद्ध ऐसे आरोप लगाए गए है। को अपनी बात कहने का एक अच्छा अवसर दिया गया है।

भारत में समाचार–पत्रों और समाचार एजेंसियों के मानकों को सुधारने और रखरखाव के लिए प्रेस परिषद को पुनर्गठित किया गया था। भारतीय प्रेस परिषद् ने मुद्रण मीडिया के लिए आचार संहिता निर्धारित की है। तथापि ऐसी कोई संहिता इलेक्ट्रॉनिक मीडिया के लिए अस्तित्व में नहीं है।

सूचना और प्रसारण मन्त्रालय ने एक ड्राफ्ट प्रसारन सेवाएं विनियामक बिल तैयार किया जिसमें भारतीय प्रसारण विनियामक प्राधिकरण गठन किया गया, जिसमें इलेक्ट्रॉनिक मीडिया सहित लाइसेंस और निगरानी दोनों को शामिल किया गया है। इस बिल में उदार सन्तुष्टि संहिता के अनुपालन को सुनिश्चित करने के लिए स्वतः नियन्त्रक तन्त्र प्रदान करने लिए और प्रतिमानकों को निर्धारित करने का प्रस्ताव है। मीडिया आयोग के गठन करने का भी प्रस्ताव है। द्वितीय प्रशानिक सुधार आयोग का यह मत है कि क्योंकि इलेक्ट्रॉनिक मीडिया प्रिंट मीडिया की तरह ही महत्त्वपूर्ण भूमिका अदा करता है, अतः इलेक्ट्रॉनिक मीडिया के लिए, उसके संचालन के विभिन्न पहुलओं को शामिल करते हुए संहिता बनाने की आवश्यकता है।

मीडिया एवं लोक प्रशासन

आज मीडिया लोक प्रशासन से घनिष्ठ रुप से जुड़ गया है। यह

प्रशासन को नियंत्रित करता है, प्रशासन की कमियों और गलतियों को उजागर करके उसे सही मार्ग पर चलने के लिए प्रेरित करता है तथा प्रशासनिक निरंकुशता का पर्दाफाश करके आमजन के अधिकारों की रक्षा करता है।

कार्यपालिका और विधायिका प्रशासन को निर्योत्रत करे अथवा न करे किन्तु दूरदर्शन पर प्रसारित खबरें और प्रातः कालीन अखबार प्रशासन को चौकन्ना कर देते है। स्टिंग ऑपरेशन से पिछले वर्षों में भ्रष्टाचार के अनेक काण्ड उजागर हुए हैं।

"मीडिया (संचार साधन) का प्रयोग द्विमुखी उद्देश्य के लिए किया जाता है। जहां प्रशासन जनहित सम्बन्धी विभिन्न सूचनाएं समाचार–पत्रों, विभागीय प्रकाशनों, आकाशवाणी, दूरदर्शन और अब इन्टरनेट द्वारा प्रेरित करता है वहीं जनता इन माध्यमों का प्रयोग अपनी शिकायतों को प्रगट के लिए कर सकती है।

जहां प्रशासन के लिए समय पर आवश्यक सूचना जनता को उपलब्ध कराना शिकायतों को उत्पन्न होने से रोकने में सहायक होता है, वहीं प्रशासन के विरुद्ध शिकायतों को प्रकट करने का उन्मुख अवसर प्रशासन को सतर्क रखता है। मीडिया (संचार माध्यम) प्रशासन और जनता के मध्य महत्वपूर्ण कड़ी की भूमिका निभाते हैं।"

समाचार–पत्रों में 'जन शिकायतें', तथा दूरदर्शन पर 'आवाज' 'घूमता आइना' तथा आकाशवाजी के ऐसे ही विभिन्न कार्यक्रम जहां जनता को खुले रुप में निर्भिकता के साथ अपनी शिकायतें प्रस्तुत करने का अवसर देते हैं। वहीं प्रशासन को तत्काल या शीध्र ही निर्णय लेने, शिकायतों का समाधान करने या स्पष्टीकरण देने के लिए बाध्य कर देते हैं।

निष्कर्ष

मीडिया को समाज की आवाज कहा जाता है। लेकिन आज की परिस्थितियों में मीडिया समाज के एक वर्ग विशेष तथा, क्षेत्र की आवाज

बनकर रह गया है। इसका परिणाम यह हुआ है कि मीडिया समाज और देश की परिस्थितियों को समझने से दूर होता दिखाई दे रहा है।

एक अर्थ में भारतीय मीडिया का यह उत्थान और पतन लगभग अवश्यंभावी था। पिछले एक दशक की अवधि में हमारे समाचार ने लम्बा सफर तय किया है। वर्ष 2000 में केवल एक न्यूज चैनल को सरकार ने हरी झण्डी दिखाई थी। आज देश में 500 से ज्यादा चैलन हैं, जिनमें एक –तिहाई न्यूज चैनल हैं। सौ से भी ज्यादा चैनल सरकारी सहमति की प्रतीक्षा कर रहे हैं। इसमें रोजाना बिकने वाली अखबारों की करोड़ो प्रतियों और 80 लाख इन्टरनेट उपयोगकताओ को भी जोड़ ले तो हमारे सामने समाचारों से संचलित होने वाले एक समाज की छवि उभरती है। जब इतने बड़े पैमाने पर खबरों का उपभोग होता हो तो उसके बाद मीडिया का हमारी जिन्दगी में 'लार्जर लाइफ' भूमिका निभाना तय है।

अब न्यूज एंकरों के लिए असामान्य बात नही रह गई है कि वे हर रात टी.वी. चैनलों पर जज, ज्यूरी या जल्लाद की भूमिका निभांए। अब पत्रकार खबरों के 'निर्लिप्त' और 'निरपेक्ष' पर्यवेक्षक भर नहीं रह पाए है। पत्रकारों ने अपने लिए अब यह विशेष अधिकार प्राप्त कर लिया है कि हम 'देश की आवाज बनें। उन्हें इस बात से शायद फर्क नहीं पड़ता कि कुछ लोगों को भिन्न विचार भी हो सकते हैं। चैट शौ के गुरु लैरी किंग ने बहुत संक्षेप में न्यूज टेलीविजन का नया मन्त्र दिया हैः 'सभी चैट शो के होस्ट अपना ही इंटरव्यू लेते हैं। शो के मेहमान तो महज एंकरों को सहारा ओढ़ लेतें है। और समाचार के मंच से उपदेश देना शुरु कर देते हैं।, लेकिन यह मुसीबत को बुलावा देने जैसा है, क्योंकि बाद में जब उस पर जवाबी, हमला बोले जाने में देर नहीं लगती। अगर मीडिया जनता का प्रवक्ता है तो जनता भी यह मानती है कि उसे मीडिया को कठघरे में खड़ा करने का अधिकार है।

पिछले दशक में हुई मीडिया क्रान्ति के दौरान खबरों की उन्मादी प्रतिस्पर्द्धा के नियम–कायदों को ताक पर रख दिया गया। सतही और अक्सर साक्ष्यहीन आरोपों को बिना किसी मानहानि के भय के प्रसारित

कर दिया गया या अखबार में छाप दिया गया। जब समाचार महज एक घण्टे बाद इतिहास बनकर रह जाएं तो सच्चाई घुटने टेक देती है। यह मीडिया की विश्वसनीयता के लिए चिन्तनीय स्थिति हैं। भ्रष्ट तन्त्र को उसकी नींद से जगाने के लिए हम कई बार 'मीडिया ट्रायल' की जरुरत महसूस करते हैं।, लेकिन अगर 'मीडिया ट्रायल' अपने आपमें एक साध्य बनकर रह जाए, यदि समाचार व्यक्तिगत पूर्वग्रहों के माध्यमों के बनकर रह जाएं, तो यह पत्रकारिता की पेशेवर निष्ठा के लिए भी एक खतरा होगा।

मीडिया की आलोचना उसे अपनी कार्यप्रणाली में कुछ जरुरी सुधार करने को मजबूर करती है तो हमें इसका स्वागत करना चाहिए। मीडिया के उदय ने पत्रकारों को जमीनी हकीकत से दूर कर दिया था। वे अपने संसथान से जुड़ी जिम्मेदारियों कों भी भूल गए कि वे मुक्त पत्रकारिता नामक संस्था के दास हैं। उनका काम पत्रकारिता के आदर्शों का निर्वहन करना है, अपने व्यक्तिगत हितों की पूर्ति करना नहीं और राजनीतिक या कॉपोरेट हितों की पूर्ति करना तो कतई नहीं। फिर भी हमें यह याद रखना चाहिए कि मीडिया में चाहे कितनी ही बुराइयां क्यों न हो, लेकिन कुछ लोगों के आधार पर समूचे मीडिया को दोषी ठहराना ठीक नहीं है। मीडिया में सैकडों प्रतिबद्ध और ईमानदार पत्रकार भी हैं, जो बिना किसी डर या पक्षपात के हम तक सही खबर पहुंचाने के लिए कड़ी मेहनत करते हैं इन्हीं लोगों के कारण पत्रकारिता की भावना आज भी जीवित है।